NOTE DE L'ÉDITEUR

Parce que l'œuvre de Charlaine Harris est plus que jamais
à l'honneur ; parce que nous avons à cœur de satisfaire
les fans de Sookie, Bill et Eric, les mordus des vampires,
des loups-garous ou des ménades, les amoureux de Bon
Temps, du *Merlotte* et de La Nouvelle-Orléans, nous avons
décidé de revoir la traduction de ce troisième tome de *La
communauté du Sud*, ainsi que des autres tomes parus.

La narration a été strictement respectée, et chaque nom
a été restitué fidèlement au texte original – *Fangtasia*, le
fameux bar à vampires, a ainsi retrouvé son nom.

Nos lecteurs auront donc le plaisir de découvrir ou de
redécouvrir les aventures de Sookie Stackhouse dans un
style au plus près de celui de Charlaine Harris et de la
série télévisée.

Nous vous remercions d'être aussi fidèles et vous sou-
haitons une bonne lecture.

Du même auteur

SÉRIE SOOKIE STACKHOUSE
LA COMMUNAUTÉ DU SUD

DANS LE TOME PRÉCÉDENT...

À peine remise de la découverte du cadavre de Lafayette, Sookie fait connaissance, à ses dépens, avec une ménade. La prêtresse vouée à Bacchus l'empoisonne farouchement, l'obligeant à se laisser soigner par Bill et ses amis vampires. En échange de quoi, leur chef Eric lui demande d'aller enquêter à Dallas sur la disparition de l'un des leurs. Grâce à ses pouvoirs télépathiques, Sookie parvient à retrouver la trace du vampire en question dans l'église d'un pasteur extrémiste, fervent opposant à la reconnaissance des droits civils des vampires. Infiltrant cette communauté au péril de sa vie, elle accomplit sa mission grâce à l'aide d'une bande de loups-garous, d'autres créatures dont elle ne soupçonnait pas l'existence. Mais son retour à Bon Temps lui réserve encore des surprises. Pour trouver les meurtriers de Lafayette, il lui faut prendre part en compagnie d'Eric à une orgie qui lui révèle que ses semblables ont eux aussi bien des secrets inavouables.

Catalogage avant publication de Bibliothèque et Archives nationales
du Québec et Bibliothèque et Archives Canada

Harris, Charlaine
    Mortel corps à corps
    Nouv. éd.
    (La communauté du Sud; 3)
    Traduction de: Club dead.
    «Série Sookie Stackhouse».
    ISBN 978-2-89077-387-5
    I. Le Boucher, Frédérique. II. Muller, Anne. III. Titre. IV.
    Collection: Harris, Charlaine. Communauté du Sud; 3.
PS3558.A77C5814 2010   813'.54   C2010-942279-1

COUVERTURE
Photo: © Maude Chauvin, 2009
Conception graphique: Annick Désormeaux

INTÉRIEUR
Composition: Chesteroc

Titre original: CLUB DEAD
Ace Book, New York, publié par The Berkley Publishing Group,
une filiale de Penguin Group (USA) Inc.
© Charlaine Harris, 2003
Traduction en langue française: © Éditions J'ai lu, 2005; nouvelle édition, 2010
Édition canadienne: © Flammarion Québec, 2010

Tous droits réservés
ISBN 978-2-89077-387-5
Dépôt légal BAnQ: 4ᵉ trimestre 2010

Imprimé au Canada
www.flammarion.qc.ca

CHARLAINE HARRIS

Série Sookie Stackhouse
LA COMMUNAUTÉ DU SUD - 3

MORTEL CORPS À CORPS

Traduit de l'anglais (États-Unis)
par Frédérique Le Boucher

Revu par Anne Muller

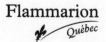

Flammarion
Québec

*Je dédie ce roman à mon fils cadet,
Timothy Schulz, qui m'a dit sans ambages
qu'il voulait un livre « rien que pour lui ».*

Remerciements

Je tiens à remercier Lisa Weissenbuehler, Kerie L. Nickel, Marie La Salle et l'incomparable Doris Ann Norris pour leurs renseignements sur les coffres de voiture, petits et grands. Je remercie aussi Janet Davis, Irene et Sonya Stocklin, cyber-membres de DorothyL, pour leurs informations sur les bars, le bourré (un jeu de cartes) et les administrations de Louisiane. Merci aussi à Joan Coffrey, qui a été une vraie mine de renseignements sur Jackson, et enfin, à la merveilleuse et si serviable Jane Lee, qui m'a inlassablement guidée à travers Jackson à la recherche de l'emplacement idéal pour un bar à vampires.

1

Quand je suis entrée chez lui, Bill était devant son ordinateur, scène malheureusement de plus en plus courante, ces derniers mois. Au début, quand j'arrivais, il parvenait encore à s'arracher à son travail. Mais depuis quelques semaines, c'était son clavier qui l'emportait.

Il a lancé un « Bonjour, mon cœur » distrait, les yeux rivés sur son écran. Une bouteille de True-Blood groupe O traînait sur son bureau : il n'avait pas oublié de manger. C'était déjà ça.

Plutôt classique, Bill ne s'habillait généralement pas en jean et en tee-shirt. Il portait aujourd'hui un pantalon de toile et une chemise à carreaux dans des tons sourds de vert et de bleu. N'importe quelle femme se serait troublée à la vue de sa peau luminescente et de ses épais cheveux bruns, qui sentaient l'Herbal Essences. Je l'ai embrassé dans le cou. Aucune réaction. J'ai passé ma langue sur son oreille. Indifférence totale.

Je venais de faire mes six heures non-stop au *Merlotte*, et chaque fois qu'un client m'avait laissé un pourboire de misère ou qu'un crétin m'avait mis la main aux fesses, j'avais respiré un grand coup en me disant que bientôt, très bientôt, je retrouverais mon petit ami, que nous ferions l'amour comme des fous et que je serais l'objet indiscuté de toutes ses attentions.

Apparemment, ce n'était pas prévu au programme.

J'ai pris une profonde inspiration, en décochant un regard noir à son dos. C'était un dos fabuleux, étayé par de larges épaules. J'avais projeté de le voir nu, mes ongles plantés dedans... À vrai dire, j'avais même carrément misé là-dessus. J'ai expiré lentement, progressivement.

— Je suis à toi dans une minute, m'a-t-il assuré.

Sur son écran apparaissait la photo d'un homme distingué aux tempes argentées, très bronzé. Il était aussi sexy qu'Anthony Quinn, et il respirait le pouvoir. En dessous, il y avait un nom et, encore plus bas, quelques mots : « Né en 1756, au nord de la Sicile... » Tiens ! Contrairement à ce que prétendait la légende, on pouvait donc photographier les vampires. Juste au moment où j'ouvrais la bouche pour le lui dire, Bill s'est retourné.

En s'apercevant que je lisais par-dessus son épaule, il a tapé sur une touche. Clic ! *Black-out* sur l'écran.

Je l'ai dévisagé en silence. J'avais du mal à le croire.

—Sookie... a-t-il murmuré en esquissant un sourire hésitant.

Ses canines étaient complètement rétractées : il n'était pas du tout dans l'état d'esprit sur lequel j'avais compté. Comme tous les vampires, Bill ne montre les crocs que quand il les a. Autrement dit, lorsqu'il est en appétit. Appétit sexuel ou appétit tout court, quand, tenaillé par la faim, il est pris du désir de tuer pour se nourrir du sang de ses victimes. Il arrive, malheureusement, que ces différents désirs se mélangent un peu les pinceaux... Et c'est comme ça qu'on se retrouve avec des fangbangers comblés, mais... morts. Entre vous et moi, c'est justement cette part de risque qui les attire, à mon avis. Quand vous sortez avec un vampire, on a souvent tendance à vous confondre avec ces pathétiques créatures qui leur collent aux basques dans l'espoir de s'attirer leurs faveurs. On m'avait déjà accusée d'en faire partie. J'avais pourtant un seul vampire dans ma vie – volontairement, du moins –, et c'était précisément celui qui était assis devant moi. Celui qui me cachait quelque chose. Celui qui n'avait pas l'air suffisamment content de me voir. Loin de là.

— Bill, lui ai-je répondu d'une voix glaciale.

Quelque chose ne tournait pas rond. Et ce n'était pas la libido de Bill. Le terme « libido » venait juste de faire son entrée comme Mot du Jour sur mon calendrier.

— Tu n'as pas vu ce que tu viens de voir, a-t-il précisé d'une voix égale.

Ses yeux bruns me regardaient fixement, sans ciller.

— Très bien, ai-je acquiescé d'un ton un peu sarcastique. Et... qu'est-ce que tu fabriques exactement ?

— Je travaille. On m'a confié une mission secrète.

Je ne savais pas si je devais rire ou piquer une crise et partir en claquant la porte. Dans le doute, je me suis contentée de hausser les sourcils et j'ai attendu la suite. Bill était l'investigateur de la Cinquième Zone, une division du territoire de la Louisiane administré par les vampires. À ma connaissance, Eric, le chef de la zone en question, n'avait jamais confié de « mission secrète » à Bill sans que je sois au courant. Je faisais même habituellement partie intégrante de l'équipe d'investigation – que je le veuille ou non, d'ailleurs.

— Eric ne doit rien savoir. Aucun vampire de la Cinquième Zone ne doit être au courant.

J'ai senti poindre comme une crampe d'estomac.

— Mais alors… si ce n'est pas pour Eric, c'est pour qui?

J'avais mal aux pieds. Je me suis agenouillée, me laissant aller contre ses genoux.

— La reine de Louisiane.

Il chuchotait presque.

En le voyant si solennel, j'ai essayé de garder mon sérieux. Peine perdue. J'ai brusquement été prise de gloussements irrépressibles.

— C'est une blague?

Je savais pourtant pertinemment qu'il n'en était rien. Bill n'est généralement pas du style à plaisanter. J'ai appuyé ma joue contre sa cuisse pour lui cacher mon hilarité. Quand j'ai jeté un petit coup d'œil à sa tête, il avait l'air franchement vexé.

— Pas du tout. Je suis sérieux comme la mort.

Venant d'un vampire, ça calme. Son ton cassant m'a incitée à changer d'attitude. Et vite.

— Bon. Attends, que je comprenne bien, ai-je repris d'une voix raisonnablement posée.

Je me suis assise en tailleur, les mains sur les genoux.

— Tu bosses pour Eric, qui est le chef de la Cinquième Zone, on est d'accord. Mais il y a aussi une reine? Une reine de Louisiane?

Bill a opiné.

— Donc, la Louisiane serait une sorte de royaume divisé en Zones? Et puisque Eric gère une affaire à Shreveport, dans la Zone 5, cette reine est sa supérieure.

Nouvel acquiescement muet. J'ai secoué la tête, incrédule.

— Et alors, où vit-elle, cette fameuse reine ? À Baton Rouge ?

La capitale de l'État me semblait être l'endroit le plus approprié.

— Mais non, voyons ! À La Nouvelle-Orléans, évidemment.

Bien sûr ! La Nouvelle-Orléans était le QG des vampires. Impossible d'y balancer un caillou sans éborgner un mort-vivant, d'après les journaux – mais seul un imbécile s'y risquerait. Le tourisme explosait littéralement, à La Nouvelle-Orléans. Mais ce n'était plus vraiment la même faune qu'avant. Les joyeux fêtards éméchés qui envahissaient la ville pour faire la fête jusqu'au bout de la nuit avaient laissé la place à des touristes qui venaient là pour se donner des frissons, se frotter aux créatures de l'autre monde. Ils fréquentaient les bars à vampires, assistaient à leurs spectacles érotiques et s'offraient les talents de prostituées aux dents longues.

C'était du moins ce que j'avais entendu dire. Je n'étais jamais retournée à La Nouvelle-Orléans. Mes parents nous y avaient emmenés, mon frère et moi, quand j'étais petite (ce devait être avant mes sept ans, puisque c'était à cet âge-là que j'étais devenue orpheline).

Ils étaient morts presque vingt ans avant que les vampires n'apparaissent pour la première fois sur le petit écran pour annoncer au monde entier qu'ils étaient parmi nous. Les Japonais venaient de développer du sang de synthèse. Celui-ci permettait désormais à un vampire de se maintenir en vie sans avoir besoin de s'approprier l'hémoglobine des humains. Les vampires avaient donc pu décider de se dévoiler au reste du monde.

Ceux qui s'étaient installés aux États-Unis avaient laissé à leurs collègues japonais la primeur d'un *coming out* très remarqué. Puis, simultanément, dans presque toutes les nations qui possédaient la télévision – et qui ne l'a pas, de nos jours ? –, la nouvelle avait été divulguée en des centaines de langues différentes, par des vampires émissaires triés sur le volet, de ceux qui avaient fière allure et qui présentaient bien.

Cette nuit-là, nous autres, braves mortels standards, avions appris que des monstres étaient parmi nous et que nous vivions depuis toujours avec eux sans le savoir.

— Mais, disaient en substance les émissaires en question, maintenant, nous pouvons sortir de l'ombre et cohabiter avec vous en paix. Vous n'avez plus rien à craindre de nous. Nous n'avons plus besoin de votre sang pour vivre.

Comme vous pouvez l'imaginer, cette révélation avait fait l'effet d'une bombe. Les réactions avaient cependant été très différentes selon les pays concernés.

Les vampires des nations à majorité musulmane n'avaient pas été les plus gâtés. Je préfère vous épargner la description de ce qui était arrivé à leur porte-parole en Syrie, quoique leur ambassadrice en Afghanistan ait peut-être connu une mort (définitive) plus horrible encore (mais pourquoi donc avaient-ils choisi une femme pour cette mission ? Les vampires peuvent se montrer brillants, mais parfois, ils sont en complet décalage).

Certains pays (la France, l'Italie et l'Allemagne en tête) avaient refusé de les considérer comme des citoyens à part entière. Beaucoup (dont la Bosnie, l'Argentine et la plupart des nations africaines) leur avaient dénié tout statut social de quelque nature que ce soit et avaient même aussitôt déclaré la chasse ouverte, invitant explicitement tous les chasseurs de primes potentiels à les en débarrasser. Mais les États-Unis, l'Angleterre, le Mexique, le Canada, le Japon, la Suisse et les pays scandinaves avaient su faire preuve de plus de tolérance.

Difficile de dire si les vampires s'étaient attendus à une telle réaction. Comme ils continuaient à se battre pour conserver un pied dans la société des vivants, ils se montraient très discrets sur leur organisation et leur système de gouvernement. Ce que Bill m'en révélait à présent était tout nouveau pour moi. Il ne m'en avait jamais autant dit.

— Donc, la reine des vampires de Louisiane t'a confié une mission secrète, ai-je enchaîné en tentant de prendre un ton aussi neutre que possible. Et c'est pour ça que tu passes ton temps devant ton écran depuis des semaines.

Il a acquiescé, en portant sa bouteille de True-Blood à ses lèvres. Comme il ne restait que quelques gouttes au fond, il est allé en chercher une autre dans le réfrigérateur de sa minuscule cuisine (quand il avait fait restaurer sa vieille maison de famille, il n'avait accordé qu'un minimum d'importance à la cuisine, puisqu'il n'en avait aucun besoin). Je l'ai suivi à l'oreille tandis qu'il décapsulait sa bouteille avant de la mettre au micro-ondes. La minuterie a sonné et il est revenu en secouant son TrueBlood, le pouce sur le goulot.

— Et tu comptes passer encore combien de temps là-dessus ?

Question raisonnable, à mon sens.

— Aussi longtemps qu'il le faudra.

Nettement moins raisonnable, comme réponse. Pour tout dire, Bill avait l'air franchement agacé.

Était-ce la fin de notre lune de miel ? Je parle au figuré, évidemment : Bill étant un vampire, il nous était interdit de nous marier, partout dans le monde ou presque.

Évidemment, il ne m'avait jamais demandé de l'épouser...

— Eh bien, puisque tu es si absorbé par ton travail, il serait peut-être préférable que je prenne le large quelque temps, jusqu'à ce que tu aies fini, ai-je énoncé lentement.

— Ce serait sans doute mieux, oui, a-t-il reconnu, après avoir quand même marqué une hésitation.

C'était comme s'il m'avait frappé à l'estomac. En un éclair, j'étais debout et je remettais mon manteau par-dessus mon uniforme de serveuse, version hiver : pantalon noir, sweat-shirt blanc à encolure bateau avec *Merlotte* brodé côté cœur. Je me suis retournée pour qu'il ne me voie pas pleurer.

J'avais du mal à retenir mes larmes, mais pas question de les lui montrer. Pas même quand il a posé la main sur mon épaule.

— Il faut que je te dise quelque chose, m'a-t-il annoncé de sa voix froide et lisse.

J'ai suspendu mon geste, un gant dans la main gauche, l'autre couvrant à moitié la droite. Mais je ne pouvais toujours pas le regarder. Il n'avait qu'à parler à mon dos.

— S'il m'arrive quoi que ce soit, a-t-il poursuivi (et c'est là que j'aurais dû commencer à m'inquiéter), jette un coup d'œil dans la cachette que j'ai aménagée chez toi. Mon ordinateur devrait s'y trouver, avec quelques CD. N'en parle à personne. S'il n'y est pas, viens vérifier ici ce qu'il en est. Viens de jour. Et armée. Prends l'ordinateur et tous les CD que tu pourras trouver et va les cacher chez toi, dans « mon trou à rats », comme tu l'appelles.

J'ai opiné en silence. Il devrait se contenter de cette réponse. J'avais trop peur de craquer.

— Si je ne suis pas rentré, ou si tu n'as aucune nouvelle de moi, disons dans... deux mois... oui, c'est ça, deux mois, répète à Eric tout ce que je viens de te dire. Et mets-toi sous sa protection.

Je n'ai rien répondu. J'étais trop malheureuse pour être en colère, mais je sentais que je n'allais pas tarder à m'effondrer. J'ai juste hoché la tête. Ma queue de cheval a balayé ma nuque.

— Je vais bientôt partir pour... pour Seattle, a-t-il repris.

J'ai senti la caresse de ses lèvres froides dans mon cou juste à l'endroit que mes cheveux venaient de frôler.

Il mentait.

— Quand je reviendrai, nous aurons une conversation tous les deux.

Allez savoir pourquoi, cette perspective ne me réjouissait pas. Elle avait même quelque chose de sinistre.

De nouveau, j'ai hoché la tête. Je ne me serais pas risquée à ouvrir la bouche parce que, maintenant, je pleurais pour de bon. Plutôt mourir que de lui laisser voir mes larmes.

Et c'est comme ça que je l'ai quitté, par une froide nuit de décembre.

Le lendemain, en allant au travail, j'ai fait un détour. Mauvaise idée. Je ruminais mon désespoir. Je me roulais dedans. Après une nuit blanche durant laquelle je m'étais passablement morfondue, une petite voix perfide tout au fond de moi m'avait suggéré que je pourrais encore améliorer mon humeur en passant par Magnolia Creek Road. Et naturellement, c'est ce que j'ai fait.

À Belle Rive, l'antique demeure familiale des Bellefleur, c'était l'effervescence : une vraie ruche, malgré le froid et la grisaille. Plusieurs camions – compagnie de dératisation, aménagement de cuisine, ravalement de façades... – étaient garés sur le côté de la maison. Pour Caroline Holliday Bellefleur, la vieille dame qui avait dirigé Belle Rive (et une partie de Bon Temps) d'une main de fer, durant ces quatre-vingts dernières années, la vie n'avait jamais été aussi belle. Je me demandais comment ses petits-enfants – Portia, avocate, et Andy, lieutenant de police – prenaient tous ces changements inespérés. Ils habitaient à Belle Rive avec leur grand-mère depuis des années (comme j'avais moi-même vécu avec la mienne) : ils devaient probablement partager avec elle les joies de cette splendeur retrouvée.

Ma grand-mère était morte assassinée quelques mois plus tôt.

Les Bellefleur n'avaient rien à voir là-dedans, bien sûr. Portia et Andy n'avaient aucune raison de me faire profiter de leur nouvelle richesse. Et d'ailleurs, ils m'évitaient comme la peste. Ils avaient une dette envers moi et, ça, ils ne pouvaient pas le digérer. Mais ils n'avaient cependant aucune idée de ce qu'ils me devaient vraiment.

D'après ce que j'avais entendu Andy raconter à l'un de ses collègues de la police, un soir qu'ils prenaient un verre au *Merlotte*, les Bellefleur avaient hérité d'un « mystérieux parent éloigné, mort on ne sait trop comment, quelque part en Europe ». Quand elle était venue me vendre ses billets de tombola pour les bonnes œuvres, Maxine Fortenberry m'avait rapporté que « Miss Caroline » avait passé au peigne fin tous les registres d'état civil qu'elle avait pu dénicher, pour identifier son énigmatique bienfaiteur et qu'elle ne parvenait toujours pas à croire à une telle aubaine. Visiblement, cela ne l'empêchait pas de dépenser joyeusement son héritage...

Même Terry Bellefleur, le cousin de Portia et d'Andy, avait un nouveau pick-up garé devant son mobile home. J'aimais bien Terry, un vétéran marqué par le Vietnam, qui n'avait pas beaucoup d'amis. Je n'étais pas du genre à lui en vouloir de s'être fait offrir un nouveau moyen de locomotion.

Mais je pensais au carburateur que je venais de changer sur ma vieille guimbarde. J'avais payé cash. J'avais bien envisagé de proposer à Jim Downey de payer la moitié tout de suite et le reste par mensualités, mais Jim avait une femme et trois gosses à nourrir. Ce matin-là encore, je m'apprêtais à demander à mon patron, Sam Merlotte, de me donner plus d'heures à faire pour arrondir mes fins de mois. J'avais vraiment besoin d'argent. En outre, maintenant que Bill était parti à « Seattle », je pouvais tout aussi bien passer ma vie au bar...

J'ai fait un gros effort pour ne pas me laisser envahir par l'amertume, en repartant de Belle Rive. J'ai pris vers le sud pour sortir de la ville et j'ai tourné dans Hummingbird Road, direction le *Merlotte*. J'essayais de me persuader que tout allait bien, qu'à son retour de « Seattle » (ou de je ne sais où), Bill redeviendrait l'amant passionné qui me faisait vibrer, que je me sentirais de nouveau aimée et désirée, que j'éprouverais encore ce bonheur de me savoir en parfaite osmose avec quelqu'un, au lieu de me sentir lamentablement seule.

Bien sûr, j'avais toujours mon frère, Jason. Mais pour ce qui était de l'intimité, du partage et des sentiments, je devais bien admettre que ce n'était pas tout à fait ça.

J'identifiais sans difficulté la douleur que je ressentais au plus profond de moi : c'était l'angoisse de l'abandon. Elle m'était même si familière qu'elle était devenue pour moi comme une seconde peau.

Elle était venue m'envelopper de nouveau, et ça me rendait malade.

2

J'ai vérifié que j'avais bien fermé la porte à clé et je me suis retournée. C'est alors que, du coin de l'œil, j'ai aperçu la silhouette d'un homme sur la balancelle. J'ai étouffé un cri en le voyant se lever. Puis je l'ai reconnu.

Je portais un épais manteau de laine, et lui un débardeur. Ce qui n'était guère surprenant, venant de sa part.

— Salut, El...

Oh oh ! Moins une.

— Salut, Bubba ! Comment ça va ?

J'essayais de paraître cool, décontractée. Pas très convaincant. Mais Bubba n'avait pas inventé la poudre. Les vampires eux-mêmes reconnaissaient que ça n'avait pas été une très bonne idée de le faire passer de l'autre côté alors qu'il était saturé de stupéfiants en tous genres. Mais le destin avait voulu que, la nuit où on l'avait amené à la morgue, l'un des assistants qui se trouvait là soit non seulement un mort-vivant, mais aussi un inconditionnel du King. Il avait échafaudé à la va-vite un plan d'urgence (qui impliquait tout de même un petit meurtre ou deux) et s'en était chargé – autrement dit, il avait fait de Bubba un vampire. Le hic, voyez-vous, c'est que tout ne se passe pas toujours comme prévu. Depuis, on l'avait fait tourner un peu partout, comme un membre un peu simplet d'une famille royale. Cette année, c'était au tour de la Louisiane de l'héberger.

— Comment ça va, mam'zelle Sookie?

Il avait gardé son accent à couper au couteau et son beau visage de tombeur, même s'il s'était empâté. Quelques mèches sombres retombaient sur son front dans un désordre étudié. Ses longues pattes avaient été soigneusement brossées. Il devait avoir un fan, parmi ses amis vampires, qui l'avait bichonné pour la soirée.

— Super, Bubba, merci, ai-je répondu avec un sourire jusqu'aux oreilles – un réflexe, quand je suis nerveuse. Je partais justement travailler, ai-je ajouté.

Je me demandais si je parviendrais à m'en tirer en montant tout simplement dans ma voiture et en démarrant sur les chapeaux de roue.

J'en doutais.

— C'est qu'on m'a envoyé pour vous garder, cette nuit, mam'zelle Sookie.

— Ah, oui? Qui ça?

— Eric, m'a-t-il annoncé avec une fierté mani-feste. J'étais le seul encore au bureau quand le télé-phone a sonné. Il m'a dit de me ramener ici.

— Pourquoi? Qu'est-ce qui se passe?

J'ai balayé du regard la clairière où se dresse ma vieille maison entourée par la forêt. Les nouvelles de Bubba n'étaient pas vraiment faites pour me rassurer.

— Je ne sais pas, mam'zelle Sookie. On m'a juste dit de veiller sur vous, ce soir, jusqu'à ce que quelqu'un du *Fangtasia* arrive – Eric ou Chow, ou mam'zelle Pam, ou même Clancy. Alors, si vous allez bosser, je viens avec vous. Et je m'occuperai de tous ceux qui vous chercheraient des noises.

Inutile de le questionner davantage et d'imposer plus de pression à cette pauvre cervelle, déjà si fragile. Ça n'aurait fait que le contrarier, ce qui n'était pas une bonne idée du tout. Voilà pourquoi il fallait veiller à ne jamais l'appeler par son vrai nom... même si, de temps à autre, il lui prenait l'envie de chanter, et là, c'était mémorable.

— Tu ne pourras pas venir avec moi, Bubba. Pas dans le bar, en tout cas, lui ai-je annoncé sans tourner autour du pot.

S'il mettait un pied dans le bar, ce serait l'émeute. Au *Merlotte*, les clients sont habitués aux vampires de passage. Mais je ne pourrais jamais prévenir tout le monde de ne jamais prononcer son nom. Eric avait vraiment dû être pris de court pour me l'envoyer. Les vampires s'arrangeaient toujours pour garder les erreurs comme Bubba à l'abri des regards – même si, parfois, il décidait d'aller faire un tour en ville tout seul. C'était dans ces cas-là qu'on voyait fleurir les fameuses histoires d'«apparitions» et que la presse à sensation s'emballait.

— Tu pourrais peut-être m'attendre dans la voiture pendant que je travaillerai?

Le froid ne le gênerait pas.

— Il faut que je sois plus près que ça, m'a-t-il rétorqué.

Il paraissait fermement résolu.

— Bon, d'accord. Qu'est-ce que tu dirais du bureau de mon boss? Il est juste à côté du bar. Comme ça, si je crie, tu pourras m'entendre.

Bubba ne semblait toujours pas convaincu. Il a pourtant fini par hocher la tête en silence. J'ai recommencé à respirer. Ça aurait sans doute été plus facile pour moi de rester à la maison et de me faire porter pâle. Malheureusement, non seulement Sam m'attendait pour le service du soir, mais j'avais aussi besoin de mon chèque.

Ma voiture m'a paru bien petite avec Bubba à l'intérieur. Comme nous cahotions sur les méandres du chemin qui mène de la maison à la route du comté, à travers les bois, je me suis promis d'appeler l'entreprise de gravier pour faire combler les trous. Et puis, mentalement, j'ai rayé cette tâche de ma liste. Pour le moment, je n'avais pas les moyens de me payer ce genre de travaux. Il me faudrait attendre le printemps. Ou l'été...

Nous avons tourné à droite pour parcourir les quelques kilomètres qui nous séparaient encore du *Merlotte*, où je travaille comme serveuse quand je ne suis pas en Service Commandé Super Secret pour les vampires. On était à mi-chemin quand j'ai réalisé que je n'avais pas vu de voiture garée devant ma maison. Comment Bubba était-il arrivé? En volant? Certains vampires sont capables de voler. Et Bubba avait beau être le vampire le moins doué que j'aie jamais rencontré, il avait peut-être des talents cachés.

Un an plus tôt, je lui aurais carrément posé la question. Plus maintenant. À force de fréquenter les vampires, je sais à quoi m'en tenir. Je ne suis pas devenue des leurs. En fait, je suis télépathe. Autant dire que ma vie a été un véritable enfer jusqu'à ce que je rencontre un homme dont je ne pouvais pas lire l'esprit. Malheureusement, si je ne pouvais pas écouter ses pensées, c'était parce qu'il était mort. Mais Bill et moi sortions ensemble depuis plusieurs mois déjà, et jusqu'à ces dernières semaines, les choses se passaient vraiment bien entre nous. Et, comme les autres vampires ont besoin de mes talents, je suis en sécurité.

Dans une certaine mesure. La plupart du temps. Parfois.

À en juger par le parking à moitié vide, les clients ne devaient pas se bousculer dans le bar. Sam Merlotte avait racheté l'établissement à peu près cinq ans plutôt. L'affaire était en chute libre, à l'époque. Peut-être parce que l'endroit se trouvait au beau milieu de la forêt qui le cernait, sombre et menaçante. Ou peut-être parce que le précédent propriétaire n'avait tout simplement pas su trouver les bonnes associations entre les boissons, les plats et le service.

Toujours est-il qu'après avoir rebaptisé et rénové le bar, Sam avait inversé la vapeur. Il gagnait bien sa vie, à présent. Mais on était lundi, et ce n'est jamais un jour très prospère pour les bars dans notre petit coin paumé, au nord de la Louisiane. Je me suis garée sur le petit parking réservé au personnel, juste devant la caravane de Sam, qui fait un angle droit avec l'entrée de service du bar. J'ai sauté hors de la voiture, traversé la réserve au pas de course et jeté un coup d'œil à travers le carreau pour vérifier que le couloir, avec ses deux portes (l'une qui donne sur les toilettes, l'autre sur le bureau de Sam), était vide. Il l'était. Parfait. Et quand j'ai frappé à la porte de Sam, il était assis derrière son bureau. Encore mieux.

Sam n'est peut-être pas très grand, mais il est doté d'une grande force. Ses cheveux sont d'un blond vénitien et il a de beaux yeux bleus. Il doit avoir quatre ans de plus que moi – j'en ai vingt-six. Je travaille pour lui depuis quelques années et je l'aime beaucoup. Pour dire la vérité, il tenait souvent le premier rôle dans quelques-uns de mes fantasmes favoris. Cependant, deux ou trois mois auparavant, il était sorti avec une créature superbe mais sauvage et assassine, et mon enthousiasme était un peu retombé. Il n'en reste pas moins mon ami le plus proche.

— Excuse-moi, Sam... ai-je dit avec un sourire idiot.

— Qu'y a-t-il, Sookie ? m'a-t-il lancé en refermant le catalogue d'un fournisseur, qu'il était en train de feuilleter.

— J'aurais besoin de planquer quelqu'un ici pour quelques heures.

Ça n'a pas eu l'air de l'enchanter.

— Qui ? Bill est rentré ?

— Non, il est toujours en voyage (sourire de plus en plus éclatant). Mais... euh... ils ont envoyé un autre vampire pour... me protéger, et j'ai besoin de le cacher ici pendant mon service, si ça ne te pose pas de problème.

— Mais... pourquoi as-tu besoin de protection ? Et ton vampire, il ne peut pas tout bonnement s'asseoir au bar, comme tout le monde ? Ce n'est pas le TrueBlood qui manque dans le frigo.

De toutes les marques de sang synthétique qui se disputaient le marché à l'échelle internationale, TrueBlood tenait assurément le haut du pavé. « La vie en bouteille », promettait son premier slogan. Les vampires avaient réagi très favorablement.

Il m'a semblé entendre un petit bruit discret derrière moi. J'ai soupiré. Bubba avait perdu patience.

— Écoute, je t'avais bien dit de...

Je n'ai jamais fini ma phrase. Une main m'a agrippé l'épaule, et je me suis brusquement retrouvée face à un homme que je n'avais jamais vu. Il refermait déjà son poing, prêt à me l'envoyer en pleine figure.

Le sang de vampire qu'on m'avait transfusé, quelques mois plus tôt (pour me sauver la vie, je tiens à le préciser), avait pratiquement cessé de faire effet (ma peau ne luisait presque plus dans la nuit, maintenant). J'étais toutefois bien plus rapide que la moyenne. Je me suis laissée tomber et j'ai roulé dans les jambes de mon agresseur pour le déstabiliser, ce qui a permis à Bubba de le neutraliser plus facilement et de lui broyer la nuque.

Je me suis relevée tant bien que mal tandis que Sam se ruait vers sa porte. Nous nous sommes regardés, puis nous avons fixé Bubba, puis l'homme mort.

Aïe.

— Je l'ai zigouillé, a fièrement constaté Bubba. Je vous ai sauvé la vie, mam'zelle Sookie.

Avoir le King en personne qui débarque dans votre bar, comprendre que c'est un vampire et le voir liquider un homme de sang-froid, ça fait beaucoup pour un seul homme. Même pour Sam, qui n'est pas tout à fait ce qu'il paraît, lui non plus.

— On dirait, oui, a-t-il répondu à Bubba, d'un ton apaisant. Tu sais qui est ce type, Sookie?

En dehors de visites au funérarium, je n'avais jamais vu de mort, avant de fréquenter Bill (qui était mort aussi, évidemment. Mais je parle d'êtres humains, pas de morts-vivants).

Curieusement, j'en rencontrais maintenant bien plus souvent. Encore une chance que je ne sois pas une petite nature.

Celui-ci devait avoir dans les quarante ans et autant d'années de galère derrière lui, à en croire les quelques dents de première nécessité qui lui manquaient et les tatouages qui lui couvraient les bras – du genre de ceux qu'on se fait faire en prison, à en juger par la qualité de l'exécution. Il portait la panoplie du parfait motard: jean graisseux, gilet en cuir et tee-shirt scabreux.

— Il y a quelque chose au dos de son gilet? m'a demandé Sam, comme si ce détail revêtait, à ses yeux, une importance capitale.

Bubba s'est docilement accroupi sur le sol pour retourner le corps. La façon dont la main du motard a ballotté au bout de son bras inerte m'a soulevé le cœur. Je me suis néanmoins forcée à examiner le gilet. Il y avait une tête de loup dans le dos, un loup de profil qui semblait hurler à la mort. La tête se détachait sur un cercle blanc qui devait sans doute représenter la lune. En voyant l'insigne, la mine de Sam s'est encore assombrie.

— Loup-garou, a-t-il déclaré, laconique.

Ça expliquait bien des choses.

Il faisait trop froid pour rouler à moto en simple tee-shirt sous un gilet en cuir, à moins d'être un vampire. Les loups-garous avaient une température corporelle supérieure à celle des gens normaux, mais puisque le monde ignorait encore tout de leur existence (sauf moi – quelle veinarde! – ainsi probablement qu'une petite poignée d'autres humains), ils veillaient à porter des manteaux par temps froid pour ne pas se faire remarquer. Je me suis donc demandé si notre cadavre n'avait pas laissé un pardessus quelque part, dans le bar, peut-être pendu à l'un des crochets près de l'entrée. Il serait ensuite venu se cacher dans les toilettes des hommes, pour m'attendre au tournant. À moins qu'il ne soit rentré juste derrière moi par la porte de service, laissant éventuellement son manteau avec son véhicule...

— Tu l'as vu entrer, Bubba?

Question bête.

— Oui, mam'zelle. Il devait vous guetter sur le grand parking. Il a tourné l'angle avec sa bagnole, il en est sorti, et il est entré par-derrière, juste après vous. Je l'ai suivi à l'intérieur. Vous avez eu drôlement de la chance que je sois là.

— Merci, Bubba. Tu as raison. J'ai vraiment eu de la chance. Je me demande ce qu'il avait l'intention de me faire au juste...

À cette pensée, j'ai senti un frisson me parcourir la colonne vertébrale. Cherchait-il juste une femme esseulée ou en avait-il après moi en particulier? Quelle gourde! Si Eric s'inquiétait pour moi au point de m'envoyer Bubba, c'est qu'il devait savoir que j'étais en danger. Ce qui éliminait d'office l'hypothèse que ce type soit tombé sur moi par hasard. Sans ajouter un mot, Bubba est ressorti par la porte de service. Une minute plus tard, il était de retour.

— L'avait emporté du sparadrap et des bâillons sur son siège avant, a-t-il annoncé. Et c'est là que j'ai trouvé son manteau. Je l'ai pris pour sa tête.

Il s'est penché pour envelopper la tête et le cou du type dans une grosse parka kaki style commando. C'était une très bonne idée, car le cadavre commençait à avoir des fuites. Sa tâche achevée, Bubba s'est léché les doigts.

Sam m'a entouré les épaules d'un bras protecteur. Je m'étais mise à trembler.

— C'est quand même bizarre que...

Il s'est arrêté net : la porte qui séparait le bar du couloir venait de s'ouvrir. J'ai aperçu Kevin Prior. Kevin est un type adorable. Mais c'est un flic. Il ne manquait plus que ça!

— Désolée, les toilettes refoulent, lui ai-je dit en repoussant la porte devant sa tête ahurie. Écoutez, les gars, je vais surveiller la porte pendant que vous vous occupez de raccompagner ce type à sa voiture, d'accord? Après, on pourra réfléchir à ce qu'on en fait.

Le carrelage allait avoir besoin d'un bon coup de serpillière. En inspectant les lieux d'un coup d'œil machinal, j'ai constaté que la porte du couloir fermait à clé. Je ne m'en étais encore jamais aperçue, mais je me suis empressée d'en profiter.

Sam semblait dubitatif.

— Sookie, tu ne crois pas qu'on devrait appeler la police ?

À peine un an plus tôt, le corps du gars n'aurait même pas eu le temps de toucher le sol que j'aurais déjà fait le 911. Mais j'avais appris tellement de choses, ces derniers mois. J'ai décoché à Sam un regard appuyé, en inclinant la tête vers Bubba.

— Tu crois qu'il supporterait un petit séjour en cabane, toi ? ai-je murmuré entre mes dents.

Bubba chantonnait les premières mesures de *Blue Christmas*.

— Pas besoin d'une autopsie pour comprendre que nous, on n'aurait pas eu la force de faire ça à mains nues...

Après quelques instants d'hésitation, Sam a hoché la tête, résigné.

— OK. Bubba, viens donc m'aider à trimbaler ce type jusqu'à sa bagnole.

J'ai couru chercher une serpillière pendant que les hommes (bon, d'accord, le vampire et le métamorphe) transportaient le motard à l'extérieur. Quand ils sont revenus, j'avais déjà nettoyé le bureau de Sam, le couloir et les toilettes des hommes, comme je l'aurais fait si elles avaient vraiment été bouchées. J'ai pulvérisé un peu de désodorisant dans le couloir pour peaufiner la mise en scène.

Nous n'avions pas traîné – heureusement : j'avais à peine déverrouillé la porte que Kevin la poussait.

— Tout va bien ici ? a-t-il crié.

Kevin fait du footing, si bien qu'il est mince et n'a pas un gramme de graisse. Il a un faux air de mouton, vu de face, et il vit encore chez sa maman. Mais ce n'est pas un imbécile. Par le passé, quand il m'était arrivé d'écouter ses pensées, j'avais pu constater qu'il était toujours plongé dans son travail ou qu'il rêvait à la superbe amazone noire qui lui servait de collègue, Kenya Jones. Pour l'heure, son esprit donnait moins dans le registre amoureux que dans le genre soupçonneux.

— Je crois qu'on a remédié au problème, lui a répondu Sam. Attention aux pieds ! On vient de passer la serpillière. Ne va pas te casser la figure et m'intenter un procès ! a-t-il ajouté en souriant à Kevin.

— Il y a quelqu'un dans le bureau ? s'est enquis Kevin en indiquant la porte fermée du menton.

— Un copain de Sookie.

— Je ferais bien d'aller servir quelques verres, moi ! ai-je lancé gaiement, en leur adressant à tous les deux un sourire radieux.

J'ai redressé ma queue de cheval et actionné mes Reebok.

Le bar était presque désert, et Charlsie Tooten, la serveuse que je remplaçais, a paru soulagée de me voir arriver.

— Ça se traîne, ce soir, m'a-t-elle chuchoté. Les types de la six couvent leur pichet depuis plus d'une heure, et Jane Bodehouse a essayé de lever tous les clients qui se sont pointés. Quant à Kevin, il n'a pas lâché son calepin depuis qu'il a débarqué.

J'ai jeté un coup d'œil à la seule femme de la clientèle en réprimant une moue de dégoût. Tout débit de boisson a son contingent d'alcooliques, qui font l'ouverture et restent jusqu'à la fermeture du bar. Jane Bodehouse était du nombre. En temps normal, elle buvait toute seule chez elle, mais, tous les quinze jours environ, elle se mettait en tête de se trouver un homme ici. Cependant, la manœuvre devenait de plus en plus délicate : non seulement Jane penchait du mauvais côté de la cinquantaine, mais le manque de sommeil et d'hygiène alimentaire avait fini par lui détruire la santé.

Ce soir-là, j'ai remarqué qu'en se maquillant Jane avait mal visé et avait largement débordé les contours des paupières et des lèvres. Le résultat était plutôt... déroutant. Il allait falloir appeler son fils pour qu'il vienne la chercher. Un seul coup d'œil suffisait : elle n'était absolument pas en état de conduire.

J'ai fait un signe de la main à Arlene, l'autre serveuse, qui était attablée avec son mec du moment, Buck Foley. Il fallait vraiment que ce soit tranquille pour qu'Arlene se soit assise. Elle m'a répondu d'un grand geste, en agitant ses boucles flamboyantes.

— Comment vont les enfants ? lui ai-je lancé, tout en commençant à ranger les verres propres que Charlsie avait sortis du lave-vaisselle.

Je pensais me comporter tout à fait normalement. Puis j'ai remarqué que mes mains tremblaient violemment.

— Super ! Coby a décroché les félicitations, et Lisa a remporté le concours d'orthographe, m'a-t-elle répondu, rayonnante.

Si vous croyez qu'une femme qui a enchaîné quatre divorces ne peut pas faire une bonne mère, c'est que vous ne connaissez pas Arlene. J'ai adressé un petit sourire à Buck, pour faire plaisir à Arlene. Buck ressemblait à tous les autres types avec qui elle était sortie – pas assez bien pour elle à mon avis.

— Génial ! Ce sont des gosses intelligents, comme leur maman, ai-je dit joyeusement.

— Au fait, est-ce que ce type t'a trouvée ?

— Quel type ?

Je sentais déjà mon estomac se nouer.

— Le motard. Il m'a demandé si j'étais la serveuse qui sortait avec Bill Compton parce qu'il avait un colis pour elle.

— Il ne connaissait pas mon nom ?

— Non. Plutôt louche, hein ? Oh ! mon Dieu, Sookie ! Comment pouvait-il venir de la part de Bill s'il ne connaissait pas ton nom ?

Peut-être bien que l'intelligence de Coby lui vient de son père, finalement. De toute façon, c'est pour son caractère que j'aime Arlene. C'est une heureuse nature, pas une tête.

— Et alors ? Que lui as-tu dit ?

Mon sourire nerveux était de retour, et jusqu'aux oreilles. C'est devenu automatique, chez moi, à tel point que je ne m'en rends même plus compte.

— Je lui ai dit que ce n'était pas moi, et que mes hommes, je les aimais bien chauds, avec un cœur et des poumons ! s'est-elle exclamée en riant.

Arlene manque aussi de tact, parfois. Sur le coup, je me suis promis de réétudier les raisons qui m'avaient poussée à la choisir comme amie.

— Mais non ! Je ne lui ai pas vraiment dit ça ! a-t-elle raillé. Je lui ai juste dit que tu étais la blonde qui arriverait à 21 heures.

Merci Arlene. Donc, mon agresseur m'avait reconnue parce que ma meilleure amie lui avait fourni ma description. Il ne connaissait ni mon nom ni mon adresse ; il savait juste que je travaillais au *Merlotte* et que je sortais avec Bill Compton. C'était rassurant en un sens, mais pas tant que ça.

Trois interminables heures se sont écoulées. Sam est sorti, puis il est revenu me chuchoter à l'oreille qu'il avait donné un magazine et une bouteille de Life Support à Bubba, et il a commencé à farfouiller derrière le comptoir.

— À ton avis, pourquoi ce type conduisait une voiture et pas une moto ? m'a-t-il demandé à voix basse, au bout d'un moment. Et pourquoi la plaque du Mississippi ?

Il s'est tu comme Kevin s'approchait du comptoir pour s'assurer qu'on allait bien appeler le fils de Jane. Sam a décroché le combiné et, après une minute de conversation, a annoncé à Kevin que Marvyn serait au *Merlotte* dans les vingt minutes. Satisfait, Kevin s'est éloigné, son calepin à la main. Je me suis demandé s'il virait poète ou s'il refaisait son CV.

Les quatre hommes qui s'étaient efforcés d'ignorer Jane, tout en sirotant leurs verres à la vitesse d'une tortue qui se serait cassé une patte, ont vidé leur bouteille et sont partis, en laissant chacun un dollar sur la table. Quelle générosité. Ce n'était pas avec des clients pareils que j'allais faire refaire mon allée.

Arlene a terminé ses corvées de fermeture un peu en avance. Elle a demandé à Sam la permission de partir en même temps que Buck. Ses enfants étaient chez sa mère : Buck et elle pourraient profiter d'un petit moment d'intimité, pour une fois qu'ils avaient la caravane pour eux.

— Bill rentre bientôt ? m'a-t-elle interrogée.

Elle enfilait son manteau, et Buck était en train de discuter football avec Sam.

J'ai haussé les épaules. Bill m'avait appelée trois jours plus tôt pour m'annoncer qu'il était bien arrivé à « Seattle » et qu'il avait rendez-vous avec la « personne » qu'il était censé rencontrer. La présentation du numéro avait affiché « numéro caché ».

À mon sens, ça en disait long sur la situation. Et ce n'était pas bon signe.

— Il te manque, hein ? a susurré Arlene d'un ton canaille.

— À ton avis ? lui ai-je répondu avec un sourire entendu. Allez, dépêche-toi de rentrer et amuse-toi bien.

— Avec Buck, je ne risque pas de m'ennuyer ! a-t-elle rétorqué en me faisant un clin d'œil.

— Veinarde !

Il ne restait donc plus que Jane Bodehouse quand Pam est arrivée. Mais Jane comptait pour du beurre : elle était vraiment dans les vapes.

Pam est blonde, et doit avoir un peu plus de deux cents ans. C'est le bras droit d'Eric. Elle est copropriétaire du *Fangtasia* avec lui (un bar de nuit très prisé des touristes, à Shreveport). Trait de caractère assez rare chez les vampires, elle a un certain sens de l'humour. Elle est également mon amie – si tant est qu'un vampire soit capable de ressentir ce genre de sentiment.

Elle s'est juchée sur un tabouret et s'est accoudée à la surface luisante du comptoir, face à moi.

Ah. Plutôt inquiétant. Je n'avais jamais vu Pam ailleurs qu'au *Fangtasia*. Jamais.

— Quoi de neuf ? lui ai-je lancé en guise de salut.

Je lui ai souri, mais j'étais tendue.

— Où est Bubba ? a-t-elle énoncé d'une voix claire.

Elle a regardé par-dessus mon épaule, avant d'ajouter :

— Eric ne va pas être content si Bubba n'est pas arrivé.

C'était la première fois que je remarquais son accent, très léger. Mais j'étais bien incapable de le reconnaître. Peut-être du vieil anglais ?

— Bubba est derrière, dans le bureau de Sam, ai-je répondu, sans la quitter des yeux.

Si le couperet devait tomber, que ce soit net et rapide. Ce suspense me tapait sur les nerfs. Sam est venu se planter à côté de moi. J'ai fait les présentations. Sam étant un métamorphe, Pam lui a montré plus de politesse qu'elle n'en aurait montré pour un simple humain – à qui elle n'aurait peut-être même pas accordé de regard. Je m'attendais même à une lueur d'intérêt : Pam est omnivore en matière de sexe et Sam est une créature surnaturelle non dénuée de charme. Les vampires ne sont pas vraiment du genre à laisser paraître leurs émotions, mais j'avais la nette impression que Pam était perturbée.

— Bon. Quel est le problème ? lui ai-je demandé après un silence.

Pam m'a regardée. Nous sommes toutes les deux blondes aux yeux bleus, mais cela revient à dire d'un lévrier et d'un pitbull que ce sont tous les deux des chiens. Pam a les cheveux raides et d'un blond presque blanc, avec des yeux très sombres. En l'occurrence, ils montraient une profonde inquiétude. Elle a jeté un coup d'œil éloquent à Sam. Il s'est éloigné sans un mot pour donner un coup de main au fils de Jane, un homme déjà usé malgré la trentaine, pour transporter sa mère dans sa voiture.

— Bill a disparu, a lâché Pam, abandonnant le ton de la conversation pour une gravité de mauvais augure.

— Mais non. Il est à Seattle, ai-je rétorqué avec un détachement forcé.

— Il t'a menti.

J'ai dégluti péniblement : l'information était dure à avaler. J'ai fait un geste de la main pour inciter Pam à développer.

— Il est dans le Mississippi. Il y a toujours été. Il a filé directement à Jackson.

J'ai baissé les yeux vers le comptoir. Je m'en étais un peu doutée. Mais l'entendre dire à haute voix et par quelqu'un d'autre, ça faisait mal, très mal. Bill m'avait menti, et il avait disparu.

— Et... qu'est-ce que vous comptez faire pour le retrouver, exactement ? ai-je demandé, désarmée de constater que ma voix tremblait.

— Nous le recherchons. Nous faisons tout notre possible. Mais il faut que tu saches que ceux qui lui en veulent en ont probablement après toi aussi. C'est la raison pour laquelle Eric t'a envoyé Bubba.

Impossible de lui répondre. J'avais du mal à me contrôler.

Sam était revenu – sans doute parce qu'il avait vu à quel point j'étais bouleversée. J'ai entendu sa voix s'élever, environ trois centimètres derrière moi :

— Quelqu'un a attaqué Sookie au moment où elle arrivait pour prendre son service. Bubba l'a défendue. Le corps est derrière le bar. On s'en occupera après la fermeture.

— Déjà !

Pam semblait encore plus contrariée qu'à son arrivée. Elle a gratifié Sam d'un bref coup d'œil avant de hocher la tête. Certes, en tant que créature surnaturelle, Sam était au-dessus des êtres humains ordinaires. Mais pour une vampire, il était loin d'être son égal.

— Je ferais bien d'aller inspecter la voiture pour voir ce que je peux en tirer.

Pour Pam, il allait de soi que nous allions nous charger du corps nous-mêmes, sans rien déclencher d'officiel. Les vampires ont du mal à se faire à l'idée d'une loi reconnue et appliquée par tous. Que tout citoyen soit dans l'obligation d'alerter les forces de l'ordre au moindre incident, ça les dépasse. Bien qu'il leur soit interdit d'entrer dans l'armée, les vampires peuvent parfaitement intégrer la police. C'est même un rôle qu'ils apprécient tout particulièrement. Mais les vampires flics sont souvent des parias aux yeux des autres morts-vivants.

Il m'était manifestement plus facile de réfléchir aux vampires flics qu'à ce que Pam venait de m'apprendre.

— Quand Bill a-t-il disparu ? a demandé Sam.

Il avait réussi à garder un ton neutre, mais je sentais la colère bouillonner sous son calme apparent.

— On l'attendait hier soir.

J'ai relevé brusquement la tête. Je n'étais pas au courant. Pourquoi Bill ne m'avait-il pas dit qu'il allait rentrer ?

— Il était censé rentrer à Bon Temps et nous appeler au *Fangtasia* pour nous informer qu'il était bien arrivé. Nous devions le voir ce soir, a précisé Pam.

Pour un vampire, c'était pratiquement une tirade.

Pam s'est mise à taper un numéro sur son portable. J'entendais les bips. J'ai même pu écouter sa conversation avec Eric. Après lui avoir relaté les faits, Pam l'a informé que « j'étais devant elle » et que « non, je ne disais rien ».

Elle m'a mis son téléphone dans la main.

— Sookie, tu m'entends ?

Je savais qu'Eric pouvait percevoir le frottement de mes cheveux contre le combiné, le bruit de ma respiration.

— Je sais que tu m'écoutes, a-t-il poursuivi. Alors, tu vas faire ce que je te dis : pour le moment, ne parle à personne de ce qui s'est passé. Comporte-toi normalement. Ne change strictement rien à ta façon de vivre. Quelqu'un veillera constamment sur toi, même dans la journée, que tu t'en aperçoives ou pas. Nous vengerons Bill et nous assurerons ta protection jour et nuit.

Venger Bill ? Eric était donc convaincu que Bill était mort (enfin, plus mort que d'habitude) ?

— Je ne savais pas qu'il devait rentrer hier soir, ai-je dit, comme si je n'avais pas écouté le reste.

— Il avait... de mauvaises nouvelles à t'annoncer, a soudain lâché Pam.

Eric a émis une sorte de grognement.

— Dis à Pam de la fermer, a-t-il aboyé d'un ton furieux que je ne lui connaissais pas.

Je n'ai pas estimé nécessaire de transmettre le message, car Pam devait l'avoir parfaitement entendu – la plupart des vampires ont l'ouïe redoutablement fine.

— Donc, tu connaissais ces mauvaises nouvelles et tu savais qu'il devait rentrer, ai-je articulé d'une voix blanche.

Non seulement Bill avait disparu et était probablement mort – pour de bon –, mais il m'avait menti sur sa destination et sur ce qu'il allait faire. Et il m'avait caché quelque chose d'important, quelque chose qui me concernait directement. La douleur était si profonde que je ne savais même pas où était la plaie. En revanche, je savais qu'elle s'ouvrirait sous peu.

J'ai rendu son téléphone à Pam, j'ai pivoté sur mes talons et je suis partie.

Au moment où je montais dans ma voiture, j'ai eu une vague hésitation. J'aurais dû rester pour aider Sam à se débarrasser du corps. Il n'avait rien à faire avec les vampires. Il ne se retrouvait impliqué dans cette histoire de meurtre que par amitié pour moi. Ce n'était pas très sympa de ma part de le laisser tomber.

Mais, le temps d'y penser, j'avais déjà démarré. Bubba pourrait s'en occuper. Et Pam aussi. Pam qui savait tout, alors que moi, je ne savais rien.

Eric avait tenu parole : j'ai surpris un visage blafard dans mes phares, à la lisière de la forêt, en rentrant chez moi. J'ai même failli interpeller mon « ange gardien » et l'inviter à s'installer sur le canapé, au moins pour la nuit. Mais je me suis ravisée. J'avais besoin d'être seule. La situation n'avait pas de rapport direct avec moi. Je n'y étais pour rien. Je n'avais aucune initiative à prendre dans cette affaire. Je devais laisser faire les choses. De toute façon, je n'avais aucune idée de ce qui se passait – ce qui n'était tout de même pas ma faute.

J'étais aussi blessée que furieuse, et aussi furieuse qu'on peut l'être. C'était mon impression, du moins. La suite devait me prouver le contraire.

J'ai franchi le seuil au pas de charge et j'ai verrouillé la porte derrière moi – précaution sans doute inutile, car aucun vampire ne pourrait pénétrer chez moi tant que je ne l'y aurais pas invité. Quant aux humains, je pouvais faire confiance à mon garde du corps pour leur interdire ma porte. Jusqu'à l'aube, du moins.

J'ai enfilé ma vieille chemise de nuit bleue à manches longues et je me suis assise à la table de la cuisine en regardant fixement mes mains. Où pouvait bien être Bill, maintenant ? Était-il seulement encore de ce monde ? Ou n'était-il déjà plus qu'un tas de cendres au fond d'un barbecue ? Je repensais à ses cheveux sombres et épais, à leur contact sous mes doigts... Pourquoi ne m'avait-il pas informée de son retour ? J'ai consulté la pendule du four. J'étais assise là, les yeux dans le vide, depuis plus d'une heure.

J'aurais mieux fait d'aller me coucher. Il était tard, il faisait froid et, normalement, la nuit, on se couche et on dort. Mais rien ne serait plus jamais normal dans ma vie... Ah si! Si Bill avait disparu, ma vie redeviendrait normale, au contraire.

Plus de Bill, donc plus de vampires. Plus d'Eric, plus de Pam, plus de Bubba.

Plus de créatures surnaturelles : plus de loups-garous, plus de métamorphes, plus de ménades. Je n'en aurais d'ailleurs jamais rencontré si je n'avais pas fréquenté Bill. S'il n'avait jamais mis les pieds au *Merlotte*, je serais toujours une simple serveuse de bar assaillie par les pensées de ses clients : cupidité mesquine, désir, désillusions, espoirs et fantasmes. Je serais toujours Sookie la Télépathe, la folle de Bon Temps.

Avant Bill, j'étais encore vierge. Mon seul partenaire éventuel aurait probablement été JB du Rone, qui était si mignon qu'on en aurait presque oublié qu'il était bête comme ses pieds. Il avait la tête tellement vide que sa compagnie en devenait presque reposante. Je pouvais même le toucher sans rien percevoir de ce qu'il pensait (si tant est qu'il ait la faculté de penser). Mais Bill... Je me suis soudain aperçue que ma main droite s'était refermée et j'ai abattu mon poing sur la table, si fort que ça m'a fait mal.

Bill m'avait dit que s'il lui arrivait quelque chose, je devais aller voir Eric et m'en remettre à lui. Je n'avais pas vraiment compris ce qu'il voulait dire par là. Cela signifiait-il qu'Eric veillerait à ce que je reçoive un quelconque héritage de la part de Bill ? Qu'Eric me protégerait des autres vampires ? Ou cela signifiait-il que je devais « m'en remettre » à Eric en personne et entretenir avec lui la même relation qu'avec Bill ? J'avais bien dit à Bill que je n'avais rien d'une boîte de chocolats de Noël qu'on fait tourner et qu'on partage avec les invités !

Mais Eric était déjà venu me voir, et je n'avais même pas eu l'occasion de décider de la façon dont je devais considérer ce dernier conseil.

Je commençais à perdre le fil de mes pensées – lesquelles n'avaient jamais été très claires, de toute façon.

Oh, Bill ! Où es-tu ?

Je me suis caché le visage dans les mains. J'étais épuisée, une migraine me martelait les tempes, et même ma cuisine, habituellement si douillette, était glaciale à cette heure avancée. Je me suis levée pour aller me coucher, tout en sachant pertinemment que je n'allais pas dormir. J'avais un besoin si viscéral de Bill que j'en venais à me demander si c'était normal, si je n'avais pas été ensorcelée, inconsciente victime de quelque pouvoir surnaturel. Je savais que mes « dons » particuliers me procuraient une certaine protection contre les pouvoirs hypnotiques des vampires, mais peut-être étais-je vulnérable à d'autres moyens de persuasion que j'ignorais.

Ou peut-être bien que le seul homme que j'aie jamais aimé me manquait. Je me sentais vide, trahie. Je souffrais encore plus que lorsque ma grand-mère était morte, plus que quand mes parents s'étaient noyés. J'étais très jeune lorsque j'avais perdu mes parents : je n'avais sans doute pas vraiment compris qu'ils étaient partis pour toujours. Je n'en avais maintenant que des souvenirs diffus. Quand ma grand-mère était morte, quelques mois auparavant, j'avais au moins trouvé un peu de réconfort dans les rituels qui entourent la disparition d'un être cher, dans le Sud. Et je savais qu'aucun d'eux ne m'avait volontairement abandonnée.

Je me suis retrouvée plantée dans le couloir. J'ai éteint la lumière de la cuisine.

Une fois recroquevillée dans mon lit, dans le noir, j'ai pleuré longtemps, très longtemps, sans pouvoir m'arrêter. Toutes les heures sombres de ma vie me revenaient en mémoire, m'écrasant comme une chape de plomb. Je n'avais vraiment pas eu de veine... J'ai eu beau faire un semblant d'effort pour m'empêcher de m'apitoyer sur mon sort, le résultat n'a pas été très probant. Mes peines et mes doutes se mêlaient à la douleur de ne pas savoir ce qu'était devenu Bill.

Je voulais sentir le corps de Bill contre mon dos. Je voulais sentir ses lèvres fraîches dans mon cou, ses mains blanches courant sur mon ventre. Je voulais lui parler. Je voulais l'entendre tourner mes soupçons en dérision. Je voulais lui raconter ma journée, lui confier ce ridicule problème que j'avais avec la compagnie du gaz, lui dire que la société de télévision câblée avait ajouté de nouvelles chaînes. Je voulais lui rappeler qu'il fallait changer le joint du robinet du lavabo, dans sa salle de bains. Je voulais lui annoncer que Jason avait finalement appris qu'il ne serait pas papa (ce qui était mieux pour tout le monde, vu qu'il n'était pas marié).

Le plus agréable, dans un couple, c'est de pouvoir tout partager. Le bon comme le mauvais.

Mais, de toute évidence, le « bon » de ma vie n'avait pas été assez bon pour qu'il ait envie de le partager...

3

Le jour se levait, et je n'avais pas réussi à dormir plus d'une heure. Je me suis mollement redressée, prête à aller préparer le café. Puis je me suis dit *À quoi bon ?* Je suis restée au lit. J'ai bien entendu plusieurs fois le téléphone, mais je n'ai pas bougé. On a sonné à ma porte. Je ne suis pas allée ouvrir.

À un moment donné, sans doute vers le milieu de l'après-midi, je me suis souvenue que j'avais une mission à accomplir, celle que Bill m'avait expressément confiée avant de partir, ce que je devais faire s'il était retardé. Ce qui était précisément le cas.

Après le décès de ma grand-mère, j'avais récupéré sa chambre, la plus grande de la maison. Pour rejoindre celle qui avait été la mienne auparavant, il allait donc falloir que je me secoue un peu. J'ai traversé le couloir comme une somnambule. Deux ou trois mois auparavant, Bill s'était aménagé, sous la maison, un petit pied-à-terre, étanche à la lumière du jour, auquel il accédait par le fond de mon placard transformé en trappe : du beau boulot.

J'ai vérifié qu'on ne pouvait pas me voir de la fenêtre et j'ai ouvert la porte du placard en question. Il était vide. Après avoir retiré le bout de moquette qui tapissait le fond, j'ai fait courir un canif sur le pourtour pour desceller la trappe. J'ai réussi sans peine à la soulever. J'ai jeté un coup d'œil dans le coffre en contrebas. Il était plein : il y avait là l'ordinateur de Bill, un boîtier de CD, et même son écran et son imprimante.

Bill avait pris ses précautions et mis ses dossiers en lieu sûr avant de partir. Il avait donc bel et bien envisagé de ne pas revenir. Malgré tout, cela dénotait une certaine confiance en moi... même s'il ne s'était pas gêné pour trahir celle que j'avais en lui.

J'ai replacé le carré de moquette, en l'encastrant bien dans les coins. Puis j'ai empilé dans le fond du placard tout un tas d'affaires d'été (des boîtes à chaussures renfermant des paires de sandalettes, d'espadrilles, de ballerines ; un sac de plage contenant des draps de bain et l'un de mes nombreux tubes de crème solaire ; ma chaise longue...). Dans la partie penderie, mes robes bain de soleil côtoyaient deux ou trois chemises de nuit et un peignoir trop légers pour l'hiver. Tout au fond, j'ai coincé un parasol en biais contre la paroi. J'ai jeté un dernier petit coup d'œil à l'ensemble, et la mise en scène m'a paru assez réussie. Mais le brusque regain d'énergie qui m'avait saisie, à la perspective d'accomplir le dernier service que Bill m'avait demandé, s'est vite envolé, une fois ma mission accomplie. Et je ne pouvais même pas lui dire que j'avais tenu parole.

Une partie de moi voulait désespérément lui faire savoir que j'avais été fidèle (et pathétique) jusqu'au bout ; l'autre mourait d'envie de foncer tailler un ou deux pieux bien pointus dans la cabane à outils.

Trop désemparée pour faire quoi que ce soit, je suis retournée me coucher en me traînant.

Abandonnant sans scrupules les bonnes résolutions de toute une vie (toutes ces années passées à faire contre mauvaise fortune bon cœur, le bon sens chevillé au corps, toujours forte, toujours gaie...), je me suis vautrée dans ma douleur, anéantie par le sentiment d'avoir été trahie.

Quand je me suis réveillée, il faisait de nouveau nuit, et Bill était au lit avec moi. Oh! Merci, Seigneur! Un immense soulagement a balayé ma souffrance. Tout irait bien, maintenant. Je sentais son corps frais derrière moi. Je me suis retournée et l'ai enlacé, encore à moitié endormie. Il a fait remonter ma chemise de nuit, en me caressant la jambe au passage. J'ai posé la tête contre son torse et enfoui mon visage au creux de sa poitrine silencieuse. L'étreinte de ses bras s'est resserrée. Il s'est plaqué contre moi, et j'ai laissé échapper un soupir de bonheur, faisant glisser ma main entre nos corps pour défaire son pantalon. Tout était bien qui finissait bien.

Sauf que... son odeur avait changé.

J'ai écarquillé les yeux et me suis écartée brusquement. Les mains appuyées sur des épaules en béton armé, j'ai poussé un cri d'horreur étranglé.

— Eh oui, c'est moi, a dit une voix familière.

— Eric! Qu'est-ce que tu fais ici?

— De gros câlins.

— Espèce de salaud! Je t'ai pris pour Bill! J'ai cru qu'il était rentré!

— Sookie, tu as besoin d'une douche.

— Quoi?

— Tu as les cheveux sales et une haleine à assommer un cheval.

— Je m'en fous royalement.

— Va te laver.

— Pour quoi faire?

— Parce que j'ai à te parler et que je doute que tu veuilles avoir une longue conversation avec moi dans de telles conditions. Quant à moi, je ne verrais absolument aucun inconvénient à rester au lit avec toi, a-t-il ajouté en se collant de nouveau à moi pour me prouver qu'il n'y voyait aucune objection, mais, dans ce cas, je préférerais que ce soit avec l'hygiénique Sookie que je connais et que j'appréciais tant jusqu'à présent.

Rien n'aurait pu me faire sortir du lit plus vite. La douche brûlante sur mon corps transi m'a fait un bien fou, et ma colère a achevé de me réchauffer. Ce n'était pas la première fois qu'Eric me surprenait dans ma propre maison. J'allais devoir lui retirer l'autorisation de pénétrer chez moi. Ce qui m'avait empêchée de le faire jusqu'alors (et ce qui me retenait encore de le faire maintenant), c'était que si jamais j'avais besoin de lui, si j'étais en danger, il ne pourrait pas franchir ma porte et qu'il y avait de grandes chances pour que je me retrouve raide morte avant d'avoir eu le temps de dire : « Entre ! »

Je me suis habillée des vêtements que j'avais attrapés à la hâte et apportés dans la salle de bains : un jean, des sous-vêtements et un pull de Noël rouge et vert orné de rennes – c'était ce qui m'était tombé sous la main en premier. On ne peut porter ce genre de fantaisie que pendant un mois, alors j'en profite toujours.

Je me suis séché les cheveux en regrettant, une fois de plus, que Bill ne soit plus là pour les brosser. Il adorait ça, et j'adorais qu'il le fasse. À ce souvenir, j'ai failli craquer. Alors, j'ai respiré profondément, debout, la tête appuyée contre le mur, le temps de rassembler mon courage. Puis j'ai pris une bonne inspiration et je me suis tournée vers le miroir pour me maquiller à la va-vite. Il ne restait plus grand-chose de mon bronzage à cette période de l'année, mais j'avais toujours bonne mine, grâce au loueur de vidéos de Bon Temps qui avait eu la brillante idée de faire installer une cabine UV dans son magasin.

Je suis plutôt de l'été (comme certains sont du soir ou du matin) : j'aime le soleil, les robes courtes et l'impression d'avoir de longues heures devant moi pour profiter de la journée. Même Bill appréciait les senteurs de l'été. Il aimait sentir l'huile solaire et la chaleur du soleil sur ma peau.

Mais l'avantage de l'hiver, c'est que les nuits rallongent – du moins, c'est ce que je pensais quand Bill était là pour les partager avec moi. Ma brosse a valsé à travers la salle de bains et claqué en ricochant dans le fond de la baignoire. Ça m'a soulagée.

— Espèce de salaud ! ai-je hurlé à pleins poumons.

M'entendre dire une chose pareille à haute voix m'a calmée net.

Quand je suis sortie de la salle de bains, Eric s'était rhabillé. Il portait un jean et un tee-shirt publicitaire sans doute offert par l'un des fournisseurs du *Fangtasia* (« Ce sang est fait pour toi », disait l'inscription). Il avait eu la gentillesse de faire le lit.

— Pam et Chow peuvent-ils entrer ? m'a-t-il demandé.

J'ai traversé la maison pour aller leur ouvrir. Les deux vampires étaient assis sur la balancelle, parfaitement immobiles, les yeux grands ouverts, mais le regard vide. Ils semblaient « en veille ». C'est la seule expression que j'ai trouvée pour exprimer ce phénomène : quand les vampires n'ont rien de mieux à faire, leur esprit s'absente. Ils se retranchent en eux-mêmes et demeurent parfaitement immobiles, les yeux ouverts, le regard vide. Ils semblent se ressourcer de cette façon.

Je les ai aimablement invités à entrer.

Pam et Chow se sont exécutés et ont observé le décor avec intérêt, comme s'ils étaient en voyage d'études – « Maison de campagne de Louisiane, début du XXIᵉ siècle. Corps de ferme restauré... » La bâtisse était dans la famille depuis sa construction, plus de cent soixante ans auparavant. Quand mon frère, Jason, avait fait sa crise d'indépendance, il avait emménagé dans la maison que nos parents avaient habitée après leur mariage. Moi, j'étais restée ici, avec Gran, dans cette vieille baraque, très remaniée et plus ou moins bien rénovée, qu'elle m'avait léguée dans son testament.

La salle de séjour correspondait à la maison d'origine. Certaines parties, comme la cuisine ou la salle de bains, étaient relativement récentes. En revanche, le premier étage, qui était beaucoup plus petit que le rez-de-chaussée, datait des années 1900. Il avait été érigé pour loger une génération d'enfants qui, fait exceptionnel à l'époque, avaient tous survécu. J'y montais rarement, à présent. Il y faisait aussi chaud que dans un four, l'été, même avec l'air conditionné.

La maison était remplie de vieux meubles dépourvus de style, mais confortables – rien de plus conventionnel. Dans le séjour se trouvaient deux canapés, des fauteuils, un poste de télé et un lecteur de DVD. Puis on passait dans le couloir, avec la grande chambre et sa salle de bains attenante d'un côté, et des toilettes, mon ancienne chambre, un placard et une petite penderie de l'autre. Au bout du couloir, on arrivait dans la cuisine-salle à manger qui avait été ajoutée à la maison peu de temps après le mariage de mes grands-parents. Contigu à la cuisine, à l'arrière du bâtiment, il y avait un grand porche couvert que je venais de transformer en véranda équipée de moustiquaires, laquelle abritait un vieux banc bien utile, la machine à laver, le sèche-linge et quelques étagères.

Chaque pièce possédait son grand ventilateur au plafond et sa tapette à mouches pendue à un clou dans un coin discret. Gran ne consentait à allumer l'air conditionné qu'en cas d'absolue nécessité.

Pam et Chow ne sont pas montés à l'étage, mais ici au rez-de-chaussée, aucun détail ne semblait leur échapper. Quand ils se sont assis à la vieille table en pin de la cuisine, autour de laquelle plusieurs générations de Stackhouse avaient pris leurs repas, j'ai eu l'impression que je vivais dans un musée dont on venait de faire l'inventaire. J'ai sorti trois bouteilles de TrueBlood du réfrigérateur, je les ai passées au micro-ondes et je les ai secouées, avant de les poser fermement devant mes invités.

Chow était pratiquement un étranger pour moi. Il ne travaillait au *Fangtasia* que depuis quelques mois. Je présume qu'il avait des parts dans l'affaire, comme le précédent barman. La première chose qu'on remarquait, chez lui, c'étaient ses tatouages : d'impressionnants dessins asiatiques exécutés à l'encre bleue, qui l'habillaient avec un raffinement, une élégance qu'aucun costume n'aurait pu égaler. Rien à voir avec les petits souvenirs de prison qu'exhibait mon agresseur de la veille. C'était à se demander s'il s'agissait bien de la même technique. Les tatouages de Chow étaient censés appartenir à ce style si particulier que l'on disait très prisé des yakuzas, mais je n'avais encore jamais eu le cran de l'interroger à ce sujet. Cela dit, si c'était vrai,

Chow ne devait pas être très vieux, pour un vampire. Je m'étais renseignée sur la mafia japonaise, et le tatouage était un signe de reconnaissance relativement tardif dans la longue histoire des yakuzas. Chow avait de longs cheveux noirs (jusque-là, rien d'extraordinaire), et j'avais entendu dire qu'il faisait un malheur au *Fangtasia*. Il faut préciser que, la plupart du temps, il travaillait torse nu. Ce soir – concession aux conditions climatiques –, il portait un gilet sans manches rouge.

Tout en l'observant du coin de l'œil, je ne pouvais m'empêcher de me demander s'il lui arrivait jamais de se sentir complètement nu, avec tous ses tatouages. Je me voyais mal lui poser la question. Chow semblait tenir tout particulièrement à sa vie privée. Loin pourtant d'être silencieux et fermé, il était en grande conversation avec Pam, dans un langage que je ne comprenais pas. Il m'a adressé un petit sourire assez déconcertant quand il a vu que je le regardais. Peut-être que, loin de jouer les mystérieux, il était en train de me traiter de tous les noms et que j'étais trop bête pour m'en rendre compte.

Quant à Pam, elle demeurait fidèle à son style : pantalon en lainage blanc et pull marine. Classique et anonyme. Ses longs cheveux blonds retombaient sagement dans son dos, lisses et brillants. On aurait dit Alice au pays des merveilles, les crocs de vampire en plus.

Je leur ai laissé le temps d'avaler leur première gorgée de sang avant de les interroger :

— Vous avez du nouveau, pour Bill ?

— Quelques petites choses, oui, m'a répondu Eric.

J'ai joint mes mains sur mes genoux et j'ai attendu la suite.

— Je sais qu'il a été enlevé, par exemple.

La pièce s'est mise à tanguer, et j'ai dû respirer un bon coup pour que ça s'arrête.

— Par qui ?

— Nous n'en sommes pas sûrs, est intervenu Chow. Les déclarations des témoins ne sont pas concordantes.

Il avait un accent prononcé, mais un anglais parfait.

— Laissez-les-moi. S'ils sont humains, je me charge de découvrir la vérité.

— S'ils étaient sous notre tutelle, nous n'hésiterions pas une seconde, m'a aimablement assuré Eric. Malheureusement, ce n'est pas le cas.

Tutelle, mon œil !

— C'est-à-dire ?

J'ai trouvé que je me montrais extrêmement patiente, vu les circonstances.

— Les humains en question doivent allégeance au roi du Mississippi.

Je devais avoir l'air ridicule, à les regarder bouchée bée.

— Pardon ? ai-je fini par bredouiller. J'ai bien entendu ? Tu as dit le... le « roi » ? Du Mississippi ?

Eric a hoché la tête sans mot dire, sans la moindre trace de sourire sur ses lèvres.

J'ai baissé les yeux. La situation n'avait certes rien de drôle, mais j'avais du mal à garder mon sérieux. Je sentais un éclat de rire monter dans ma gorge et je peinais à le refouler.

— Pour de vrai ? ai-je dit, prête à m'effondrer de rire.

Je n'aurais pourtant pas dû être étonnée d'apprendre que le Mississippi avait un roi. Après tout, la Louisiane avait bien une reine. Mais ça, je n'étais pas censée le savoir... Attention, danger.

Les trois vampires se sont lancé des coups d'œil interrogateurs et ont opiné en chœur.

— Tu veux dire que tu es le roi de Louisiane? ai-je demandé à Eric, avant de lui éclater carrément de rire au nez.

Je riais tellement que j'ai failli en tomber de ma chaise (un rire un rien hystérique, peut-être, je le reconnais).

— Oh, non. Je suis le shérif de la Cinquième Zone.

«Shérif»! Alors ça, c'était le bouquet! J'en pleurais. Chow commençait à me dévisager avec inquiétude. Je me suis levée pour me faire chauffer un chocolat chaud Swiss Miss au micro-ondes. Puis je l'ai fait refroidir en tournant la cuillère dans la tasse, ce qui m'a donné le temps de me ressaisir. Quand je suis revenue m'asseoir, j'étais presque calmée.

— Tu ne m'avais jamais parlé de ça avant, ai-je prétexté pour me faire pardonner. Alors, comme ça, vous avez découpé les États-Unis en royaumes?

Pam et Chow se sont tournés vers Eric. J'ai cru percevoir une lueur de surprise dans leurs yeux.

— Oui, a simplement confirmé Eric, sans les regarder. Cela date de l'arrivée des premiers vampires en Amérique. Bien sûr, le système politique a évolué au fil du temps. Nous n'étions que quelques-uns, au début. Et notre population ne s'est guère accrue au cours des deux premiers siècles. La traversée était extrêmement périlleuse. Difficile de tenir toute la durée du voyage avec le peu de nourriture disponible à bord...

Le sang de l'équipage, en clair.

— Bien sûr, la Vente de la Louisiane a changé bien des choses.

Bien évidemment! J'ai réprimé de nouveaux hoquets de rire.

— Et les royaumes sont divisés en... l'ai-je encouragé.

— En zones, appellation qui a remplacé celle de « fiefs », récemment jugée trop désuète. Chaque zone est sous le contrôle d'un shérif. Comme tu le sais, nous sommes ici dans la Cinquième Zone du royaume de Louisiane. Stan, que tu as rencontré à Dallas, est le shérif de la Sixième Zone du royaume de... au Texas.

Je voyais déjà Eric accoutré en shérif de Nottingham, puis je m'en suis fatiguée et suis passée à une image de lui en Wyatt Earp. J'en avais des étourdissements. Je me sentais vraiment mal d'ailleurs. Il valait mieux que je me reprenne. Je me suis efforcée de me concentrer sur le problème le plus urgent.

— Donc, Bill a été enlevé. Ça s'est passé de jour, j'imagine ?

Hochement de tête collectif.

— Et plusieurs témoins ont assisté à la scène, des humains qui vivent dans le... royaume du Mississippi (décidément, je ne m'en remettais pas). Et ces humains sont sous le contrôle d'un roi vampire. C'est bien ça ?

— Russell Edgington, oui. Mais je ne doute pas de parvenir à faire parler quelques-uns de ces humains, moyennant finances... pour commencer.

— Pourquoi ? Ce roi refuse que vous les interrogiez ?

— Nous ne le lui avons pas demandé. Il n'est pas impossible que Bill ait été enlevé sur son ordre.

Voilà qui soulevait de nouvelles questions. Mais je préférais me consacrer au sujet qui m'intéressait.

— Et comment je fais trouver ces témoins ? Dans le cas où je le voudrais, évidemment...

— Nous avons déjà pensé à un moyen de te mettre en contact avec eux. Je ne parle pas seulement des gens que j'ai achetés pour qu'ils me révèlent ce qui s'est passé, mais de toutes les personnes qui sont, de près ou de loin, en contact avec Edgington. C'est risqué. Mais si tu veux avoir une chance de réussir, il faut que tu aies toutes les cartes en main. Tu peux refuser. On a déjà essayé de te neutraliser. Apparemment, pour l'heure, ceux qui retiennent Bill ne savent pas grand-chose sur toi. Mais, tôt ou tard, Bill parlera. Et si tu te trouves dans les parages à ce moment-là… cette fois, ils ne te rateront pas.

— Si Bill a déjà craqué, ils n'auront plus vraiment besoin de moi.

— Pas nécessairement, a objecté Pam.

Échange de regards mystérieux à la ronde.

— OK, je vois, ai-je soupiré, en me levant pour resservir Chow, qui venait de finir sa bouteille. Allez, racontez-moi tout depuis le début.

— Si on en croit les sujets de Russell Edgington, Betty Joe Pickard, son bras droit, était censée entreprendre un voyage à Saint Louis, hier. Or, les humains qui avaient été chargés de transporter son cercueil à l'aéroport auraient pris celui de Bill par erreur. Et quand ils l'ont livré chez Anubis Air, ils l'auraient laissé sans surveillance une dizaine de minutes, le temps de remplir les formulaires réglementaires. C'est à ce moment-là, d'après eux, que quelqu'un aurait fait sortir le cercueil par l'arrière du hangar, l'aurait chargé dans un camion et aurait démarré en trombe.

— Quelqu'un aurait réussi à tromper la vigilance du service de sécurité d'Anubis Air ? ai-je insisté, assaillie de doutes.

La compagnie avait été expressément créée pour assurer le transport des vampires. L'inviolable sécurité qu'elle garantissait à ses clients, lorsque ces derniers voyageaient endormis dans leur cercueil, constituait son atout majeur, l'argument essentiel sur lequel reposait toute sa campagne de publicité. Certes, les vampires ne sont pas obligés de dormir dans des cercueils, mais c'est bien plus pratique, pour le transport. Il faut dire que quelques «malencontreux incidents» s'étaient produits sur Delta Airlines. Un fanatique avait notamment réussi à s'introduire dans la soute et avait éventré deux ou trois cercueils à coups de hache. La Northwest avait connu le même problème. Soudain, le souci de faire des économies était brusquement devenu, dans l'esprit des vampires, une préoccupation plus que secondaire. Désormais, la plupart d'entre eux voyageaient exclusivement avec Anubis.

— J'imagine que quelqu'un a pu se mêler aux gens d'Edgington, quelqu'un que le staff d'Anubis aurait pris pour un employé d'Edgington et les gens d'Edgington pour un des vigiles d'Anubis. Cette personne a pu faire sortir le cercueil de Bill au moment où les gens d'Edgington s'en allaient, et les vigiles d'Anubis n'y ont vu que du feu.

— Les vigiles d'Anubis n'ont pas demandé à voir les documents d'embarquement? Pour un cercueil prêt à décoller?

— Ils disent avoir vu les documents en question : ceux de Betty Joe Pickard. Elle était attendue dans le Missouri pour négocier un accord commercial avec les vampires de Saint Louis.

Je me suis vaguement demandé ce que les vampires du Mississippi pouvaient bien avoir à échanger avec les vampires du Missouri. Puis, à la réflexion, je me suis dit que je préférais ne pas le savoir.

— Il y avait une certaine confusion, à ce moment-là, est intervenue Pam. Un incendie s'est déclaré sous la queue d'un autre avion de la compagnie, et les vigiles ont dû être distraits quelques instants.

— Oh! Comme par hasard...

— En effet, a reconnu Chow.

— Et pourquoi capturer Bill?

J'avais bien peur de connaître la réponse. J'espérais malgré tout qu'ils m'en fourniraient une autre.

— Bill travaillait sur un dossier très spécial, a déclaré Eric en rivant son regard pénétrant au mien. Tu ne saurais pas quelque chose à ce sujet?

Plus que je ne l'aurais voulu. Moins que je n'aurais dû.

— Quel dossier?

J'ai passé ma vie à cacher mes pensées aux autres, à demeurer imperturbable en toutes circonstances. J'ai appelé cette maîtrise à la rescousse. Ma vie dépendait de la sincérité que je mettrais dans ma réponse.

Eric a consulté Pam et Chow du regard. Ils ont échangé un petit signe à peine perceptible, puis il a reporté son attention sur moi.

— J'ai du mal à croire que tu ne sois au courant de rien, Sookie.

— Ah, oui? ai-je rétorqué d'une voix enflée par la colère.

La meilleure défense, c'est l'attaque.

— Depuis quand les vampires vident-ils leur sac devant un humain, exactement? ai-je craché avec toute la rage dont j'étais capable. Et Bill est bien un vampire, que je sache, non?

Nouvelle tournée de regards entendus.

— Tu veux nous faire croire que Bill ne t'a pas dit ce sur quoi il travaillait? a insisté Eric d'une voix dangereusement posée.

— Oui. Pour la bonne et simple raison que c'est vrai.

— Bon. Voilà ce qu'on va faire, m'a-t-il finalement annoncé, en me dévisageant de ses yeux d'un bleu aussi dur que glacé.

Monsieur le Gentil Vampire s'était envolé.

— Je ne peux pas savoir si tu mens ou non – ce qui, en soi, est déjà extrêmement étonnant. Mais j'espère pour toi que tu ne me trompes pas. Je pourrais te torturer jusqu'à ce que tu m'avoues tout ce que tu sais, jusqu'à ce que j'aie acquis la certitude que tu me dis la vérité...

Oups. J'ai pris une profonde inspiration et expiré lentement, en fouillant dans mon esprit pour trouver une prière adéquate. «Mon Dieu, faites que je ne crie pas trop fort» me semblait trop mou et négatif. En outre, je pouvais toujours m'égosiller à m'en faire éclater les poumons, il n'y aurait personne pour m'entendre, en dehors des vampires. Bon. J'allais donc avoir l'occasion de crier très fort.

— Mais, a poursuivi Eric d'un air songeur, si tu étais trop abîmée, cela pourrait compromettre l'autre volet de mon plan. Et puis, à vrai dire, que tu sois ou non au courant de ce que Bill manigançait derrière notre dos ne nous importe pas tant que ça.

«Derrière leur dos»? Et merde. Maintenant, au moins, je savais à qui m'en prendre: celui qui m'avait mise dans ce pétrin n'était autre que mon cher et tendre en personne, Bill Compton.

— Cette fois, ça a provoqué une réaction, a noté Pam.

— Oui, mais pas celle que j'attendais, a dit Eric, pensif.

— Je ne suis pas très emballée par l'option torture, ai-je murmuré d'une voix mal assurée.

60

Là, j'étais vraiment dans de sales draps. Je ne savais même plus où donner de la tête. J'étais assaillie d'une telle surcharge de stress que j'avais l'impression que ma tête flottait quelque part au-dessus de mon corps.

— Et Bill me manque, ai-je ajouté.

C'était vrai, même si, à cet instant précis, j'aurais aimé lui flanquer ma main à travers la figure. Si seulement on me laissait dix minutes pour parler avec lui. Je serais plus à même de relever les défis des jours à venir. Les larmes ont commencé à couler sur mes joues sans que je puisse les retenir. Je n'étais pourtant pas au bout de mes peines : il y avait encore des choses que je devais savoir, que je le veuille ou non.

— J'espère au moins que vous allez m'expliquer pourquoi il m'a menti, si vous le savez. Pam m'a parlé de mauvaises nouvelles.

Eric a fusillé l'intéressée du regard.

— Regarde, ses yeux ne sont pas étanches, a remarqué Pam, mal à l'aise. Je crois qu'on devrait l'avertir avant son départ pour le Mississippi. De plus, si elle garde encore certains secrets pour Bill, ça va…

L'inciter à cracher le morceau ? Lui ouvrir les yeux sur Bill ? La décider à tout nous expliquer ?

Il était évident qu'Eric et Chow étaient tous les deux convaincus du contraire. Et ils en voulaient à Pam de m'avoir fait comprendre à demi-mot que, contrairement à ce que j'étais censée penser, tout n'allait pas pour le mieux entre Bill et moi. Pourtant, après avoir regardé Pam fixement pendant une bonne minute, Eric a fini par hocher la tête.

— Pam et Chow, allez attendre dehors, a-t-il sèchement ordonné.

Pam lui a lancé un coup d'œil appuyé, avant de quitter la pièce en abandonnant sa bouteille vide sur la table. Chow lui a emboîté le pas sans mot dire. Pas même un « merci » pour l'apéro. Ils n'avaient pas non plus rincé leurs bouteilles. Comme je m'indignais mentalement des mauvaises manières de mes invités, j'ai soudain eu l'impression que ma tête allait s'envoler. Elle devenait légère, légère… J'ai cligné des paupières. Puis j'ai compris : j'étais sur le point de m'évanouir. Je ne suis pourtant pas du genre à tomber dans les pommes pour un oui ou pour un non, mais j'ai trouvé qu'en l'occurrence j'avais d'amples excuses. D'autant plus que je n'avais rien avalé depuis plus de vingt-quatre heures.

— Tu n'as pas intérêt, a grondé Eric.

Et il n'avait pas l'air de plaisanter.

J'ai essayé de me raccrocher à sa voix, et je l'ai fixé. J'ai hoché la tête pour lui indiquer que je faisais ce que je pouvais.

En un éclair, il avait fait le tour de la table, s'était assis à la place de Pam et se penchait vers moi, une longue main blanche posée sur les miennes. Il lui aurait suffi de la refermer pour me broyer les doigts – et j'aurais pu dire adieu à mon job de serveuse.

— Ne crois pas que je prenne plaisir à te faire peur…

Son visage était un peu trop près du mien. Je pouvais même sentir son parfum.

— J'ai toujours eu beaucoup d'affection pour toi…

« Tu as toujours eu envie de me mettre dans ton lit », ai-je rectifié intérieurement.

— Sans compter que j'ai envie de te sauter, a-t-il ajouté avec un grand sourire enjôleur.

Sur le coup, ça ne m'a fait ni chaud ni froid.

— Quand je t'embrasse, c'est très... excitant.

Effectivement, je l'avais déjà laissé m'embrasser. Mais «dans l'exercice de mes fonctions», si l'on peut dire : en service commandé, pas pour le plaisir. Il n'empêche que l'expérience avait été... piquante. Et pour cause : Eric était superbe et il avait plusieurs siècles de pratique derrière lui – il embrassait comme un dieu !

Pendant ce temps, Eric se rapprochait, se rapprochait... Morsure ou baiser ? Je me demandais à quelle sauce j'allais être mangée. Ses crocs étaient sortis sur toute leur longueur. Soit il était en colère, soit il était excité, soit il était affamé. Ou les trois à la fois. Les vampires inexpérimentés avaient tendance à zézayer, au début, gênés par leurs crocs. Mais, avec Eric, on ne voyait même pas le coup venir. Cette technique-là aussi, il avait eu plusieurs centaines d'années pour la perfectionner.

— Bizarrement, avec ce plan torture, je ne suis pas vraiment d'humeur... lui ai-je précisé, espérant calmer ses ardeurs.

— Ah ! Cette perspective a pourtant eu un effet tout à fait... palpable sur Chow, m'a-t-il chuchoté à l'oreille.

— Eric, tu ne pourrais pas abréger le suspense ? Tu vas me torturer, oui ou non ? Tu es mon ami ou mon ennemi ? Tu vas tout faire pour retrouver Bill ou tu vas le laisser tomber ?

Il a éclaté de rire, un petit rire bref et sans joie. Au moins, il ne se rapprochait plus. C'était déjà ça.

— Sookie, tu es vraiment incroyable ! s'est-il exclamé (à en juger par son ton, ce n'était pas précisément un compliment). Je n'ai absolument pas l'intention de te torturer. D'abord, parce que cela abîmerait cette peau de satin que je compte bien, un jour, caresser dans son intégralité...

J'espérais simplement qu'elle serait encore sur mon corps quand ça se produirait.

— Ensuite, parce que, tout comme tu n'auras pas toujours peur de moi, a-t-il poursuivi avec assurance, tu ne seras pas toujours aussi dévouée à Bill que tu l'es maintenant. J'ai quelque chose à te dire.

On entrait enfin dans le vif du sujet. Ses longs doigts frais se sont glissés entre les miens. Je m'y suis machinalement agrippée de toutes mes forces. J'étais paralysée – et je n'aurais pu prononcer un seul mot sans me trahir. J'ai accroché mon regard au sien.

— Bill a été appelé dans le Mississippi par une vampire, m'a-t-il avoué. Une vampire qu'il a connue il y a des années. J'ignore si tu t'en es rendu compte, mais les vampires ne s'accouplent jamais entre eux, mis à part pour de rares et brèves rencontres d'une nuit. Il y a une bonne raison à cela : le partage du sexe et du sang donne aux deux amants une formidable emprise l'un sur l'autre, une emprise irrésistible… et éternelle. Cette vampire…

— Son nom ?

— Elle s'appelle Lorena, a-t-il répondu, apparemment à contrecœur.

Ou peut-être qu'il n'attendait que ça et que son hésitation n'était qu'un effet de manches. Allez savoir, avec les vampires !

Il semblait attendre mon commentaire. Comme je ne disais rien, il a enchaîné :

— Elle est dans le Mississippi, en ce moment. Je ne sais pas si elle y réside de façon permanente ou si elle s'y est rendue uniquement pour y attirer Bill. Elle habitait Seattle, auparavant. Je le sais parce que Bill et elle y ont vécu ensemble de longues années…

Bill n'avait donc pas choisi Seattle au hasard, comme destination fictive…

— J'ignore quelle était son intention en l'invitant à la rejoindre là-bas, comme j'ignore quel prétexte elle a invoqué pour ne pas venir le voir ici... Peut-être Bill a-t-il préféré, par égard pour toi...

J'aurais voulu mourir. J'ai respiré profondément et je me suis mise à fixer nos mains jointes, trop humiliée pour continuer à regarder Eric en face.

— En tout cas, il est aussitôt redevenu complètement... intoxiqué par sa simple présence. Au bout de quelques nuits, il a appelé Pam pour lui dire qu'il rentrait en Louisiane en avance, sans t'en avertir. Il voulait régler la question de ton avenir avant de te revoir.

— Mon avenir ? ai-je croassé.

— Bill tenait à s'assurer que tu ne manquerais de rien après votre séparation.

Je me suis sentie blêmir.

— Me... verser une pension... Me mettre en retraite, ai-je soufflé, anéantie.

Rien n'aurait pu me faire plus de peine, de la part de Bill, même si l'initiative était partie d'un bon sentiment. Quand il vivait encore avec moi, il ne lui était jamais venu à l'esprit de me demander comment se portaient mes finances, alors qu'il avait volé au secours des Bellefleur quand il s'était découvert des gènes communs avec eux.

Et maintenant qu'il s'apprêtait à sortir de ma vie, maintenant qu'il culpabilisait de quitter cette pauvre petite Sookie, il commençait à se faire du souci pour moi.

— Il voulait...

Eric s'est brusquement interrompu et m'a dévisagée en silence.

— Laissons cela pour l'instant. Je n'aurais pas été obligé de t'en dire autant si Pam ne s'était pas mêlée de ce qui ne la regarde pas. Je t'aurais envoyée là-bas sans rien dire, préférant te laisser dans l'ignorance plutôt que te blesser de la sorte, avec mes paroles. Et je n'aurais pas eu à te supplier, comme je vais devoir le faire maintenant.

Je me suis forcée à l'écouter, cramponnée à sa main comme si ma vie en dépendait.

— Tu dois bien comprendre que je risque ma peau autant que toi, dans cette affaire, Sookie.

J'ai relevé la tête. Il a vu la surprise dans mes yeux.

— Oui, Sookie, il n'y a pas que ta vie et celle de Bill qui soient en jeu. Mon poste et peut-être même ma propre existence le sont tout autant… Demain, je t'envoie un contact. Il vit à Shreveport, mais possède un appartement et des amis dans la communauté des vampires et des SurNat à Jackson. Par son intermédiaire, tu pourras en rencontrer certains, ainsi que les humains qu'ils emploient.

Je savais que je n'étais pas tout à fait opérationnelle, sur le moment, mais j'étais sûre que je comprendrais tout quand je rembobinerais le film. Alors, j'ai hoché la tête, comme si j'avais parfaitement saisi.

Les doigts d'Eric caressaient les miens inlassablement.

— C'est un loup-garou, a-t-il poursuivi d'un ton détaché. Autant dire un salaud de base. Mais il est plus fiable que la plupart de ses congénères. Et il a une grosse dette envers moi.

J'ai absorbé l'information et j'ai de nouveau acquiescé. À force de me caresser, les longs doigts d'Eric me semblaient presque plus chauds que les miens.

— Il va t'introduire dans le milieu des vampires de Jackson et t'emmener dans les endroits qu'ils fréquentent pour que tu puisses écouter ce que leurs humains ont dans la tête. Je sais que c'est risqué et que nos chances de réussite sont faibles. Mais si Russell Edgington a bel et bien fait enlever Bill, tu pourras peut-être déceler un indice qui nous mettra sur la voie. Le type qui t'a attaquée, l'autre soir, était de Jackson, d'après les factures que l'on a retrouvées dans sa voiture. Et c'était un loup-garou, comme la tête de loup sur son blouson le laissait supposer. Je ne sais pas pourquoi il en avait après toi. Mais, d'après moi, cela signifie que Bill est vivant. Ceux qui ont envoyé ce loup-garou voulaient sans doute se servir de toi pour faire pression sur lui.

— Dans ce cas, ils auraient mieux fait de s'en prendre à Lorena.

Eric m'a jeté un coup d'œil approbateur.

— Peut-être l'ont-ils déjà fait, m'a-t-il répondu. Mais peut-être Bill a-t-il également compris que Lorena l'avait trahi : il n'aurait pas été enlevé si elle n'avait pas révélé le secret qu'il lui avait confié…

J'ai pris quelques instants pour y réfléchir et acquiescé de nouveau.

— Une autre pièce du puzzle nous manque : la raison pour laquelle Lorena se trouvait là, justement. Si elle était un membre régulier de la communauté du Mississippi, je l'aurais su, j'imagine. Mais je réfléchirai à cette nouvelle énigme à mes moments perdus.

À voir son air grave et préoccupé, il était clair qu'il avait déjà beaucoup réfléchi.

— Si ce plan ne marche pas dans les, disons, trois jours, nous devrons peut-être en venir aux représailles, Sookie, c'est-à-dire kidnapper l'un des leurs. Ce qui nous conduira presque obligatoirement à la guerre ouverte. Et une guerre – même avec le Mississippi – coûte toujours très cher, en effectifs et en argent. Et au bout du compte, ils tueraient Bill quand même.

D'accord. L'équilibre du monde reposait sur mes frêles épaules. Merci, Eric. Plus de responsabilités et plus de stress : exactement ce dont j'avais besoin.

— Mais il faut que tu saches une chose : s'ils ont kidnappé Bill – et s'il est encore en vie –, nous le récupérerons d'une manière ou d'une autre. Vous serez bientôt réunis. Si c'est toujours ce que tu veux...

Était-ce ce que je voulais ? Je n'en étais pas sûre.

— Enfin, pour répondre à ta question, je suis ton ami. Et je le resterai aussi longtemps que je le pourrai sans mettre mon existence ou l'avenir de ma zone en danger.

Eh bien, ça avait le mérite d'être honnête. J'appréciais sa franchise.

— Aussi longtemps que ça t'arrangera, tu veux dire, ai-je rétorqué, tout en sachant que c'était à la fois faux et injuste.

Mais mon opinion de lui semblait visiblement le tracasser, ce que je trouvais très curieux.

— Laisse-moi te poser une question, Eric.

Il a haussé les sourcils pour m'inviter à poursuivre. Ses mains montaient et descendaient machinalement le long de mes bras, comme s'il ne s'en rendait pas compte. On aurait dit un homme se chauffant les mains au coin du feu.

— Si je t'ai bien compris, ai-je enchaîné sans attendre, Bill travaillait sur un projet pour la...

J'ai étouffé fermement la vague de rire hystérique qui menaçait de me submerger.

— ... pour la reine de Louisiane. Mais tu ne le savais pas. C'est bien ça ?

Eric m'a regardée un long moment en silence, comme s'il se demandait jusqu'où il pouvait pousser la confidence.

— Elle m'a dit qu'elle avait un travail à confier à Bill. Mais elle ne m'a pas précisé de quelle mission il s'agissait, ni pourquoi c'était à Bill qu'elle voulait la confier, ni combien de temps ça lui prendrait.

N'importe quel dirigeant se serait senti furieusement vexé, de voir son subordonné réquisitionné ainsi. Surtout si les informations importantes ne lui étaient pas communiquées.

— Mais alors, pourquoi la reine n'a-t-elle pas lancé des recherches pour retrouver Bill elle-même? ai-je demandé en prenant soin d'adopter un ton neutre.

— Parce qu'elle ne sait pas qu'il a disparu.

— Comment est-ce possible?

— Nous ne l'en avons pas informée.

Tôt ou tard, il allait se lasser de mes questions.

— Pourquoi?

— Elle nous châtierait.

— Pourquoi? ai-je répété.

Je commençais à ressembler à un enfant de deux ans.

— Pour ne pas avoir su assurer la sécurité de Bill, alors même qu'il était en mission spéciale pour elle.

— Et ce serait quoi, ce châtiment?

— Oh! Avec elle, difficile à dire...

Il a eu un petit rire étranglé.

— Quelque chose de très déplaisant, en tout cas.

Eric était si proche de moi, maintenant, que ses cheveux caressaient presque mon visage. Il me humait, inspirant lentement, délicatement. Les vampires s'en remettent davantage à l'odorat et à l'ouïe qu'à la vue, quoique la leur soit extrêmement perçante. En outre, Eric avait avalé un peu de mon sang, si bien qu'il pouvait deviner ce que je ressentais. Les vampires se sont toujours fait un devoir d'étudier et d'analyser les émotions des humains. Tout bon prédateur se doit de connaître parfaitement le comportement de ses proies.

Eric a frotté sa joue contre la mienne, comme un chat.

— Eric...

En fait, il m'en avait appris bien plus qu'il ne le pensait.

— Mmm?

— Sérieusement, qu'est-ce que la reine va te faire, si Bill ne se présente pas à la date prévue pour remettre les résultats du projet?

Ma question a eu l'effet voulu: il s'est reculé, posant sur moi un regard plus bleu que le mien, plus dur que le mien, et plus froid que les étendues glacées du Grand Nord.

— Sookie, il vaut mieux que tu l'ignores, crois-moi. De toute façon, la présence de Bill n'est pas indispensable, pour peu que le dossier lui soit remis en temps voulu.

Je lui ai rendu son regard, mes yeux aussi froids que les siens.

— Et si j'accepte de faire ça pour toi, qu'est-ce que j'aurai en échange?

Il a eu l'air surpris. Et pourtant ravi, paradoxalement.

— Si Pam n'avait pas fait d'allusion déplacée, le retour de Bill sain et sauf t'aurait suffi. Tu aurais sauté sur l'occasion, trop contente de pouvoir lui venir en aide.

— Oui, mais maintenant, je suis au courant, pour Lorena.

— Et, sachant cela, es-tu prête à coopérer?

— Oui. À une condition.

Il a haussé les sourcils.

— Et quelle est cette condition ? a-t-il demandé en me lançant un coup d'œil méfiant.

— Si jamais je n'en réchappe pas, je veux que tu la supprimes.

Il m'a dévisagée pendant une bonne seconde, avant d'éclater d'un grand rire.

— Mais je serais obligé de payer une amende colossale ! s'est-il exclamé. Et j'aurais intérêt à frapper le premier. Plus facile à dire qu'à faire, Sookie. Elle a plus de trois cents ans.

— Tu m'as dit que si la reine devait te punir, ce serait extrêmement désagréable… lui ai-je rappelé.

— Exact.

— Et tu m'as dit que tu avais désespérément besoin de moi pour te sortir de là.

— Exact.

— Donc, c'est ce que je demande en échange.

— Tu sais, Sookie, tu ferais une vampire tout à fait acceptable, a-t-il commenté. Soit. Marché conclu. Si tu n'en réchappes pas, tu peux être sûre que Lorena ne couchera plus jamais avec Bill.

— Oh, il n'y a pas que ça qui me contrarie.

— Ah, non ?

Il avait l'air sceptique. C'était compréhensible.

— Non. Il y a aussi le fait qu'elle l'ait trahi.

Ses beaux yeux bleus se sont rivés aux miens.

— Dis-moi, Sookie, me demanderais-tu une chose pareille si Lorena était un être humain ?

Sa grande bouche mince aux lèvres livides, si souvent étirée en un rictus amusé, avait pris un pli sérieux.

— Si c'était une humaine, Eric, je m'en chargerais moi-même.

Sur ce, je me suis levée pour le raccompagner.

Eric parti, je me suis laissée aller contre la porte et j'ai posé ma joue sur le bois tiède. Souhaitais-je vraiment la disparition définitive de Lorena? Je me demandais depuis longtemps si j'étais quelqu'un de bien, malgré tous mes efforts. Quand j'avais affirmé que je me serais personnellement occupée de Lorena si elle avait été humaine, j'en avais eu la ferme intention. En fait, il y avait en moi un côté assez brutal, sauvage, que j'avais toujours dû fermement contrôler. Mais ma grand-mère ne m'avait pas élevée pour faire de moi une meurtrière.

Tandis que je me dirigeais à pas lents vers ma chambre, j'ai réfléchi au fait que ces derniers temps, je cédais de plus en plus souvent à la colère. Depuis que je fréquentais les vampires, à vrai dire.

Je ne comprenais pas pourquoi. Les vampires se contrôlaient de façon draconienne. Alors, comment expliquer qu'à leur contact, j'aie de plus en plus de mal à conserver mon sang-froid?

Mais pour cette nuit, je m'étais posé suffisamment de questions.

Je devais penser au lendemain.

4

Puisque j'allais devoir sortir de mon trou, apparemment, quelques corvées s'imposaient : le réfrigérateur à vider, la lessive à faire... C'était parfait :
après être restée près de vingt-quatre heures au lit,
je n'avais pas encore sommeil. J'ai donc sorti ma
valise et je suis allée me geler sur la véranda, où j'ai
fourré mon linge sale dans la machine à laver. Plus
question de m'interroger sur ma petite personne.
Il y avait bien plus important.

Eric avait tout essayé pour me convaincre. Et il
n'y était pas allé de main morte : intimidation,
menaces, numéro de charme... Il avait titillé la
corde sensible, jouant de mes sentiments pour Bill,
me faisant miroiter son retour prochain. Il avait fait
appel à mon bon cœur, mettant dans la balance son
bien-être, sa propre vie (sans parler de celle de Pam
et de Chow), et la mienne enfin. Et il avait accu-
mulé les contradictions : « Je pourrais te torturer,
mais j'ai trop envie de coucher avec toi ; Bill est mon
vassal, mais il travaille secrètement pour ma suze-
raine : j'ai besoin de lui, mais je lui en veux d'avoir
trahi ma confiance ; je dois rester en bons termes
avec Russell Edgington, mais je ne peux pas le laisser enlever un de mes investigateurs sans réagir... »

Fichus vampires! On comprend facilement pourquoi je me réjouis d'être immunisée contre leur pouvoir hypnotique. C'est l'un des rares avantages que mon talent de télépathe m'ait apportés. Malheureusement, les morts-vivants adorent les gens comme moi.

Je n'aurais jamais pu imaginer tout ça, quand j'avais commencé à sortir avec Bill. Il m'était vite devenu aussi indispensable que l'air que je respirais : j'éprouvais des sentiments très profonds pour lui, et sa façon de me faire l'amour m'apportait un plaisir intense. Mais il était également ma seule et unique protection contre les autres vampires. Sans lui, n'importe lequel de ses congénères pouvait très bien s'emparer de moi comme on annexe un territoire ennemi.

Après avoir fait tourner quelques charges dans la machine et le sèche-linge et avoir repassé, plié et rangé mes vêtements, je dois reconnaître que je me sentais mieux, plus détendue. Ma valise était presque prête. J'y avais même glissé quelques livres (quelques romans d'amour et un polar), au cas où j'aurais le temps de lire – c'est en lisant que je me suis instruite.

Je me suis étirée en bâillant bruyamment. Il était assez apaisant d'avoir un plan d'action, des projets. Mais la nuit que j'avais passée et le sommeil agité de la veille ne m'avaient finalement pas vraiment reposée. J'allais peut-être pouvoir m'endormir facilement.

Même sans la collaboration des vampires, il n'était pas impossible que je parvienne à retrouver Bill, me suis-je dit tout en me brossant les dents avant d'aller me coucher. Mais réussir à pénétrer dans l'endroit où il était retenu et à le faire évader, ce serait une autre paire de manches. Ensuite, je devrais décider de la suite à donner à notre relation.

Il était environ 4 heures du matin quand je me suis réveillée, tirée du sommeil par un sentiment d'urgence. J'avais l'étrange impression qu'une idée me trottait dans la tête et qu'elle ne demandait qu'à sortir, comme un mot qu'on a sur le bout de la langue. J'avais pensé à quelque chose pendant la nuit, quelque chose qui avait germé sous mon crâne et n'attendait qu'un petit degré de plus pour pointer le bout de son nez.

Et ça n'a pas raté. Moins d'une minute plus tard, mon idée enfouie refaisait surface : et si Bill n'avait pas été fait prisonnier ? Et s'il était passé à l'ennemi ? Et s'il était devenu si accro à Lorena qu'il avait décidé de quitter la Louisiane pour rejoindre la communauté du Mississippi ?

J'ai tout de suite eu des doutes. Il aurait fallu qu'il mette au point un stratagème vraiment compliqué, avec fuites volontaires d'informations censées faire croire à Eric qu'il avait été enlevé et que Lorena se trouvait dans le Mississippi à ce moment-là. Il aurait sans doute pu trouver plus simple, comme sortie. Et moins dramatique.

Je me suis demandé si Eric, Chow et Pam n'étaient pas, à l'instant même, en train de fouiller sa maison (elle se trouvait juste de l'autre côté du cimetière, pas très loin de la mienne). Si c'était le cas, ils allaient faire chou blanc. Peut-être reviendraient-ils chez moi, par conséquent. Ils n'auraient même pas besoin de délivrer Bill, s'ils récupéraient les CD qui contenaient le fameux dossier auquel la reine tenait tant. J'ai bien cru entendre le rire de Chow dehors, puis… je me suis rendormie, épuisée.

Savoir que Bill m'avait trahie ne m'a pas empêchée de le chercher dans mon sommeil. J'ai bien dû me retourner une demi-douzaine de fois en tendant le bras pour le toucher sous les draps. Chaque fois, j'ai trouvé le lit vide et froid.

À tout prendre, c'était mieux que de découvrir Eric couché à sa place.

Dès l'aube, j'étais levée et douchée. J'avais déjà fait le café quand on a frappé à ma porte.

— Qui est là ?

Je me suis plaquée contre le mur, au cas où.

— C'est Eric qui m'envoie, a répondu une grosse voix bourrue.

J'ai juste entrebâillé le battant, histoire de jeter un œil. J'ai levé la tête. Très haut.

Il était gigantesque. Il avait les yeux verts et des cheveux hirsutes, épais et bouclés, aussi noirs que le bitume dont Jason tartinait la chaussée. Son cerveau émettait une sorte de vrombissement, une intense pulsation d'énergie rougeâtre : loup-garou.

— Entrez. Asseyez-vous. Vous voulez du café ?

Je ne sais pas ce qu'il s'était imaginé, mais, à voir sa tête, il était clair que je ne correspondais pas du tout à la description qu'on lui avait faite de moi.

— Ah ça oui, la belle ! Vous n'auriez pas des œufs ? Des saucisses ?

— Si, bien sûr.

Il m'a suivie dans la cuisine.

— Au fait, je suis Sookie Stackhouse, lui ai-je lancé par-dessus mon épaule.

Je me suis baissée pour sortir les œufs du réfrigérateur.

— Et vous ?

— Alcide, a-t-il répondu. Alcide Herveaux.

Il ne m'a pas quittée des yeux pendant que je sortais le poêlon en fonte noircie de ma grand-mère avant d'allumer le gaz. Elle l'avait reçu pour son mariage et l'avait entretenu avec soin, comme toute femme qui se respecte. Il était maintenant culotté à point. J'ai fait cuire les saucisses d'abord, pour graisser le fond du poêlon. Ensuite, je les ai posées sur une serviette en papier avant de les mettre au chaud dans le four. Puis j'ai rapidement brouillé les œufs (après avoir demandé à Alcide comment il les voulait), pour les poser enfin sur l'assiette chaude que j'ai sortie du four. Il a trouvé tasses, verres et couverts du premier coup et nous a servi café et jus d'orange.

Il a mangé en silence, proprement, et il n'en a pas laissé une miette.

Je me suis mise à faire la vaisselle, plongeant mes mains dans l'eau chaude savonneuse. J'ai nettoyé le poêlon en dernier et, après l'avoir séché, j'en ai soigneusement frotté le fond noirci avec de la graisse, tout en jetant quelques coups d'œil à mon invité. Les senteurs du petit-déjeuner, du café frais et de l'eau savonneuse étaient réconfortantes. Un moment paisible, chaleureux, presque intime.

Quand Eric m'avait dit qu'un homme chargé de m'introduire dans le milieu des vampires du Mississippi viendrait me chercher, j'avais craint le pire. Avec Eric, il faut s'attendre à tout. Mais je ne m'étais certainement pas attendue à ça. Tout en regardant d'un air rêveur le paysage hivernal par la fenêtre de la cuisine, je me disais que c'était exactement comme ça que je voyais l'avenir, les rares fois où je me laissais aller à imaginer qu'un homme pourrait, un jour, partager ma vie.

C'était ainsi que les choses étaient censées se passer chez les gens normaux. C'était le matin, l'heure de se lever, l'heure pour une femme de cuisiner le petit-déjeuner pour son homme, avant qu'il ne sorte gagner le pain du foyer. Ce grand gaillard solide, assis là devant moi, mangeait comme un homme normal : des saucisses, des œufs... de la vraie nourriture. J'aurais parié cent dollars qu'il avait un pick-up garé devant la maison.

Bon, d'accord, c'était un loup-garou. Mais les loups-garous menaient une vie plus normale que les vampires.

Pour dire la vérité, ce que je savais des loups-garous aurait pu tenir sur une seule feuille de mon calendrier.

Il est venu plonger son assiette vide dans l'eau de l'évier pour la laver, puis il l'a essuyée, pendant que je donnais un coup d'éponge sur la table. Ça s'est fait tout seul, réglé comme du papier à musique. Il s'est ensuite éclipsé aux toilettes, tandis que je passais en revue les choses qu'il me restait à faire avant de partir. Il fallait que je parle à Sam. C'était le plus urgent. J'avais déjà appelé Jason, la veille, pour lui annoncer que je partais quelque temps. Liz était chez lui, si bien qu'il n'avait même pas songé à m'interroger sur la raison de cette absence imprévue. Il avait accepté de venir relever mon courrier et prendre le journal tous les deux jours. C'était l'essentiel.

Alcide est revenu s'asseoir en face de moi. J'étais en train de réfléchir à la manière dont nous allions nous organiser, tous les deux. Je me disais qu'il valait mieux en discuter maintenant et j'essayais de trouver un moyen d'aborder le sujet sans trop le brusquer. Je voulais ménager sa susceptibilité. Peut-être s'inquiétait-il autant que moi. Le problème avec les loups-garous (comme avec tous les hybrides, d'ailleurs), c'est que je ne peux pas lire dans leurs pensées de façon permanente. Ce sont des créatures surnaturelles. Je peux percevoir sans trop me tromper leur humeur, leur état d'esprit et, de temps en temps, attraper au vol une idée précise. Pour moi, les SurNat sont donc bien moins indéchiffrables que les vampires – mais beaucoup plus que les humains.

D'après ce que j'avais cru comprendre, certains, parmi les métamorphes et autres hybrides, auraient été prêts à faire bouger les choses. À sortir du placard, notamment. Mais, tant qu'ils n'auraient pas vu comment le vent tournait pour les vampires (lesquels avaient fait leur *coming out* planétaire), ils demeuraient férocement attachés à leur clandestinité.

Les loups-garous sont considérés comme les durs de la bande. Ce sont des hybrides et ils se transforment, par définition, mais ce sont les seuls à posséder leur propre organisation. À leurs yeux, personne, hormis eux, ne peut porter le suffixe de « garou ». Ils ne le tolèrent pas. Alcide Herveaux n'avait assurément rien d'un enfant de chœur. Il était franchement baraqué, avec des biceps sur lesquels j'aurais pu faire des pompes. C'était le style de mec à devoir se raser une deuxième fois quand il sort le soir. Je l'aurais bien vu sur un chantier ou sur les quais, comme docker.

Bref, c'était un homme, un vrai.

Je me suis jetée à l'eau.

— Comment les vampires s'y sont-ils pris pour vous convaincre ?

— Ils tiennent mon père, a-t-il maugréé en posant ses énormes mains bien à plat sur la table et en s'appuyant dessus jusqu'à faire blanchir les jointures. Vous savez qu'ils ont un casino à Shreveport ?

— Oui, bien sûr.

Il est courant, dans le coin, d'aller faire un tour à Shreveport ou à Tunica (une petite ville du Mississippi, juste en dessous de Memphis), de prendre une chambre d'hôtel, de passer un peu de temps aux machines à sous, de se payer un petit spectacle ou deux et de profiter des « buffets à volonté ».

— Mon père a misé trop gros. Il dirige un bureau d'études dans le bâtiment. Je travaille pour lui. Mais il joue tout ce qu'il gagne à la roulette ou au black jack.

La colère faisait étinceler ses yeux verts.

— Résultat, il doit un fric monstre à ce casino de Louisiane. C'est comme ça que vos vampires le tiennent : ils ont son ardoise. S'ils décident de récupérer leur argent, la société coule.

Les loups-garous semblaient avoir à peu près autant de respect pour les vampires que les vampires en avaient pour eux.

— Pour effacer ses dettes, je dois vous ouvrir les portes des bars à vampires de Jackson.

Il s'est calé contre le dossier de sa chaise et m'a regardée droit dans les yeux.

— C'est plutôt facile, d'emmener une jolie femme à Jackson pour faire la tournée des bars. Maintenant que je vous ai rencontrée, je suis plutôt content de le faire, surtout pour tirer mon père du pétrin. Mais vous, pourquoi faire un truc pareil ? Vous m'avez l'air d'une vraie femme, pas d'une de ces détraquées qui prennent leur pied en se frottant aux déterrés.

Voilà qui avait le mérite d'être franc ! C'était rafraîchissant, après l'interminable jeu de cache-cache avec Eric et sa clique.

— Je ne fréquente qu'un vampire, ai-je répondu d'un ton amer. De mon plein gré, du moins : Bill, mon petit ami... Enfin, je ne sais plus trop s'il l'est encore. Il se pourrait que les vampires de Jackson l'aient enlevé. Et on a essayé de me tabasser, l'autre soir...

Je trouvais plus honnête de le prévenir.

— Comme le type en question ne semblait pas connaître mon nom – il savait juste que je travaillais au *Merlotte* –, je ne devrais pas avoir grand-chose à craindre à Jackson. Tant que personne n'aura découvert que je suis la fille qui sort avec Bill, en tout cas. Et il faut que je vous dise, aussi : ce type était un loup-garou et sa voiture était immatriculée dans le comté de Hinds.

Jackson se trouve dans le comté de Hinds.

— Il portait un gilet sans manches avec une tête de loup ?

J'ai hoché la tête. Il paraissait songeur. C'était bon signe. Je ne prenais pas du tout ça à la légère et, apparemment, lui non plus.

— Il y a une petite bande de loups-garous sur Jackson, sans compter les quelques hybrides qui gravitent autour – les plus gros calibres : panthères, ours et compagnie. Ils louent leurs services aux vampires assez régulièrement.

— Eh bien, ça en fait un de moins.

Alcide m'a dévisagée avec insistance, puis m'a lancé un regard de défi.

— Et alors ? Qu'est-ce qu'une fillette comme vous va bien pouvoir faire contre les vampires de Jackson ? Vous êtes une championne de karaté ? Un as du Magnum ? Vous revenez de cinq ans de commando chez les Marines ?

Ça m'a fait rire.

— Non non. Vous n'avez jamais entendu parler de moi ?

— Pourquoi ? Vous êtes célèbre ?

— Apparemment pas.

Ça ne me déplaisait pas qu'il n'ait aucun *a priori* sur moi.

— Je crois que je vais vous laisser vous faire votre petite idée tout seul, ai-je dit avec un sourire en coin.

— Tant que vous ne vous changez pas en serpent...

Il s'est levé d'un bond.

— Vous n'êtes pas un mec, au moins ? s'est-il exclamé en ouvrant des yeux comme des soucoupes.

— Non, monsieur Herv...

— Appelez-moi Alcide, comme tout le monde.

— Non, Alcide, je suis une femme, l'ai-je rassuré en m'efforçant d'adopter un ton détaché.

— J'en aurais mis ma main à couper, a-t-il répondu, l'œil pétillant. Donc, si vous n'êtes pas Superwoman, qu'est-ce que vous comptez faire, quand vous aurez trouvé l'endroit où ils retiennent votre petit copain ?

— J'appellerai Eric. En tant que chef de...

Euh, ce n'était peut-être pas une bonne idée de dévoiler à un loup-garou l'organisation secrète des vampires.

— Eric est le supérieur de Bill. Ce sera donc à lui de décider.

Alcide avait l'air sceptique.

— Je ne lui fais pas confiance, moi, à Eric. Je me méfie de lui, même. De tous les vampires, d'ailleurs. Je parie qu'il va vous doubler.

— Comment ça ?

— En utilisant votre homme pour faire pression sur les vampires de Jackson. Puisqu'ils tiennent un de ses hommes, il pourrait exiger réparation. L'enlèvement de Bill pourrait aussi lui fournir un excellent prétexte pour une déclaration de guerre. Auquel cas, votre petit copain serait exécuté sur-le-champ.

Je n'avais pas poussé la réflexion jusque-là.

— Bill détient des informations, ai-je objecté. Des informations importantes.

— Tant mieux. Ça pourra peut-être le garder en vie un peu plus longtemps.

Quand il a vu ma tête, il s'est mordu la lèvre.

— Je suis désolé, Sookie. Il ne faut pas faire attention à ce que je dis. Je parle sans réfléchir, parfois. On va vous le ramener – quoique ça me rende malade d'imaginer une femme comme vous avec un de ces fichus suceurs de sang.

D'un côté, c'était plutôt blessant. De l'autre, assez flatteur, bizarrement.

— Je suppose que je dois vous remercier pour le compliment, ai-je répondu en m'efforçant de sourire. Alors, comment va-t-on procéder ? Vous avez un plan pour infiltrer le milieu des vampires ?

— Oui. Il y a une boîte près du centre-ville, un club privé exclusivement réservé aux SurNat et aux humains qu'ils invitent pour la soirée. Vous n'y verrez pas un seul touriste. La clientèle des vampires ne suffit pas à faire tourner la boutique, mais c'est pratique pour eux : ils peuvent s'y réunir sans éveiller les soupçons. Alors, ils autorisent la vermine – autrement dit, nous – à être de la fête.

Il a souri. Il avait des dents parfaites, blanches et... aiguisées comme des rasoirs.

— Personne ne s'étonnera que j'aille là-bas. Je vais toujours y faire un tour quand je suis à Jackson. Mais... il faudra vous faire passer pour ma petite amie.

Il avait l'air embarrassé, tout à coup.

— Euh... il vaut mieux que je vous prévienne, aussi... Au premier coup d'œil, vous semblez plutôt du genre jean-tennis, comme moi. Mais, dans ce club, ils aiment bien qu'on vienne en tenue plutôt habillée.

De toute évidence, il avait peur que je n'aie rien de tel dans ma garde-robe. Et il tenait à m'épargner une humiliation publique. Belle preuve d'attention. Quel homme.

— Mais votre véritable petite amie ne va peut-être pas apprécier...

Pure curiosité de ma part, je le reconnais.

— Il se trouve qu'elle vit justement à Jackson. Mais on est séparés depuis deux mois. Elle s'est déjà recasée. Avec un mec qui se change en hibou !

Elle était dingue, cette fille, ou quoi ? Bien sûr, l'histoire devait être un peu plus compliquée que ça. Et, bien sûr, elle se trouvait dans la rubrique « ne te mêle pas de ce qui ne te regarde pas ».

C'est donc sans commentaires que je suis retournée dans ma chambre pour sortir mes deux robes de cocktail et tous les accessoires qui allaient avec. J'avais acheté ces robes chez Tara's Togs, la boutique tenue par mon amie Tara Thornton, qui en était maintenant propriétaire. Tara ne manquait jamais de m'appeler pour les soldes. En fait, c'était Bill qui était propriétaire des murs de la galerie marchande. Et il avait demandé à tous les patrons des magasins de m'ouvrir un compte chez eux, qu'il paierait lui-même. J'avais résisté à la tentation. Enfin, à part pour les vêtements que j'avais dû remplacer parce que Bill lui-même les avait déchirés dans le feu de l'action...

J'étais très fière de ces deux robes – je n'en avais jamais eu d'aussi belles de toute ma vie. Je les ai glissées dans une housse de voyage dont j'ai remonté la fermeture avec un sourire de plaisir.

Alcide a passé la tête par la porte pour me demander si j'étais prête. Il a jeté un rapide coup d'œil au couvre-lit crème et jaune et aux rideaux assortis, et a hoché la tête d'un air approbateur.

— Oui, oui. Juste deux minutes, le temps que j'appelle mon patron, et on pourra y aller.

Je me suis assise sur le bord du lit et j'ai soulevé le combiné.

Alcide s'est calé contre le mur, à côté de l'armoire. J'ai composé le numéro personnel de Sam, qui a répondu d'une voix endormie. Je me suis excusée de l'appeler à une heure aussi matinale.

— Qu'est-ce qui se passe, Sookie ? a-t-il marmonné.

— Il faut que je parte quelques jours, Sam. Désolée de te prévenir aussi tard, mais j'ai passé un coup de fil à Sue Jennings, hier soir, et elle a accepté de me remplacer.

— Où vas-tu ?

— Dans le Mississippi, à Jackson.

— Tu as quelqu'un pour prendre ton courrier ?

— Mon frère. Merci, c'est sympa d'y penser.

— Des plantes à arroser ?

— Non merci, elles survivront jusqu'à mon retour.

— Bon. Tu pars toute seule ?

J'ai un peu hésité.

— Non.

— Avec Bill ?

— Non, il... Je ne l'ai pas revu.

— Tu as des soucis ?

— Tout va bien, ai-je menti.

— Dites-lui qu'un homme vous accompagne, est soudain intervenu Alcide.

Je lui ai lancé un regard noir. Il s'était adossé au mur – et il en occupait un bon segment.

— Il y a quelqu'un chez toi ?

Sam était peut-être mal réveillé, mais il avait toujours l'ouïe aussi fine (et l'esprit toujours aussi alerte, apparemment).

— Oui, Alcide Herveaux.

Après tout, Sam m'aimait beaucoup, et ce n'était sans doute pas une mauvaise idée de lui dire avec qui je partais. Les premières impressions sont parfois trompeuses, et ça ne ferait pas de mal à Alcide de savoir que, le cas échéant, quelqu'un lui demanderait des comptes.

— Ah!

Manifestement, ce nom ne lui était pas inconnu.

— Passe-le-moi.

— Pourquoi?

Je peux supporter une certaine dose de paternalisme, mais là, ça commençait à dépasser les bornes.

— File-lui ce putain de téléphone!

Sam ne jure presque jamais. Je me suis donc exécutée sans discuter. J'ai fait la grimace pour bien faire comprendre à Alcide ce que j'en pensais. Ensuite, j'ai quitté la pièce d'un pas martial et me suis dirigée vers le salon, où je me suis plantée devant la fenêtre. J'avais vu juste : devant la maison était garé un Dodge Ram à double cabine. J'étais prête à parier qu'Alcide avait pris toutes les options et qu'il y avait tous les aménagements possibles et imaginables à l'intérieur.

J'ai fait rouler ma valise jusque dans l'entrée et j'ai posé ma housse et mon sac sur une chaise, près de la porte. Il ne me restait plus qu'à enfiler mon manteau. J'étais rudement contente qu'Alcide m'ait avertie, pour la tenue de rigueur dans ce fameux club privé. Il ne me serait jamais venu à l'esprit d'emporter des trucs aussi chics. Fichus vampires! Fichues convenances!

J'étais de mauvaise humeur. De très mauvaise humeur.

J'ai remonté le couloir, en passant mentalement en revue le contenu de ma valise, pendant que les deux SurNat parlaient « entre hommes ». J'ai jeté un regard dans la chambre. Le combiné toujours collé à l'oreille, Alcide s'était assis sur le lit, exactement à l'endroit que j'occupais quelques minutes plus tôt. Chose étrange, il avait l'air tout à fait à sa place.

J'ai refait le couloir en sens inverse pour aller me replanter, plus énervée que jamais, devant la fenêtre du salon. Peut-être parlaient-ils d'affaires de SurNat. Pour Alcide, Sam, qui se transformait généralement en colley (par goût, sans doute, puisque, techniquement, il n'était pas limité à cette forme), devait certes appartenir à la catégorie « poids plume », mais, au moins, ils étaient sur la même longueur d'onde. En revanche, Sam devait se méfier un peu d'Alcide. Les loups-garous avaient une sale réputation.

Le martèlement des chaussures de sécurité d'Alcide sur le plancher m'a arrachée à mes réflexions.

— Je lui ai promis de veiller sur vous, m'a annoncé Alcide. Quant à savoir si ça suffira... Il n'y a plus qu'à espérer.

Il avait parlé sans sourire.

Ça faisait déjà un bon moment que je sentais la moutarde me monter au nez et j'étais gonflée à bloc, prête à lui tomber dessus à bras raccourcis. Pourtant, en entendant sa dernière remarque, je me suis calmée brusquement. Vu la complexité des liens qui unissaient vampires, loups-garous et humains, il était très possible que les choses tournent mal. Après tout, mon plan était bien mince, et l'emprise des vampires sur Alcide plutôt fragile.

Sans compter que Bill pouvait très bien ne pas être retenu contre son gré. Il pouvait aussi parfaitement se satisfaire de sa situation de captif d'un roi voisin, tant que la fameuse Lorena était dans les parages. Il serait peut-être fou de rage que je vienne le délivrer.

Ou peut-être était-il déjà mort…

J'ai fermé la porte à clé et j'ai rejoint Alcide. Il rangeait mes affaires dans la cabine de son pick-up.

Vue de l'extérieur, la bête était rutilante. Mais, à l'intérieur, c'était bel et bien le véhicule d'un type qui passait la plus grande partie de sa vie sur les routes. La cabine contenait, pêle-mêle, un casque de chantier, des factures, des devis, des cartes de visite, des bottes, un kit de première urgence… Enfin, il n'y avait ni boîtes de conserve, ni canettes de bière, ni paquets de chips vides : ça aurait pu être pire. Pendant que nous roulions sur ma vieille allée toute cabossée, j'ai attrapé le paquet de brochures qui traînait sur la banquette. Sur la couverture, on pouvait lire : « Bureau d'études Herveaux et Fils, géomètres experts, topographes ». J'en ai pris un exemplaire, que j'ai épluché pendant qu'Alcide gagnait la route de Monroe, direction Vicksburg puis Jackson.

La brochure m'a appris que les Herveaux, père et fils, possédaient une société qui couvrait la Louisiane et le Mississippi, avec des bureaux à Jackson, Monroe, Shreveport et Baton Rouge. Le siège social se trouvait à Shreveport. Il y avait une photo des deux hommes à l'intérieur. L'aîné des Herveaux était tout aussi impressionnant que son fils, dans un style plus âgé.

— Votre père aussi est loup-garou ? lui ai-je demandé, après avoir pris bonne note de toutes ces informations et donc compris que la famille Herveaux était pour le moins prospère – et même peut-être riche.

Mais ils avaient travaillé dur pour ça. Et ils continueraient, à moins que M. Herveaux senior ne parvienne pas à contrôler sa passion du jeu.

— Mon père et ma mère, m'a répondu Alcide après une courte hésitation.

— Oh, désolée.

Je ne savais pas trop de quoi. Mais ça ne mangeait pas de pain.

— Sinon, je n'en serais pas un. C'est une condition *sine qua non*.

Je me suis demandé s'il me fournissait cette explication par simple politesse ou parce que je devais impérativement le savoir.

— Alors, comment se fait-il que l'Amérique tout entière ne soit pas envahie de loups-garous et d'hybrides ? lui ai-je demandé, après avoir pris le temps d'enregistrer cette étonnante donnée.

— Il faut s'unir entre membres de la même espèce. Ce n'est pas toujours faisable. En outre, un seul enfant né de cette union hérite du gène loup-garou. Et la mortalité infantile est très élevée.

— Donc, si vous épousez une femme loup-garou, un de vos enfants le sera forcément aussi ?

— Oui, mais ça ne se manifestera qu'à l'arrivée de... qu'à la puberté.

— Oh ! Ça doit être terrible ! L'adolescence est déjà un sale moment à passer...

Il a souri. Pas à moi. À la route, apparemment.

— C'est vrai que ça ne facilite pas les choses.

— Mais votre... euh... ex, c'était une métamorphe ?

— Ouais. Je ne sors pas avec les métamorphes, normalement. Mais j'ai sans doute cru qu'avec elle, ce serait différent. L'attirance entre les loups-garous et les métamorphes est très forte. C'est ce qu'on appelle le magnétisme animal, j'imagine.

Mon patron, un métamorphe, lui aussi, n'avait pas été mécontent de pouvoir se lier d'amitié avec d'autres métamorphes du secteur. Il était sorti avec une ménade récemment (« sortir » n'étant pas vraiment le terme approprié pour leur relation), mais elle avait changé de terrain de chasse. Maintenant, Sam espérait bien trouver une autre métamorphe. Il se sentait plus à l'aise avec une « humaine déviante », comme moi, ou avec une autre métamorphe qu'avec une femme normale. Quand il m'avait dit cela, il avait cru me faire un compliment, je suppose. Mais ça m'avait blessée un peu. Et pourtant, je supporte mon anormalité depuis l'enfance : la télépathie n'attend pas la puberté pour se manifester.

— Pourquoi avez-vous cru que ce serait différent avec elle ? ai-je repris.

— Elle m'a dit qu'elle était stérile. J'ai découvert qu'en réalité, elle prenait la pilule : nuance. Je ne veux pas transmettre ça à un gosse. Même une métamorphe et un loup-garou peuvent avoir un gamin qui sera obligé de se transformer à chaque pleine lune. Seul un enfant d'un couple pure race (issu de deux loups-garous ou deux métamorphes) peut se métamorphoser n'importe quand.

Ça donnait à réfléchir.

— Donc, en général, vous sortez avec des filles normales. Mais est-ce que ce n'est pas un peu difficile à gérer ? Ça ne doit pas être évident de cacher une... euh... particularité pareille dans sa vie amoureuse.

— C'est sûr, a-t-il reconnu. Ça peut être enquiquinant, pour ça, de sortir avec des filles normales. Mais bon, il faut bien que je sorte avec quelqu'un !

Il m'a semblé percevoir comme un accent désespéré dans sa grosse voix rauque.

J'ai passé un long moment plongée dans mes pensées, après ça. Puis j'ai fermé les yeux et j'ai compté jusqu'à dix. Voilà que ça me reprenait ! Bill me manquait. Mais il me manquait d'une façon des plus primaires. Je ne m'attendais pas à ça. J'avais eu ma première alerte la semaine précédente. Elle s'était manifestée par un tiraillement dans le bas-ventre quand je regardais mon DVD du *Dernier des Mohicans*. J'avais les yeux rivés sur Daniel Day-Lewis pendant qu'il courait dans la forêt. Si seulement j'avais pu surgir de derrière un arbre avant qu'il ne voie Madeleine Stowe...

J'allais devoir faire attention.

— Et si vous mordez quelqu'un, que lui arrive-t-il ? ai-je lancé, en espérant que ça réussirait à me changer les idées.

Puis je me suis souvenue de la dernière fois où Bill m'avait mordue et j'ai senti comme un torrent de feu qui montait de... Oh, non !

— Il se transforme en homme-loup, du genre de ceux qu'on voit dans les films. En général, ils ne font pas de vieux os, les malheureux. Mais s'ils... euh... procréent sous leur forme humaine, ça ne se transmet pas. Et si ça se passe quand ils sont encore sous leur forme animale, la grossesse se termine par une fausse couche.

— Fascinant.

Franchement, qu'aurais-je pu répondre d'autre ?

— Mais le facteur surnaturel est en chacun de nous, comme pour les vampires. Ce que personne ne semble comprendre, c'est le lien entre la génétique et ce facteur, a poursuivi Alcide, le regard toujours braqué sur la route. Et, contrairement aux vampires, on ne peut pas aller crier sur les toits qu'on existe. On nous enfermerait dans des zoos, on nous stériliserait, on nous parquerait comme des animaux. Parce que, aux yeux des autres humains, c'est ce que nous sommes : des bêtes. Alors que les vampires ont une espèce d'aura. À croire que, depuis qu'ils ont fait leur *coming out*, ils sont tous devenus beaux, riches et sexy !

Ses paroles vibraient d'amertume.

— Mais alors, pourquoi vous me racontez tous ces trucs, si c'est tellement secret ?

En dix minutes, il m'en avait plus appris sur les créatures surnaturelles que Bill en six mois.

— Si je dois passer quelques jours avec vous, autant vous mettre au parfum. Ça facilitera les choses. Vous avez vos propres problèmes, j'imagine. On dirait que les vampires vous tiennent, vous aussi. Mais je ne pense pas que vous irez déballer tout ça. Et puis, au pire, si je me suis complètement trompé sur votre compte, je pourrai toujours demander à Eric de vous effacer la mémoire.

Il a secoué la tête avec une moue dépitée.

— Je ne sais pas ce qui me prend, en fait, a-t-il ajouté. C'est juste que j'ai l'impression de vous connaître depuis toujours.

Que voulez-vous dire après ça ? Il fallait pourtant bien que je dise quelque chose. Plus le silence se prolongerait, plus cela donnerait de l'importance à sa dernière remarque.

— Je suis désolée que les vampires exercent une telle pression sur votre père. Mais il faut que je retrouve Bill. Je lui dois au moins ça, même si...

J'ai laissé ma phrase en suspens. Je n'avais pas envie de la terminer : toutes les fins qui me venaient à l'esprit étaient vraiment trop tristes, avaient quelque chose d'irrémédiable.

Il a haussé les épaules – un mouvement impo-
sant, quand on a la carrure d'Alcide Herveaux.

— Sortir une jolie fille comme vous n'a rien d'une
corvée, vous savez, m'a-t-il assuré, une fois de plus.

Il essayait de me remonter le moral. À sa place,
je n'aurais peut-être pas fait preuve d'autant de
bonne volonté.

— Votre père a toujours été un joueur invétéré?

— Seulement depuis la mort de ma mère.

Il avait mis un bon moment avant de répondre.

— Oh! Je suis désolée.

J'ai détourné les yeux pour lui laisser le temps de
se reprendre.

— Moi, j'ai perdu mes deux parents, ai-je ajouté,
sans doute pour compenser.

— Il y a longtemps?

— J'avais sept ans.

— Qui vous a élevée, alors?

— Ma grand-mère. On habitait chez elle, mon
frère et moi.

— Elle vit encore?

— Non. Elle est morte cette année. Assassinée.

— Sale coup.

Alcide ne faisait pas dans le sentiment.

J'avais encore une question à lui poser:

— C'est votre père ou votre mère qui s'est dévoué
pour vous expliquer ce qui vous arrivait, à la
puberté?

— Mon grand-père. J'avais treize ans. Il avait
reconnu les signes. Je me demande comment font
les orphelins pour s'en tirer.

— Ça ne doit vraiment pas être facile.

— On essaie de se tenir au courant des nais-
sances et de repérer les jeunes loups-garous qui
arrivent dans la région, pour qu'aucun ne se
retrouve livré à lui-même.

Mieux valait être averti par un étranger que pas averti du tout. Malgré tout, le traumatisme devait être énorme.

Nous avons fait le plein à Vicksburg[1]. J'ai proposé de payer l'essence, mais Alcide a catégoriquement refusé. Il m'a affirmé que ça passerait dans ses frais généraux. Et il m'a arrêtée d'un geste quand je suis descendue pour remplir le réservoir. Il a néanmoins accepté que je lui offre un café et m'a submergée de remerciements, comme si je venais de lui acheter un nouveau costume.

Il faisait beau ; le temps était froid et sec. J'ai fait quelques pas rapides dans la station pour me dégourdir les jambes avant de remonter dans la cabine du pick-up.

En voyant les pancartes indiquant le champ de bataille, j'ai repensé à l'une des journées les plus épuisantes de toute ma vie (de ma vie d'adulte, du moins). Et je me suis prise à raconter à Alcide que ma grand-mère faisait partie du Cercle des héritiers des glorieux défunts et à lui parler de ce pèlerinage à Vicksburg qu'elle avait à tout prix voulu entreprendre, avec d'autres membres de l'association, deux ans auparavant. Je conduisais l'une des voitures, et Maxine Fortenberry (la grand-mère d'un des bons copains de mon frère) l'autre. Nous avions visité toute la journée. Chacun des membres du Cercle avait apporté un texte relatant le siège, et ils s'étaient approvisionnés en cartes militaires et autres produits dérivés à la boutique du site. Nous avions pique-niqué au pied du célèbre canon USS Cairo restauré et nous étions rentrés, les bras chargés de souvenirs et les pieds en compote. Nous

---

1. Victoire nordiste lors de la guerre de Sécession (9 juillet 1863). (*N.d.T.*)

étions même allés faire un tour au casino *Isle of Capri*, où nous avions passé une heure à regarder autour de nous, en écarquillant les yeux comme des mômes. Nous avions même tenté notre chance aux machines à sous. Gran était revenue enchantée, presque aussi heureuse que le jour où elle avait réussi à convaincre Bill de faire un discours devant les membres de l'association.

— Pourquoi y tenait-elle autant ? s'est enquis Alcide, qui avait toujours le sourire aux lèvres après ma description de notre dîner dans un restaurant *Cracker Barrel*.

— Bill est un vétéran.

— Et alors ?

Puis, après une seconde de réflexion, il a ajouté :

— Vous voulez dire que votre petit copain est un vétéran de… la guerre de Sécession ?

Sa voix de basse était montée d'un cran.

— Oui. Il était encore humain, à l'époque. Il avait une femme, des gosses…

Et je n'allais plus pouvoir l'appeler mon petit copain, puisqu'il me quittait pour quelqu'un d'autre.

— Qui l'a changé en vampire ?

Nous étions arrivés à Jackson, et il avait pris la direction du centre-ville.

— Je ne sais pas. Il n'en parle jamais.

— Bizarre, non ?

En fait, ça m'avait bien paru un peu bizarre, à moi aussi. Mais je m'étais rassurée en me disant que, pour Bill, c'était sans doute quelque chose de très personnel et que, s'il avait envie de m'en parler, il le ferait en temps voulu. D'après ce que je savais, il existait une relation très forte entre le nouveau vampire et son créateur.

— Ce n'est plus vraiment mon petit copain, vous savez, ai-je avoué.

Et le terme « petit copain » me paraissait un peu faible pour exprimer ce que Bill représentait pour moi.

— Ah bon ?

Je me suis sentie rougir. J'aurais mieux fait de me taire.

— Mais ça ne change rien au problème : il faut quand même que je le retrouve.

La conversation s'est arrêtée là.

Je n'allais pas souvent en ville, et la dernière que j'avais visitée était Dallas. Question taille et population, Jackson ne soutenait pas la comparaison avec Dallas (un bon point, en ce qui me concerne). Alcide a désigné de l'index la silhouette dorée au sommet du dôme du capitole, et j'ai hoché la tête avec l'air admiratif qui s'imposait. Qu'était-ce ? Un aigle ? Je n'en étais pas très sûre. Je n'ai pas osé lui poser la question. Peut-être avais-je besoin de lunettes.

L'immeuble dans lequel se trouvait le pied-à-terre des Herveaux, père et fils, n'était plus tout neuf. Il se situait à proximité du croisement entre High Street et State Street. Les briques, d'un beige doré à l'origine, avaient viré au brun sale.

— Dans ce type de construction déjà ancienne, les appartements sont plus grands que ceux des bâtiments plus récents, m'a expliqué Alcide. Il y a une chambre d'amis. Tout devrait être prêt : le ménage est fait une fois par semaine. C'est compris dans le prix.

J'ai acquiescé en silence. Je ne me rappelais pas être allée dans un immeuble d'habitation… Mais si, bien sûr ! Il y avait une petite résidence à un étage à Bon Temps. J'avais dû rendre visite à quelqu'un là-bas. Quel jeune de Bon Temps n'avait pas eu son appartement au Kingfisher, à un moment ou à un autre de sa vie de célibataire ?

L'appartement se trouvait au cinquième et dernier étage, m'a annoncé Alcide. De la rue, on accédait directement au parking privé par une rampe qui s'enfonçait sous l'immeuble. Il y avait un gardien juché dans une petite guérite, à l'entrée. Alcide lui a présenté sa carte plastifiée. La cigarette au bec, le gardien, un type enrobé à l'air apathique, y a tout juste jeté un coup d'œil endormi, avant d'appuyer sur le bouton qui actionnait la barrière – le service de sécurité laissait un peu à désirer. Sans me vanter, je crois bien que j'aurais pu mettre ce type K-O en deux coups de cuillère à pot. Quant à mon frère Jason, il l'aurait encastré dans le bitume.

Nous sommes descendus du pick-up avant de récupérer nos bagages sur ce qui tenait lieu de siège arrière. Ma housse n'avait pas trop souffert. Sans me demander mon avis, Alcide s'est emparé de ma valise, avant de se diriger à grands pas vers une porte métallique étincelante. L'ascenseur s'est élevé en grinçant jusqu'au cinquième. Ascenseur, couloir et moquette étaient d'une propreté impeccable.

— L'immeuble est passé en copropriété. Alors, on a acheté, m'a informée Alcide d'un ton détaché.

Pas de doute, les Herveaux avaient le sens des affaires. Il y avait quatre appartements par étage, m'a-t-il précisé.

— Et qui sont vos voisins ?

— Deux sénateurs au 501. Mais je suis sûr qu'ils sont rentrés chez eux pour les fêtes. Mme Charles Osburgh, troisième du nom, vit au 502, avec son infirmière – Mme Osburgh était une très grande dame, jusqu'à l'an dernier. Je crois qu'elle ne peut plus marcher. Le 503 est vide, en ce moment. Sauf si l'agent immobilier l'a vendu lors de ces deux dernières semaines.

Il a ouvert la porte du 504 et s'est effacé pour me laisser entrer. Une douce chaleur m'a enveloppée dès que j'ai franchi le seuil. Je me suis retrouvée dans un vestibule qui donnait, à gauche, sur une cuisine américaine et un grand espace salle à manger-salon. La porte immédiatement sur ma droite ressemblait à une porte de placard. Une autre, un peu plus loin, ouvrait sur une petite chambre avec un lit double, qui venait manifestement d'être fait. La suivante était celle d'une minuscule salle de bains au carrelage bleu et blanc, dûment pourvue de serviettes disposées avec soin.

Au-delà de la salle de séjour, à ma gauche, se trouvait une seconde chambre, beaucoup plus grande que la première. Je me suis contentée d'y jeter un coup d'œil, par respect pour la vie privée de mon hôte. J'ai quand même eu le temps de remarquer qu'il avait un lit *king size*. Je me suis demandé si Alcide et son père recevaient beaucoup, quand ils séjournaient à Jackson.

— Ma chambre a une salle de bains attenante, m'a dit Alcide. Je vous l'aurais bien laissée, mais c'est la seule des deux chambres qui ait un téléphone, et j'attends plusieurs coups de fil professionnels importants.

— La petite est très bien.

Après y avoir déposé mes bagages, j'ai refait le tour du propriétaire. L'appartement avait été entièrement décoré dans les tons beiges : moquette beige, meubles en bois clair, murs recouverts d'une tapisserie dans le style japonais, avec effet « bambou » sur fond beige… Le tout donnait une impression de quiétude et de propreté immaculée.

Tout en pendant mes robes dans l'armoire, je me suis demandé combien de fois je devrais me rendre dans la fameuse boîte dont Alcide m'avait parlé.

Plus de deux, et je serais obligée de faire du shopping. Vu l'état de mes finances, ce ne serait pas franchement conseillé, et même pas raisonnable du tout. Ces problèmes d'argent commençaient à me préoccuper sérieusement.

Ma grand-mère – paix à son âme – n'avait pas pu me laisser grand-chose, et ce qu'elle m'avait légué avait été considérablement entamé par les frais d'enterrement. Mais la maison avait déjà été un merveilleux cadeau. Un cadeau inespéré.

L'argent avec lequel elle nous avait élevés, Jason et moi («l'argent du pétrole»: mes parents avaient eu la chance d'en trouver sur leur terrain. Mais ça faisait bien longtemps que le gisement était épuisé), n'était plus qu'un lointain souvenir, et celui que j'avais gagné en mettant mes «dons» au service des vampires de Dallas était presque parti, dans mes deux robes, ma taxe d'habitation et l'abattage d'un arbre qu'une tempête avait pratiquement déraciné, l'hiver précédent, et qui avait commencé à pencher dangereusement vers la maison. Une grosse branche était déjà tombée, endommageant partiellement le toit en tôle. Heureusement, Jason et Hoyt Fortenberry s'y connaissaient suffisamment en toiture pour m'éviter des frais supplémentaires.

J'ai alors repensé au camion du couvreur garé devant Belle Rive...

Je me suis brusquement laissée tomber sur le lit. Mais que m'arrivait-il? J'étais donc assez mesquine pour en vouloir à Bill de s'être assuré que ses descendants (les Bellefleur qui, non contents d'être antipathiques, se permettaient de vous prendre de haut) retrouveraient leur faste d'antan, alors que moi, l'amour de sa (deuxième) vie, je m'arrachais les cheveux pour essayer de joindre les deux bouts?

Et comment! Oui. J'étais mesquine.

Je devrais avoir honte.

Mais plus tard. Je n'en avais pas encore terminé, avec la liste de mes griefs.

Puisque je pensais à mes finances (inexistantes): Eric s'était-il seulement rendu compte qu'en acceptant cette mission j'allais devoir me faire remplacer au boulot et que je ne serais pas payée. Et que, par conséquent, je ne pourrais pas régler l'électricité, le téléphone, mon abonnement au câble, mon assurance auto... Par ailleurs, il fallait bien que je retrouve Bill. Certes, notre relation battait méchamment de l'aile. Mais j'avais quand même une sorte d'obligation morale envers lui, non?

J'ai basculé sur le dos. Tout finirait par s'arranger. Au fond de moi, j'étais persuadée qu'il me suffirait de discuter tranquillement deux minutes avec Bill (à supposer que j'en aie encore l'occasion un jour) et de lui expliquer la situation pour qu'il... Il ne me laisserait pas tomber.

Cependant, je ne pouvais pas accepter de l'argent de Bill comme ça. Évidemment, si nous étions mariés, ce serait différent: entre mari et femme, on partage tout. Mais la question ne se posait même pas, puisque nous ne pouvions pas nous marier. C'était illégal.

Il ne me l'avait pas proposé de toute façon.

— Sookie?

Je me suis redressée en clignant des yeux. Alcide se tenait dans l'encadrement de la porte, appuyé au chambranle, les bras croisés.

— Ça va? m'a-t-il demandé.

J'ai hoché la tête sans grande conviction.

— Il vous manque?

Je n'allais tout de même pas lui avouer que j'étais en train de ressasser mes problèmes d'argent (qui venaient bien après Bill, dans mon esprit, évidemment). J'ai donc de nouveau acquiescé en silence.

Il est venu s'asseoir à côté de moi et a passé son bras autour de mes épaules. Il était si chaud… Il sentait le propre, le savon et… l'homme. J'ai fermé les yeux et, une fois de plus, j'ai compté jusqu'à dix.

— Il vous manque, a-t-il conclu.

Il a tendu le bras pour prendre ma main gauche dans la sienne, et l'étreinte de son bras droit s'est resserrée autour de moi.

Et pendant ce temps-là, je me disais : « Vous n'imaginez même pas *à quel point* il me manque ! »

Apparemment, une fois que le corps a été habitué à voir ses appétits sexuels régulièrement comblés (et largement au-delà de ses espérances), il en garde la trace, si bien que, quand il est privé de ce loisir – sans parler des câlins et de la tendresse – il se retrouve en état de manque et proteste énergiquement… Le mien me suppliait de renverser Alcide Herveaux sur le lit pour satisfaire mes désirs à ses dépens, là, maintenant.

— Oui, il me manque vraiment, même si tout n'est pas rose entre nous…

Ma voix m'a paru faible et tremblante. Je n'osais pas ouvrir les yeux parce que, si je les ouvrais, je risquais de voir sur son visage l'esquisse d'une interrogation, l'ombre d'un encouragement. Il ne m'en faudrait pas plus.

— À quelle heure pensez-vous aller au club ? lui ai-je demandé.

Tentative désespérée de virage à cent quatre-vingts degrés. Mais ce corps contre moi ! Il était si… chaud !

Tu parles d'un changement de cap !

— Voulez-vous que je prépare le repas pour ce soir ? ai-je repris.

C'était la moindre des choses. Je me suis levée d'un bond et j'ai pivoté sur mes talons pour lui faire face, un large sourire (aussi naturel que possible) aux lèvres.

Écarte-toi de lui, sinon tu vas lui sauter dessus.

— Oh, non ! On va aller dîner au *Mayflower Café*, une vieille brasserie. Ça va vous plaire. Tout le monde y va. Du sénateur au charpentier. Ah ! On n'y sert que de la bière, par contre. Ça ne vous dérange pas ?

J'ai haussé les épaules. Ça m'allait très bien.

— Je ne bois pas beaucoup, de toute façon.

— Moi non plus. Peut-être parce que mon père a tendance à caresser un peu trop la bouteille. Dans ces cas-là, il a la manie de prendre de mauvaises décisions.

À en juger par la grimace dont il a ponctué cette remarque, il était clair qu'il la regrettait déjà.

— Après le *Mayflower*, on ira directement au club, a-t-il repris d'un ton plus énergique. Il fait nuit très tôt, en ce moment, mais les vampires ne se montrent pas avant 23 heures – le temps de s'offrir quelques tournées de sang, d'aller chercher leur cavalière et de s'occuper de leurs affaires. Je pense qu'on pourrait arriver là-bas vers 22 heures, ce qui fait qu'on devrait aller dîner... disons vers 20 heures. Ça vous convient ?

— Super.

Ça me laissait rêveuse. Il n'était que 14 heures ; il n'y avait ni ménage, ni courses, ni cuisine à faire, aucune activité prévue dans cet appartement où nous étions enfermés tous les deux, avec six longues heures devant nous... Je pouvais toujours lire, puisque j'avais des romans d'amour dans ma valise. Mais, étant donné l'état... d'esprit dans lequel j'étais, ce n'était probablement pas une bonne idée.

— Écoutez... est-ce que ça vous ennuierait beaucoup si j'allais voir quelques clients ? a demandé Alcide.

— Oh, non ! Pas du tout !

J'ai sauté sur l'occasion. Je serais soulagée qu'il ne se trouve plus dans les parages.

— Faites ce que vous avez à faire. Ne vous occupez pas de moi. J'ai apporté de quoi lire. Et puis, il y a toujours la télé.

— Parfait. Mais si vous voulez... Enfin, je ne sais pas, mais si ça vous tente, ma sœur, Janice, tient un salon de beauté à trois rues d'ici, dans la vieille ville. Elle a épousé un gars du coin. Vous pourriez aller y faire un tour.

— Oh ! Je... Eh bien, c'est que...

Je n'ai pas eu la présence d'esprit d'inventer une excuse plausible et polie, et je ne pouvais tout de même pas lui dire que la seule chose qui m'empêchait de m'offrir un tel luxe était le manque d'argent.

Puis, tout à coup, j'ai vu la lumière se faire dans ses prunelles.

— Si vous y faites un saut, ça donnera à Janice l'occasion de vous voir, s'est-il empressé de prétexter. Après tout, vous êtes censée être ma nouvelle petite amie, et elle détestait Debbie. Elle sera ravie de vous rencontrer.

— C'est... c'est vraiment gentil à vous, ai-je bredouillé, touchée par son geste, tout en essayant de ne pas le montrer. Je ne m'attendais pas à ça.

— Moi non plus, je ne m'attendais pas à ça, a-t-il répondu en me jetant un regard appuyé, avant de tourner les talons.

Après son départ, j'ai trouvé l'adresse du salon de coiffure griffonné sur un morceau de papier, posé près du téléphone.

5

Janice Herveaux-Phillips (deux ans de mariage et un enfant, comme je devais l'apprendre rapidement) correspondait très exactement à l'image qui m'était venue à l'esprit quand Alcide m'avait appris qu'il avait une sœur : grande, jolie, sûre d'elle, le genre de fille qui a son franc-parler et sait faire tourner sa boutique.

Je ne fréquentais ni les instituts de beauté ni les salons de coiffure. Ça devait être de famille : ma grand-mère s'était toujours fait ses permanentes toute seule. Quant à moi, je ne m'étais jamais teint les cheveux. Je ne me les étais même jamais fait couper. Je me contentais de faire égaliser les pointes de temps en temps.

— Eh bien, il va falloir sortir le grand jeu, alors, m'a annoncé Janice avec un grand sourire, quand je le lui ai avoué.

Panique à bord.

— Oh, non, non, non ! Alcide...

Elle m'a interrompue.

— Il m'a appelée de son portable et m'a bien fait comprendre que je devais vous chouchouter. Et franchement, ma jolie, ce sera un plaisir pour moi. La fille qui lui fera oublier cette garce de

Debbie peut se considérer comme ma meilleure amie.

Je n'ai pas pu m'empêcher de sourire.

— Mais laissez-moi payer, au moins, ai-je protesté.

— Certainement pas. Gardez votre argent. Même si vous rompez avec Alcide demain, tant que vous réussissez à lui faire passer une bonne soirée, ce sera toujours ça de gagné. Surtout avec ce qui l'attend…

— Ce qui l'attend?

Une fois de plus, j'avais l'impression qu'on m'avait caché quelque chose.

— Il se trouve que Debbie va annoncer ses fiançailles au club, ce soir, m'a expliqué Janice d'un air mauvais.

Ah. Cette fois-ci, ce que j'ignorais était une information de première importance.

— Elle va épouser le… le type avec lequel elle sort depuis qu'elle a laissé tomber Alcide?

Ouf! J'avais été à deux doigts de dire «métamorphe».

— Elle n'a pas perdu de temps, hein? Mais qu'est-ce qu'il peut bien avoir de plus que mon frère, celui-là?

— On se le demande!

Et j'étais manifestement sincère, ce qui m'a valu un hochement de tête approbateur de la part de Janice. Il devait pourtant bien y avoir un problème quelque part, pour que Debbie ait planté Alcide comme ça… Peut-être qu'Alcide venait se mettre à table en slip? Peut-être qu'il se mettait les doigts dans le nez en public?

— Oui, eh bien, si vous élucidez le mystère, faites-le-moi savoir, d'accord? a demandé Janice. Et maintenant, au travail!

Elle a jeté un regard autour d'elle.

— Corinne va vous faire les ongles et les pieds, m'a-t-elle annoncé en désignant son employée avec une autorité toute professionnelle. Jarvis s'occupera de vos cheveux. Ils sont vraiment magnifiques, a-t-elle ajouté en reprenant aussitôt un ton plus familier.

— Ce sont pourtant bien les miens, ai-je plaisanté. Pas de perruque, pas de tricherie : rien que du naturel !

— Pas de couleur ? Pas même un petit balayage ?

— Non, m'dame.

— Quelle chance ! s'est exclamée Janice.

Je ne partageais pas forcément son opinion.

Janice est ensuite allée s'occuper d'une dame d'un certain âge dont les cheveux argent et les bijoux en or sentaient le compte en banque bien rempli. Tandis que cette femme au regard froid m'examinait avec une indifférence hautaine, Janice a lancé quelques directives à ses employés, avant de consacrer son attention à sa cliente.

Je ne m'étais jamais fait dorloter comme ça. Tout me paraissait amusant et nouveau. Après m'avoir questionnée sur la tenue que je devais porter le soir même, Corinne, la manucure et pédicure, une petite brune pulpeuse aux rondeurs appétissantes, m'a peint les ongles des pieds et des mains avec un vernis rouge vif pour aller avec ma robe. Le seul homme de la maison, Jarvis, avait des mains fines et légères qui batifolaient autour de vous comme des papillons. D'un blond platine, il avait des allures d'adolescent longiligne. Tout en se répandant en bavardages frivoles, il m'a promptement lavé les cheveux avant de les fixer sur des rouleaux et de m'installer sous le séchoir. Il n'y avait qu'un fauteuil entre la dame riche et moi, mais j'étais traitée avec autant d'égards qu'elle. Corinne était aux petits soins pour moi. Elle m'a apporté un Coca et un *People* à lire. Quelle merveille, tous ces gens qui s'occupaient de moi et ne se souciaient que de mon bien-être !

Je commençais à avoir l'impression de cuire sous le casque quand la minuterie a sonné. Jarvis m'a installée dans un autre fauteuil, face à la glace et, après avoir consulté Janice, s'est emparé d'un fer à friser qu'il avait fait chauffer dans une sorte de support fixé au mur. Il s'est alors mis en devoir de transformer ma chevelure en une élégante cascade de boucles lâches dégringolant dans mon dos. Ça me donnait un look d'enfer. Il n'y a rien de mieux pour vous remonter le moral. Je rayonnais. Je ne m'étais pas sentie aussi bien depuis que Bill était parti.

Janice venait discuter avec moi dès qu'elle avait une minute. J'en oubliais presque que je n'étais pas réellement la fiancée de son frère, et que je n'allais pas devenir sa belle-sœur. Je n'étais pas vraiment habituée à ce qu'on m'accepte comme ça, d'emblée, avec autant de chaleur et de générosité.

Je me disais que j'aurais bien voulu trouver un moyen de manifester ma reconnaissance à Janice quand une occasion s'est justement présentée...

Jarvis et Janice travaillaient dos à dos, de sorte que je voyais Mme Pleine-aux-as dans la glace. Jarvis était parti chercher un échantillon de masque capillaire qu'il voulait à tout prix me faire essayer, et je regardais distraitement Janice, qui retirait ses boucles d'oreilles et les posait dans une petite coupelle en porcelaine. Je n'aurais sans doute pas fait attention à ce qui allait suivre si je n'avais pas surpris, dans la tête de la riche cliente, un violent désir qui s'est juste manifesté par un

« Ah ! » plein d'avidité. Comme Janice se détournait pour prendre une serviette propre, la main baguée de la femme, rapide comme l'éclair, a subtilisé les boucles d'oreilles et les a glissées dans la poche de sa veste pendant que Janice avait le dos tourné.

Le temps que Jarvis en ait fini avec moi, j'avais déjà mis au point un plan d'action. J'attendais juste de pouvoir dire au revoir à mon bavard aux doigts de fée, qui avait dû prendre un appel (de sa mère, d'après les images qui défilaient dans sa tête). J'ai donc prestement quitté mon fauteuil et je me suis dirigée vers la femme aux bijoux, qui était en train de remplir son chèque à la caisse.

— Excusez-moi, lui ai-je lancé en dégainant mon plus beau sourire commercial.

La femme s'est contentée de me snober. Janice, elle, a eu l'air un peu embarrassée. Mme Pleine-aux-as était probablement une très bonne cliente, et elle ne tenait pas à la perdre.

— Euh... vous avez une petite tache de gel sur votre veste. Si vous vouliez bien me la confier une seconde, je vous l'enlèverais en un clin d'œil.

Elle ne pouvait pas refuser. J'ai pris sa veste à carreaux écossais rouges et verts par les épaules et elle l'a docilement laissée glisser sur ses bras. J'ai emporté le vêtement derrière le paravent qui isolait la zone des bacs à shampooing et, pour faire plus vrai, j'ai légèrement humidifié un petit bout du col, pour la mise en scène. J'en ai aussi profité pour récupérer les boucles d'oreilles, naturelle-ment, et je les ai fourrées dans mon jean.

— Et voilà ! Une fois sec, il n'y paraîtra plus, lui ai-je assuré, toujours aussi radieuse, en l'aidant à remettre sa veste.

— Merci, Sookie, m'a dit Janice avec une gaieté un peu forcée.

Elle se doutait qu'il y avait anguille sous roche.

— Tout le plaisir est pour moi! ai-je répondu, mon éblouissant sourire toujours rivé à mes lèvres.

— Euh... oui, merci, a bredouillé l'élégante, manifestement troublée. Eh bien, à la semaine prochaine, Janice!

Sur ce, elle a tourné les talons et s'est dirigée d'un pas cliquetant jusqu'à la porte, sans se retourner. Dès qu'elle a disparu, j'ai plongé la main dans ma poche, fait signe à Janice de tendre la main et posé les boucles d'oreilles volées dans sa paume.

— Seigneur tout-puissant! s'est-elle exclamée.

Elle paraissait avoir pris cinq ans d'un coup.

— J'avais oublié. Et j'ai laissé quelque chose à portée de sa main!

— Pourquoi? Elle fait ça souvent?

— Oui. C'est le cinquième salon qu'elle fait en moins de dix ans. Ils ont tous supporté ça un temps, puis, un jour, il y a eu la fois de trop. Elle est riche à millions, elle a fait des études, et on l'a élevée comme il faut... Je me demande pourquoi elle fait une chose pareille.

Nous avons haussé les épaules en chœur, dépassées par les excentricités des classes supérieures. Un moment de parfaite complicité.

— J'espère que vous ne perdrez pas sa clientèle, ai-je repris. J'ai essayé d'être discrète.

— Et je vous en suis reconnaissante. Mais j'aurais détesté perdre ces boucles d'oreilles plus encore que de perdre ma cliente. C'est mon mari qui me les a offertes. Elles ont tendance à me pincer le lobe de l'oreille au bout de quelques heures, et je les enlève sans même y penser. C'est devenu machinal.

— Bon, je ferais mieux d'y aller, lui ai-je annoncé en enfilant mon manteau. J'ai vraiment apprécié tout ce que vous avez fait pour moi.

— Remerciez plutôt mon frère, a protesté Janice avec un sourire chaleureux. Et puis, après tout, vous m'avez déjà payée, a-t-elle ajouté en agitant les boucles d'oreilles.

Moi aussi, j'avais le sourire, en quittant la chaleur et la camaraderie du salon. Mais ça n'a pas duré longtemps. La température avait chuté d'un coup, et le jour baissait rapidement. Je n'ai pas traîné sur le chemin du retour. Je suis sortie gelée de l'ascenseur, la clé qu'Alcide m'avait donnée déjà à la main, impatiente de rentrer me réchauffer dans l'appartement douillet. J'ai allumé la télévision pour me tenir compagnie et je me suis pelotonnée sur le canapé en repensant au merveilleux après-midi que je venais de passer. Au bout d'un moment, j'ai fini par me demander si Alcide n'avait pas baissé le thermostat. Il ne faisait certes pas aussi froid qu'à l'extérieur, mais l'appartement était plutôt frais.

Le bruit d'une clé dans la serrure m'a tirée de ma rêverie. Alcide est entré dans le salon, un tas de paperasse sous le bras. Il semblait fatigué, préoccupé. Ses traits se sont détendus lorsqu'il m'a vue.

— Janice m'a appelé pour me dire que vous étiez passée, m'a-t-il annoncé.

Son visage s'animait en parlant, et sa voix se faisait de plus en plus chaleureuse.

— Elle tenait à vous remercier une fois de plus.

— C'est plutôt à moi de la remercier. Je ne me lasse pas d'admirer mes ongles et ma nouvelle coiffure. Je n'avais jamais pu m'offrir ça avant.

— Vous n'étiez jamais allée dans un salon de beauté?

— Ma grand-mère y allait de temps en temps. Et moi, une fois, pour me faire couper les pointes.

Il paraissait ahuri, comme si je venais de lui avouer que je n'avais jamais pris de douche de ma vie.

Pour chasser mon embarras, j'ai agité mes ongles vernis sous son nez. Je n'en avais pas voulu de trop longs, et c'étaient les plus courts que Corinne ait accepté de me poser.

— Et ceux des pieds sont assortis ! ai-je ajouté.

— Montrez-moi ça.

J'ai délacé mes tennis et enlevé mes chaussettes.

— De vrais petits rubis ! me suis-je exclamée, ravie.

J'ai quand même trouvé qu'il me regardait bizarrement.

— Superbe, a-t-il posément commenté.

J'ai jeté un œil à la pendule posée sur le téléviseur.

— Il faut j'aille me préparer.

Je me demandais comment j'allais bien pouvoir prendre un bain sans me décoiffer ni abîmer mes ongles. J'ai aussi repensé à ce que Janice m'avait dit à propos de Debbie.

— Vous allez vraiment vous habiller classe, ce soir ? ai-je demandé.

— Absolument.

— Parce que je vous préviens que je vais sortir le grand jeu.

Ça, ça l'a intéressé.

— C'est-à-dire ?

— Vous allez voir.

C'était un mec très sympa, avec une sœur adorable, qui me rendait un grand service. D'accord, on l'y avait un peu forcé. Mais il s'était montré vraiment gentil avec moi, étant donné les circonstances. Je lui devais bien ça.

Je suis sortie de ma chambre une heure plus tard. Alcide était en train de se servir un Coca dans la cuisine. En me voyant arriver, il en a renversé la moitié à côté.

C'est ce qui s'appelle un compliment !

Tout en épongeant la table, Alcide me jetait des regards en coin, tandis que je tournais lentement sur moi-même pour lui faire admirer ma tenue.

J'étais tout en rouge, un rouge écarlate, façon camion de pompiers. Mais l'incendie n'était qu'un effet d'optique, et j'allais passer la moitié de la soirée à me geler : c'était une robe bustier (bien qu'elle ait quand même des manches, qui s'enfilaient comme des gants). Elle se fermait par une fermeture Éclair dans le dos, moulait le buste, prenait bien la taille et s'élargissait en dessous des hanches – du moins, le peu qui dépassait. Si ma grand-mère m'avait vue là-dedans, elle se serait mise en travers de la porte pour m'empêcher de sortir. J'adorais cette robe. Je l'avais eue pendant les derniers jours de soldes, chez Tara's Togs. Je soupçonnais Tara de l'avoir mise de côté exprès pour moi. Sur un coup de tête, je m'étais aussi acheté les chaussures et le rouge à lèvres qui allaient avec. J'avais également apporté un châle noir et gris en soie et un amour de petit sac perlé assorti à mes chaussures.

— Tournez encore, m'a demandé Alcide d'une voix légèrement voilée.

Quant à lui, il portait un costume noir classique, avec une chemise blanche et une cravate du même vert que ses yeux. Il avait vainement essayé de discipliner sa crinière (c'était plutôt lui qui aurait dû aller faire un tour chez Janice !). Il était sublime, avec une touche un peu rebelle. Sexy à tomber, en clair.

Je me suis exécutée, en prenant mon temps. Puis je lui ai lancé un regard timide en haussant un sourcil interrogateur.

— Vous êtes… à croquer.

Venant d'un loup-garou, c'était très flatteur. J'ai recommencé à respirer (je ne m'étais même pas rendu compte que je retenais mon souffle).

— Merci, ai-je répondu, en tentant de réprimer un sourire complètement niais.

J'ai eu une légère frayeur, au moment de monter dans le pick-up. Avec une robe aussi courte et des talons aussi hauts, je courais à la catastrophe. Mais il a suffi d'un petit coup de pouce tactique d'Alcide pour que je m'en sorte finalement très bien.

Le *Mayflower Café* se situait au coin de Capitol Street et Roach Street. Vu de l'extérieur, il ne payait pas de mine, mais, comme Alcide me l'avait dit, le spectacle était dans la salle. Parmi les clients assis aux tables disposées à bonne distance les unes des autres sur le carrelage noir et blanc, certains s'étaient mis sur leur trente et un, comme nous ; d'autres portaient des jeans ou de simples pantalons de ville. Quelques-uns avaient apporté leur propre bouteille de vin ou d'alcool. Nous avions décidé de ne pas boire, ce qui m'allait très bien. J'ai commandé un thé glacé. Quant à Alcide, il s'est contenté d'une bière. La cuisine était bonne mais classique, et le service un peu lent. Pourtant, le temps ne m'a pas paru long, loin de là. Alcide était apparemment connu comme le loup blanc, et nombre de clients sont venus à notre table pour le saluer. Parmi eux, certains occupaient d'importantes fonctions à la tête de l'État ; d'autres étaient dans le bâtiment, comme Alcide ; d'autres encore étaient des amis de son père.

Parmi ces derniers, certains n'étaient pas vraiment des enfants de chœur. Ce n'est pas parce que j'ai vécu à Bon Temps toute ma vie que je ne sais pas reconnaître un escroc quand je vois ce qu'il a dans la tête. Je ne prétends pas que ces types étaient prêts à liquider quelqu'un ou à soudoyer un ou deux sénateurs influents, non. Rien d'aussi radical. Je ne voyais en eux que de l'avidité. Ils ne pensaient qu'à posséder : de l'argent, moi, et même, pour l'un d'entre eux, Alcide (qui, bien sûr, ne se doutait de rien).

Mais ce que tous ces hommes voulaient en priorité, c'était le pouvoir. Je suppose que c'est un peu inévitable dans une capitale, même dans la capitale d'un État aussi pauvre que le Mississippi.

Les femmes qui accompagnaient les plus ambitieux de ces messieurs étaient toutes extrêmement bien coiffées, bien maquillées, et habillées à grands frais. Mais pour une fois, je n'avais pas à rougir de ma tenue. Je pouvais garder la tête haute et les regarder en face. L'une d'entre elles pensait que j'étais une prostituée de luxe. J'ai décidé d'y voir un compliment : au moins, elle pensait que je valais très cher. Une autre connaissait Debbie, l'ex-petite amie d'Alcide, et elle m'a examinée des pieds à la tête. Quand elle ferait son rapport à sa copine, elle lui donnerait une description détaillée.

Aucune de ces personnes ne savait qui j'étais, et c'était plutôt agréable de me retrouver parmi des gens qui ignoraient tout de mon passé, du milieu dont j'étais issue, de mon travail et de mes dons cachés. Bien décidée à profiter au maximum de cet incognito, j'ai joué mon personnage à fond : j'ai fait bien attention à ne parler que lorsqu'on m'adressait la parole, à ne pas tacher ma jolie robe et à montrer mes bonnes manières, tant à table qu'en société. Il aurait été dommage, alors que je

114

m'amusais tellement, d'embarrasser Alcide, d'autant plus que je n'étais appelée à faire qu'un très bref passage dans sa vie.

Alcide s'est emparé de la note avant que j'aie eu le temps de la voir arriver. Comme j'ouvrais la bouche pour protester, il a froncé les sourcils à mon adresse. J'ai capitulé. Il a laissé un pourboire très généreux, ce qui l'a encore fait monter dans mon estime. Pour être honnête, il n'avait vraiment pas besoin de ça : il n'y était déjà que trop haut placé. J'en étais arrivée à lui chercher un défaut.

Quand nous sommes retournés à son pick-up (cette fois, il m'a aidée de beaucoup plus près, pour me faire monter. Et je suis bien sûre qu'il a adoré ça), nous étions tous les deux plutôt songeurs.

— Vous n'avez pas dit grand-chose pendant le dîner, a-t-il observé. Vous vous êtes ennuyée ?

— Oh, non ! Pas du tout. Au contraire, c'était très… instructif.

— Que pensez-vous de Jake O'Malley ?

O'Malley, un homme d'une soixantaine d'années aux épais sourcils argentés, était resté cinq bonnes minutes à discuter avec Alcide, en plongeant les yeux dans mon décolleté toutes les trois secondes.

— Je crois qu'il a l'intention de vous entuber. Et pas qu'un peu.

Fort heureusement, nous n'avions pas encore démarré. Alcide a allumé le plafonnier pour me dévisager.

— Expliquez-vous, a-t-il demandé, l'air grave.

— Il compte vous doubler sur le prochain contrat où vous serez en concurrence. Il a acheté une des filles qui bossent pour vous, Thomasina machin-chose. Il l'a payée pour qu'elle lui communique le montant de l'offre que vous allez faire. Il ne lui restera plus qu'à…

— Quoi?

Le chauffage tournait à fond, et heureusement: lorsqu'un loup-garou s'énerve, l'atmosphère devient glaciale. J'aurais tellement aimé ne pas avoir à m'expliquer devant Alcide. C'était tellement agréable de passer pour une fille normale, pour une fois...

— Vous êtes... quoi? a-t-il répété, pour être bien certain que je comprenne.

— Télépathe, ai-je marmonné à contrecœur.

Un profond silence a envahi la cabine du pick-up tandis qu'il absorbait l'information.

— Vous n'avez rien entendu d'agréable? a-t-il fini par demander.

— Si. Mme O'Malley vous sauterait bien dessus, lui ai-je répondu avec un sourire jusqu'aux oreilles.

— Et ça, ce serait agréable?

— À choisir, il vaut mieux se faire baiser physiquement que financièrement, non?

Mme O'Malley avait au moins vingt ans de moins que son mari, et c'était la femme la plus sophistiquée que j'avais jamais vue. J'étais prête à parier que même ses sourcils avaient droit à leurs cent coups de brosse réglementaires tous les soirs.

Alcide a secoué la tête. Son état d'esprit ne m'apparaissait pas clairement.

— Et moi? Vous pouvez lire dans mes pensées?

Aha.

— Les métamorphes et les loups-garous ne sont pas si faciles que ça à décrypter. Avec eux, je n'arrive pas à détecter un enchaînement de pensées très précis. J'ai une idée générale de leur humeur, de leurs émotions. Mais j'imagine que si vous pensiez à moi, ou si vous vous adressiez directement à moi mentalement, pour me faire comprendre quelque chose, je réussirais à le capter. Vous voulez voir ce que ça donne ? Essayez !

Les assiettes dont je me sers à l'appartement sont celles qui ont une bordure de roses jaunes.

— Pour moi ce ne sont pas des roses, ai-je réagi. Je dirais plutôt des zinnias.

J'ai aussitôt perçu un changement dans son attitude, un recul, une certaine méfiance. J'ai soupiré. Toujours le même refrain. Pourtant, ça m'a fait mal. Je l'aimais vraiment bien, ce type.

— Mais je suis incapable de deviner les idées que vous avez en tête quand vous ruminez dans votre coin, ai-je précisé. Pour moi, c'est comme naviguer en plein brouillard.

Pour être honnête, je lisais dans les pensées de certains SurNat avec une relative facilité. Mais je n'ai pas jugé utile de le mentionner.

— Dieu merci ! s'est-il exclamé.

— Oh oh ! Vous avez donc tant de choses que ça à cacher ? ai-je lancé en lui jetant un regard en biais, histoire de détendre un peu l'atmosphère.

Il s'est contenté de m'adresser un grand sourire, avant d'éteindre le plafonnier pour démarrer.

— Ne vous en faites pas, m'a-t-il finalement répondu, d'un ton absent. Ce n'est pas grave. Donc, vous avez l'intention de lire dans les pensées ce soir, en espérant trouver des indices sur ce qui est arrivé à votre petit copain. C'est ça ?

— Absolument. Mais je ne peux pas lire dans les pensées des vampires. Ils n'émettent aucun signal, pour moi. Enfin, façon de parler. Je ne sais pas trop comment dire ça autrement. Je ne comprends pas moi-même comment ça marche. Peut-être qu'il existe une façon scientifique de l'expliquer, mais je ne la connais pas.

Je ne mentais pas tout à fait : l'esprit des morts-vivants ressemblait vraiment à un trou noir, pour moi. Cependant, parfois, je réussissais à avoir un fugitif aperçu de leurs pensées. Mais ça comptait pour du beurre. Et puis, personne n'en savait rien. Heureusement ! Si jamais les vampires découvraient que je parvenais à lire dans leurs pensées, si peu que ce soit, même Bill ne pourrait rien pour me sauver. À supposer qu'il le veuille, évidemment.

Chaque fois que j'oubliais sa trahison, que, pendant un quart de seconde, je me prenais toujours pour la petite amie de Bill Compton, l'atterrissage était si rude que j'avais l'impression de me fracasser au sol, pulvérisée, le cœur en miettes.

— Alors, quel est votre plan ?

— Ce sont les humains qui fréquentent les vampires ou qui travaillent pour eux qui m'intéressent. Bill a été kidnappé de jour. Ce sont donc des humains qui l'ont enlevé. C'est ce qu'on a raconté à Eric, du moins.

— J'aurais dû vous le demander plus tôt, a-t-il dit, comme s'il s'en faisait la réflexion à haute voix. Mais au cas où je pourrais découvrir quelque chose – si je surprenais une conversation, par exemple –, peut-être que vous feriez bien de me raconter exactement ce qui s'est passé.

Pendant qu'Alcide longeait ce qu'il m'a décrit comme étant l'ancienne gare ferroviaire, je lui ai fait un rapide résumé de la situation. Il n'a pas tardé à se garer le long d'un trottoir désert, à hauteur d'un dais qui surmontait une étendue de trottoir désert, à proximité du centre-ville de Jackson. Sous l'auvent de toile régnait une lumière froide et d'autant plus crue que le reste de la rue était plongé dans l'obscurité. Bizarrement, ces quelques mètres de bitume avaient quelque chose de sinistre et de menaçant. J'ai senti un vague malaise m'envahir. Je n'avais aucune envie de mettre les pieds sur ce lugubre bout de trottoir.

Je me suis dit que c'était stupide de ma part. Il n'y avait là que cinq ou six malheureux mètres carrés de ciment. Pas un seul monstre à l'horizon. Après la fermeture des bureaux, même le centre était désert, rien d'anormal à cela. J'aurais parié qu'il n'y avait pas un chat dans les rues, d'un bout à l'autre de l'État, par ces froides nuits de décembre.

Pourtant, cet endroit dégageait quelque chose d'inquiétant. Une sorte de malveillance attentive. Les yeux qui nous observaient étaient invisibles, mais on nous surveillait, j'en étais certaine.

Quand Alcide a fait le tour du pick-up, pour venir m'aider à descendre, j'ai bien remarqué qu'il laissait les clés sur le tableau de bord, mais déjà, il ouvrait la portière... J'ai pivoté sur mon siège, balancé mes jambes au-dehors et pris appui sur ses épaules, mon étole noire étroitement drapée autour de moi. Il m'a soulevée et reposée sur le trottoir.

Le pick-up s'est éloigné.

J'ai jeté à Alcide un coup d'œil en biais, pour voir s'il était surpris. Mais il n'était pas décontenancé.

— Les véhicules garés devant le club risqueraient d'attirer l'attention des gens normaux, m'a expliqué Alcide dans un murmure, sa voix comme étouffée par le lourd silence glacial qui nous enveloppait.

— Pourquoi? Ils ont le droit d'entrer ici, les gens normaux? me suis-je étonnée, en désignant la porte métallique du menton.

Une vraie porte de prison. Il n'y avait de nom nulle part, pas de sonnette, pas d'interphone. Pas de décorations de Noël non plus: évidemment, les vampires ne célèbrent aucune de nos fêtes, sauf Halloween – mais en réalité, c'est l'ancien festival de Samain et tous ses symboles qu'ils commémorent avec délices. Halloween est donc une fête très appréciée et célébrée par la communauté des vampires dans le monde entier.

— Bien sûr. S'ils ont envie de payer vingt dollars pour boire les plus mauvais cocktails qu'on puisse trouver à cinq États à la ronde. Servis par les barmen les plus grossiers. Très lentement.

J'ai réprimé un fou rire. Ce n'était vraiment pas le moment, ni le lieu.

— Et s'ils persistent ?

— Il n'y a pas de show, personne ne leur parle, et s'ils s'incrustent, ils se retrouvent sur le trottoir, plantés devant leur voiture, sans aucun souvenir de ce qui s'est passé.

Il a poussé la porte. Il semblait parfaitement indifférent à l'angoisse pourtant palpable qui imprégnait l'air.

Nous nous sommes retrouvés dans un petit hall d'entrée, sorte de sas fermé par une seconde porte, à moins de deux mètres de la première. Là encore, bien que je n'aie repéré ni caméra ni judas, j'ai eu la certitude qu'on nous observait.

— C'est quoi, le nom de cet endroit ? ai-je chuchoté.

— Pour le vampire qui en est propriétaire, c'est le *Josephine's*, m'a-t-il répondu à mi-voix. Mais les loups-garous le surnomment *Club Dead*.

J'ai bien pensé à rire mais, à cet instant, la porte s'est ouverte sur un gobelin.

Je n'en avais jamais vu avant, mais le mot « gobelin » m'est aussitôt venu à l'esprit, comme si j'avais un dictionnaire des créatures surnaturelles directement relié au nerf optique. Il était tout petit, et semblait plus que grincheux, avec sa tête toute rabougrie, ses mains comme des battoirs et ses prunelles incendiaires, brûlantes de méchanceté. Il a levé les yeux et nous a fusillés du regard, comme pour dire : « Des clients ! Il ne manquait plus que ça ! »

Pourquoi une personne normale serait allée s'aventurer dans un endroit pareil, après avoir subi le trottoir hanté, la voiture qui s'en va toute seule, et l'accueil du gobelin – ça me dépassait ! Certains ne demandent qu'à se faire massacrer !

— Monsieur Herveaux, a grogné le gobelin d'une voix rocailleuse, en détachant bien les syllabes. Heureux de vous revoir. Et votre amie s'appelle...

— Mlle Stackhouse, a répondu Alcide. Sookie, voici M. Hob.

Le gobelin avait tourné vers moi ses petits yeux luisants pour m'examiner attentivement. Il semblait ennuyé, comme s'il avait du mal à me cataloguer. Il a quand même fini par s'écarter pour nous laisser passer.

Il n'y avait pas grand monde, au *Josephine's*. Il était encore un peu tôt pour les habitués. Comparé à l'extérieur, lugubre à souhait, l'intérieur paraissait d'une banalité presque décevante. Le bar proprement dit se trouvait au centre : un grand carré avec un abattant pour permettre au personnel de circuler en salle. Les verres étaient suspendus, la tête en bas, sur des rails métalliques ; des plantes artificielles trônaient dans tous les coins ; de hauts tabourets à assise rembourrée étaient répartis à intervalles réguliers le long du comptoir. Il y avait de la musique en sourdine et un éclairage tamisé. À gauche du bar était située une petite piste de danse avec, au fond, une estrade juste assez grande pour accueillir un groupe ou un DJ. Sur les trois autres côtés du bar, on trouvait les petites tables basses habituelles.

À notre arrivée, moins de la moitié d'entre elles étaient occupées.

Au passage, j'ai remarqué une affiche qui informait la clientèle du règlement intérieur. Elle était manifestement destinée aux habitués : aucun touriste de base n'aurait pu en comprendre un traître mot. « Il est strictement interdit de se changer sur place… stipulait le document en question (les loups-garous et les métamorphes ne pouvaient donc pas se transformer en animal tant qu'ils demeuraient dans l'établissement. C'était compréhensible), de mordre de quelque manière que ce soit et d'apporter son repas, vivant ou non. » Sans commentaires.

Attablés entre eux ou avec leurs compagnons humains, les vampires étaient largement majoritaires. Rien de très étonnant là-dedans. Dans le fond à droite, il y avait aussi une bande de métamorphes plutôt tapageurs. Ils étaient si nombreux qu'ils avaient dû rapprocher plusieurs tables pour pouvoir tous s'asseoir. Le point de mire du groupe semblait être une grande jeune femme au corps d'athlète, avec des cheveux noirs brillants et coupés court qui encadraient un visage mince et longiligne. Elle se tenait contre un homme qui devait avoir à peu près le même âge qu'elle – vingt-sept ou vingt-huit ans – et qu'elle enlaçait étroitement. Son compagnon avait des yeux singulièrement ronds, un nez un peu épaté et les cheveux les plus fins que j'aie jamais vus (des cheveux de bébé d'un blond si pâle qu'ils en étaient presque blancs). Étaient-ils tous en train de célébrer les fameuses fiançailles dont Janice m'avait parlé ? Je me suis demandé si Alcide était au courant. En tout cas, la bande en question retenait toute son attention.

Naturellement, j'ai immédiatement regardé ce que portaient les autres femmes présentes dans la salle.

Pour les vampires femelles et les humaines, des tenues très habillées (aussi habillées que la mienne, sinon plus); pour les métamorphes, en revanche, c'était un peu la gamme en dessous. La jeune femme aux cheveux noirs (j'étais certaine que c'était Debbie) arborait un chemisier en soie dorée, sur un pantalon en cuir fauve moulant, avec des bottes assorties. Comme elle saluait d'un grand éclat de rire une remarque de son voisin blond, j'ai senti Alcide se crisper à côté de moi : pas de doute, c'était bien Debbie, son ex. Comme par hasard, elle semblait s'amuser dix fois plus depuis qu'elle l'avait repéré.

Au premier coup d'œil, je l'avais cataloguée : le genre garce qui se la joue. Et j'étais bien décidée à me comporter en conséquence. Le gobelin nous a conduits à une table libre, non loin de la bande de métamorphes, puis a tiré un fauteuil pour moi. Je lui ai adressé un hochement de tête protocolaire et j'ai ôté mon châle, que j'ai plié et posé sur le siège vacant à ma gauche. Alcide s'est assis à ma droite, de façon à tourner le dos aux bruyants fêtards.

Une vampire affreusement maigre est venue prendre notre commande. Alcide m'a demandé ce que je voulais boire.

— Un cocktail... avec du champagne, ai-je répondu, même si je n'avais pas la moindre idée du goût que ça pouvait avoir.

Je ne m'étais jamais donné la peine de m'en préparer un, au *Merlotte*. Mais, pour une fois que j'étais dans un autre bar, je me suis dit que j'allais innover. Alcide s'est contenté d'une Heineken.

Debbie lorgnait constamment de notre côté. Je me suis donc penchée vers Alcide pour remettre en place une boucle brune qui lui tombait sur le front. Il a eu un petit mouvement de surprise mais, bien sûr, Debbie ne pouvait pas voir sa réaction.

— Sookie ? m'a-t-il interrogée, un peu hésitant.

Je lui ai adressé un grand sourire – et pas mon sourire angoissé, pour une fois. Grâce à Bill, j'avais acquis une certaine confiance en mon pouvoir de séduction.

— Hé ! Je suis ta petite amie maintenant, tu te souviens ? ai-je dit à voix basse, pour le rassurer. Alors je me conduis comme une petite amie...

Il n'a pas eu le temps de me répondre, car la vampire squelettique nous apportait déjà nos verres. J'ai aussitôt trinqué avec lui.

— À notre association ! ai-je lancé gaiement.

Son regard s'est éclairé. Nous avons bu chacun une gorgée pour fêter ça.

J'adorais les cocktails au champagne.

Juste pour le plaisir d'entendre sa voix rauque et masculine, je me suis mise à questionner Alcide sur son enfance, sa famille...

Il n'y avait pas encore assez d'humains sur place pour que je commence mes investigations. Se prêtant gentiment au jeu, Alcide m'a raconté la misère noire dans laquelle vivait son père, qui s'en était sorti à la force du poignet en montant son bureau d'étude. Il commençait à peine à me parler de sa mère quand Debbie est arrivée devant nous en ondulant.

Il ne lui avait pas fallu longtemps.

— Bonsoir, Alcide, a-t-elle ronronné.

Comme il ne l'avait pas vue arriver, Alcide n'a pas pu contrôler le frémissement de son visage.

— C'est ta nouvelle copine, ou tu l'as juste empruntée pour la soirée ?

— Oh ! Pour plus longtemps que ça, ai-je répliqué en lui adressant un sourire radieux et à peu près aussi sincère que le sien.

— Vraiment ?

Ses sourcils n'auraient pas pu monter plus haut.

— Sookie est une très grande amie, lui a répondu Alcide, impassible.

— Oh? s'est étonnée Debbie, en mettant dans son exclamation autant d'incrédulité que possible. Il n'y a pas si longtemps, tu me disais pourtant que jamais tu n'aurais d'autre... hum... «amie»...

Elle s'est interrompue, un petit rictus suffisant aux lèvres.

J'ai posé la main sur celle d'Alcide et j'ai coulé vers lui un regard qui en disait long sur l'intimité de notre relation.

— Dites-moi, m'a-t-elle lancé avec une moue sceptique. Qu'est-ce que vous pensez de la marque de naissance d'Alcide? Jolie, non?

Qui aurait pu imaginer qu'elle pousserait la perfidie jusque-là? Et aussi ouvertement, en plus?

Sur ma fesse droite... en forme de lapin...

Joli. Alcide s'était souvenu de ce que je lui avais dit, et il m'avait parlé mentalement.

— J'adore les lapinous, ai-je répondu, en effleurant la hanche droite de mon voisin avec un battement de cils étudié.

Pendant une fraction de seconde, j'ai cru que Debbie allait m'étriper. Elle était défigurée par la colère. Il ne lui a pourtant fallu qu'un instant pour recouvrer son sang-froid. Elle était d'ailleurs tellement concentrée, elle faisait un tel effort pour se contrôler que, contrairement à celui des autres métamorphes (qui me laissait toujours une impression de brouillard opaque), son esprit m'est apparu avec une netteté stupéfiante. Elle pensait à son fiancé, son hibou. Elle se disait qu'il était loin d'être aussi doué qu'Alcide au lit. Mais il avait de l'argent et il voulait des enfants, lui. Et puis, elle était plus puissante que le hibou: elle pouvait le dominer aisément.

Cette fille n'était pas un démon (je n'aurais pas donné cher de la peau de son fiancé, dans le cas contraire), mais ce n'était pas un ange non plus.

Elle aurait encore pu s'en sortir avec les honneurs, si elle en était restée là. Mais l'idée que je sois au courant du petit secret d'Alcide la rendait folle. Et elle a commis une grave erreur.

Elle m'a détaillée de la tête aux pieds, avec un regard à pétrifier un lion.

— On dirait que vous êtes allée faire un petit tour chez Janice, aujourd'hui, m'a-t-elle lancé en jetant un coup d'œil appuyé à ma coiffure, puis à mes ongles vernis.

Ses cheveux raides, d'un noir de jais, avaient été dégradés sur plusieurs longueurs. Toutes ces mèches asymétriques à différentes hauteurs lui donnaient un petit air de chien de luxe toiletté pour un concours canin. Peut-être un lévrier afghan. Son visage allongé accentuait encore la ressemblance.

— Un quart d'heure chez elle, et on prend dix ans d'un coup : elle a un siècle de retard !

J'ai senti la tension d'Alcide monter d'un cran. Il a ouvert la bouche pour riposter, mais je l'ai arrêté d'un geste.

— Qu'est-ce que tu penses de ma coiffure, mon chéri ? lui ai-je demandé tendrement, en secouant doucement la tête pour ramener mes cheveux sur mes épaules nues.

Je lui ai pris la main, l'invitant à caresser les mèches qui tombaient sur mon décolleté. Hé ! C'est que j'étais plutôt bonne à ce petit jeu-là, moi ! Sookie, la chatte : câline, féline, et qui retombe toujours sur ses pattes.

Alcide a dégluti, s'est éclairci la gorge, tout en laissant glisser ses doigts sur ma peau, qu'il a effleurée du dos de la main.

126

— Je la trouve très belle, a-t-il répondu d'une voix enrouée, manifestement troublé.

Je lui ai souri.

— En fait, il ne vous a pas simplement empruntée pour la soirée, a repris Debbie, passant de l'erreur grossière à l'erreur fatale. Je crois plutôt qu'il vous a louée.

C'était une terrible insulte, autant pour Alcide que pour moi. Il m'a fallu un sacré effort de volonté pour continuer à me comporter en jeune fille bien élevée. Intérieurement, je bouillonnais. Je sentais mes instincts primitifs se réveiller, mon moi profond remonter à la surface. Alcide et moi avons fixé Debbie sans mot dire, imperturbables. Face à notre attitude, elle a pâli.

— OK, je n'aurais pas dû, a-t-elle marmonné en détournant les yeux. Faites comme si je n'avais rien dit.

Contre un métamorphe (surtout un métamorphe de sa trempe), je n'aurais eu aucune chance, dans un combat à la loyale – évidemment, si on devait en arriver là, je n'avais pas l'intention de me battre à la loyale.

Je me suis penchée en avant pour poser un ongle impeccablement verni sur son pantalon en cuir.

— Alors, on a sorti tante Marguerite, pour l'occasion ? lui ai-je demandé d'un ton très décontracté.

Alcide a éclaté de rire. Je ne m'y attendais pas, mais j'en ai profité pour lui adresser un clin d'œil complice. Il était plié en deux. Quand j'ai tourné la tête, Debbie avait déjà battu en retraite et rejoignait au pas de charge son groupe d'amis, qui avaient suivi la fin du match dans un silence consterné.

J'ai décidé que je n'irais pas aux toilettes toute seule, ce soir.

Quand la serveuse est venue renouveler nos consommations, la boîte s'était remplie, et quelques amis d'Alcide étaient arrivés. Ils étaient toute une bande. Les loups-garous sortent en meute, la plupart du temps. Quant aux métamorphes en général, tout dépend de la forme qu'ils adoptent. En théorie, les métamorphes peuvent se transformer en n'importe quel animal. Ils ont toutefois tendance à privilégier une forme, toujours la même, celle de l'animal avec lequel ils se sentent le plus d'affinités. Il existe également d'autres hybrides qui se limitent à une forme animale unique – chiens-garous, chauves-souris-garous, tigres-garous… Mais les loups-garous estiment être les seuls à pouvoir porter le titre « garou » De toute façon, ils ont une piètre opinion de tous les métamorphes. Ils se considèrent comme la crème de la crème, l'élite des SurNat.

Les autres hybrides en avaient autant à leur service, m'expliquait Alcide. Pour eux, les loups-garous n'étaient que des loubards, les voyous de la communauté des SurNat.

— C'est vrai, on trouve pas mal de loups-garous dans le bâtiment, m'a-t-il appris en faisant des efforts pour rester objectif. Nous sommes souvent mécaniciens, maçons, plombiers – et même cuisiniers…

— Des métiers drôlement utiles, ai-je commenté.

— Oui, mais on ne nous trouve jamais chez les cadres, par exemple. Et même si on s'entraide et si on s'associe, il faut reconnaître que la discrimination sociale est bien présente.

Quatre loups-garous en tenue de motard faisaient justement leur entrée. Ils arboraient tous un gilet sans manches à tête de loup, comme le loup-garou qui m'avait attaquée au *Merlotte*. En les voyant, je me suis demandé s'ils avaient déjà entrepris des recherches pour retrouver mon agresseur. Avaient-ils réussi, depuis, à se faire une idée un peu plus précise de la personne qu'ils avaient été chargés de trouver ? Que feraient-ils s'ils découvraient qui j'étais ? Ils ont commandé des bières et se sont plongés dans de grands conciliabules (et encore un « mot du jour » de casé !), à voix basse, têtes penchées, serrés autour de la table.

Le DJ (un vampire, comme il se doit) a commencé à mettre un peu d'ambiance : juste ce qu'il fallait de volume pour qu'on reconnaisse le titre qui passait, tout en continuant à pouvoir discuter sans trop hausser la voix.

— On va danser ? m'a proposé Alcide.

Je ne m'y attendais pas. Mais c'était peut-être un bon moyen de me rapprocher discrètement des vampires et des humains qui travaillaient pour eux sans me faire remarquer. J'ai accepté. Alcide a écarté son fauteuil et m'a tendu la main pour m'entraîner sur la piste. Au même moment, le DJ a changé de registre, passant d'un morceau de heavy metal à Sarah McLachlan. Dans « Good Enough », le tempo est plutôt lent, mais assez marqué.

Je chante comme une casserole. En revanche, je sais danser. Et il se trouve qu'Alcide ne se débrouillait pas mal non plus.

Ce qu'il y a de bien, dans la danse, c'est qu'on n'est pas obligé de parler si on n'en a pas envie. Ce qu'il y a de nettement moins bien, c'est qu'en dansant on est en contact étroit avec le corps de son partenaire. J'étais déjà dangereusement consciente du magnétisme... animal d'Alcide. Maintenant que j'étais collée à lui, que je suivais ses moindres mouvements, j'étais à deux doigts de la transe. À la fin de la chanson, nous sommes demeurés tous deux sur la petite piste. J'ai gardé les yeux rivés au plancher. Le morceau suivant était plus rapide (mais dans mon état, j'étais incapable de le reconnaître), et je me suis mise à me déhancher, à tourner, à virevolter, suivant sans aucun effort les pas du loup-garou.

C'est alors qu'un type trapu et musclé, assis au bar derrière nous, a dit à son voisin, un vampire :

— Il n'a pas encore craché le morceau. Harvey a appelé aujourd'hui. Il a dit qu'ils n'avaient fouillé la baraque et qu'ils n'avaient rien trouvé.

— Tais-toi. On est dans un endroit public, ici, lui a sèchement rappelé le vampire.

Il avait une sacrée autorité pour un si petit gabarit. Peut-être l'avait-on changé en vampire à une époque où les hommes étaient plus petits.

J'étais sûre qu'ils parlaient de Bill, car l'humain avait pensé à lui lorsqu'il avait dit qu'il n'avait pas encore « craché le morceau ». Par chance, c'était un émetteur exceptionnel : tout ce qui lui passait par la tête me parvenait très clairement, son et images compris.

Quand Alcide a voulu nous mener plus loin, il s'est étonné de me sentir résister. Les sourcils froncés, il m'a adressé un petit coup d'œil incertain. J'ai répondu en lui désignant le duo d'un regard oblique. Un battement de paupières a suffi : il avait compris. Mais l'inquiétude se lisait dans ses yeux.

Danser tout en essayant de lire dans les pensées de quelqu'un n'a rien de facile. Je ne le recommande à personne. Tendue, tous les sens en éveil, j'étais encore sous le choc et mon cœur battait la chamade : la vision fugitive de Bill dans l'esprit de l'homme m'avait profondément bouleversée. Par chance, Alcide a interrompu notre danse et s'est excusé pour aller aux toilettes. Il m'a d'abord accompagnée au bar et a tiré un tabouret pour que je puisse m'asseoir, juste à côté du vampire que j'avais repéré. Je me suis efforcée de regarder ailleurs – les danseurs, le DJ, les clients attablés dans la boîte... partout, sauf dans la direction de mon voisin de gauche et de son compagnon, dont j'étais justement en train de fouiller l'esprit.

Il passait en revue les événements de la journée. Il avait essayé de garder quelqu'un éveillé, quelqu'un qui avait un besoin vital de sommeil... un vampire : Bill.

Empêcher un vampire de dormir est l'une des pires tortures que l'on puisse lui infliger. Pour un vampire, l'envie de dormir qui se manifeste avec le lever du soleil est absolument impérieuse, et le sommeil qu'elle provoque est si profond qu'il confine à la mort.

Allez savoir pourquoi (le fait d'être américaine, j'imagine), l'idée que les vampires qui avaient commandité l'enlèvement de Bill puissent recourir à de tels moyens pour le faire parler ne m'avait jamais traversé l'esprit. Mais s'ils voulaient obtenir de lui certaines informations, évidemment qu'ils n'allaient pas attendre bien gentiment qu'il se décide. Quelle idiote ! Mais quelle idiote ! Même si je savais que Bill m'avait trompée, qu'il s'apprêtait à me quitter pour sa vampire de Seattle, l'idée qu'on puisse le faire souffrir me transperçait le cœur.

Plongée dans mes sombres pensées, je n'ai pas vu le coup arriver. Pas avant, du moins, que l'on m'agrippe par le bras.

L'un des quatre membres du gang de loups-garous, un grand brun baraqué qui ne sentait pas la rose, était en train d'incruster ses empreintes digitales, noires de cambouis, sur ma belle manche en soie rouge. J'ai tenté en vain de me dégager.

— Viens donc à notre table, qu'on fasse connaissance, ma jolie, m'a-t-il lancé, un sourire goguenard aux lèvres.

Il portait deux anneaux en or à l'oreille droite. Je me suis distraitement demandé ce que devenaient ses boucles d'oreilles, les nuits de pleine lune... Mais je me suis vite rendu compte que j'avais des problèmes beaucoup plus urgents à résoudre. Son expression avait quelque chose de trop direct, de trop suggestif. Les hommes ne regardent pas les femmes comme ça, à moins qu'elles ne soient plantées sur un coin de rue en soutien-gorge et short ras les fesses. En clair, il pensait que je vendais mes charmes.

— Non, merci, ai-je répondu d'un ton poli mais ferme.

J'avais cependant la très nette et très désagréable impression que je n'allais pas m'en tirer si facilement. Mais je pouvais toujours tenter le coup. Après plusieurs années de service au *Merlotte*, j'avais quand même une certaine expérience des pots de colle un peu trop entreprenants. Mais j'avais toujours eu quelqu'un pour me défendre si nécessaire. Sam n'aurait jamais toléré qu'une de ses serveuses se fasse peloter ou injurier.

— Allez, beauté, fais pas ta mijaurée. Viens avec nous, a-t-il insisté.

Pour la première fois de ma vie, j'ai regretté que Bubba ne soit pas dans mon voisinage immédiat.

J'avais pris la fâcheuse habitude de voir les gens qui m'empoisonnaient la vie connaître un destin tragique. J'avais peut-être aussi pris la fâcheuse habitude de laisser les autres régler mes problèmes à ma place...

J'ai bien eu la tentation de lui faire un peu peur. Il suffisait de lui montrer que je savais ce qu'il avait

132

en tête. Pour un loup-garou, d'ailleurs, il était complètement transparent. Et il n'y avait là rien de franchement passionnant, ni de franchement surprenant : désir lubrique et violence rentrée. Mais si lui et son gang avaient été chargés de trouver la petite amie de Bill le Vampire, qu'on leur avait donné un signalement du style « barmaid blonde et télépathe », et qu'il croisait une blonde télépathe dans un repaire de vampires...

— Écoutez, je n'ai aucune envie de venir avec vous, ai-je répété d'un ton sans réplique. Laissez-moi tranquille.

De peur de me retrouver coincée contre le bar, je suis descendue de mon tabouret.

— T'as pas d'homme, ici, ma biche. Et nous, on est des mâles, des vrais, a-t-il répliqué en portant la main à son entrejambe pour soupeser sa virilité.

Oh. Très élégant. C'est fou ce que ça m'excitait.

— On a de quoi te satisfaire, a-t-il ajouté d'un ton graveleux.

— Même pas en rêve ! ai-je rétorqué en lui marchant sur le pied.

S'il n'avait pas porté des bottes de moto, ça aurait peut-être pu fonctionner. Mais, les choses étant ce qu'elles étaient, j'ai bien failli casser mon talon. Intérieurement, je maudissais mes faux ongles, qui m'empêchaient de faire un joli poing. Je lui aurais bien frappé le nez (très douloureux, les coups dans le nez). Il aurait été obligé de me lâcher.

Il a grogné comme un molosse enragé, mais il n'a pas desserré son emprise pour autant. Au contraire, de la main gauche, il m'a empoignée par l'épaule. J'ai eu l'impression que ses doigts s'enfonçaient dans ma chair.

Jusqu'à présent, je m'étais efforcée de rester calme, espérant régler cette affaire sans faire de vagues. Mais j'avais dépassé ce stade, désormais.

— Lâchez-moi ! ai-je hurlé en tentant de lui donner un coup de genou bien placé.

Il était un peu de biais et je n'ai pas eu le temps d'ajuster le tir, si bien que j'ai mal visé. Il a quand même grimacé et brusquement reculé, me lacérant l'épaule avec ses ongles au passage.

Le phénomène était partiellement dû au fait qu'Alcide venait de refermer sa main sur sa nuque et l'avait tiré violemment en arrière. Au moment où les autres membres du gang se précipitaient vers le bar pour venir en aide à leur copain, M. Hob est entré en scène – il faisait aussi office de videur, apparemment. Chose étonnante pour une créature de sa taille, il a ceinturé mon motard et l'a soulevé sans la moindre difficulté. Le loup-garou s'est mis à hurler. Une épouvantable odeur de chair brûlée s'est alors élevée dans la salle. La serveuse fil de fer a aussitôt allumé un puissant ventilateur qui a rapidement prouvé son efficacité. Ça n'a cependant pas empêché les hurlements du type de retentir d'un bout à l'autre du club, de ma place devant le bar, jusqu'au fin fond d'un petit couloir sombre que je n'avais pas encore remarqué et qui devait mener à la sortie de secours, à l'arrière du bâtiment. Un grand « bang » sonore a retenti, puis un second. De toute évidence, le perturbateur avait été jeté dehors avec perte et fracas.

Alcide s'était déjà retourné vers le reste de la bande, en alerte. Quant à moi, j'assistais à la scène, debout derrière lui, les jambes flageolantes. Le loup-garou m'avait laissé un joli petit souvenir : des entailles sur l'épaule, profondes et qui saignaient abondamment. Mais les premiers soins devraient attendre, car une nouvelle bagarre se préparait.

J'ai jeté un regard circulaire. Il me fallait une arme, quelque chose pour me défendre. La serveuse avait posé une batte de base-ball sur le comptoir – elle n'avait pas les yeux dans sa poche, apparemment. J'ai attrapé la batte, puis j'ai pris place à côté d'Alcide et j'ai levé mon gourdin, prête à frapper. Comme mon frère me l'avait appris (conseil basé sur une grande expérience des bagarres, acquise dans tous les bars de Bon Temps et des environs, j'en ai peur), j'ai choisi un adversaire. Je me suis imaginée en train de lui balancer ma batte en plein sur le genou – cible plus accessible pour moi que la tête. Pas de doute, ça le calmerait.

C'est alors qu'un autre personnage est apparu dans le *no man's land* qui nous séparait des loups-garous : le petit vampire que j'avais vu parler avec le type à la conversation si désagréablement instructive.

Légèrement bâti, il ne devait pas faire un mètre soixante, talons compris. On ne lui aurait même pas donné vingt ans, à première vue. Rasé de près, les yeux couleur chocolat amer, il était doté d'une chevelure flamboyante qui formait un contraste saisissant avec son extrême pâleur.

— Je vous prie de nous excuser pour ce petit désagrément, mademoiselle, m'a-t-il dit d'une voix douce, avec un accent du Sud à couper au couteau.

Je n'avais pas entendu d'accent aussi prononcé depuis la mort de mon arrière-grand-mère, vingt ans auparavant.

— Je suis désolée d'avoir, indirectement, troublé la tranquillité de cet établissement, lui ai-je répondu, en m'efforçant de recouvrer un semblant de dignité, malgré mes pieds nus (j'avais instinctivement envoyé valser mes hauts talons pour pouvoir me battre plus commodément) et la batte de base-ball que j'empoignais à deux mains.

Je me suis redressée, abandonnant ma position de combat pour m'incliner légèrement devant lui et donc bien lui faire comprendre que je reconnaissais son autorité.

— Quant à vous, messieurs, vous devriez partir sans plus tarder, a lancé le petit homme en se tournant vers le groupe de loups-garous. Et ce, après avoir présenté des excuses à cette dame et à son cavalier, bien entendu.

Les trois motards se sont jeté des regards incertains. Aucun ne voulait être le premier à capituler. L'un d'entre eux, un blond à la barbe broussailleuse, arborait un bandana parfaitement ridicule, noué autour du crâne. C'était apparemment le plus jeune de la bande – et le moins futé; il nous regardait d'un air mauvais, les yeux étincelants de rage. Il était manifestement trop aveuglé par la colère et trop blessé dans son orgueil pour bien mesurer la gravité de la situation. Son esprit a projeté son intention avant même qu'il ne bouge: je savais déjà où il allait frapper. Vive comme l'éclair, j'ai tendu ma batte au petit vampire qui se tenait à côté de moi. Il l'a attrapée si vite que je ne l'ai même pas vu bouger. L'autre a à peine eu le temps de faire un pas qu'il avait déjà la jambe brisée.

Un silence de mort avait envahi le club. Les deux loups-garous rescapés sont venus récupérer leur petit camarade hurlant de douleur, dans un concert de « désolé, désolé » grommelés de mauvaise grâce. Ils ont soulevé l'arrogant motard blond avant de vider les lieux sans demander leur reste.

La musique a repris, et le petit vampire roux a rendu la batte de base-ball à la serveuse. Alcide s'est empressé d'examiner mes blessures. C'est à ce moment-là que je me suis remise à trembler.

— Ça va, ça va, lui ai-je assuré.

Je commençais à en avoir assez d'être le point de mire.

— Mais vous saignez, ma chère, a constaté le jeune vampire.

Je connaissais les règles de bienséance, aussi lui ai-je obligeamment offert mon épaule blessée. Il a à peine pris le temps de murmurer : « Merci », avant de se pencher pour me lécher.

Je savais que la cicatrisation n'en serait que plus rapide. Je me suis donc tenue tranquille et je me suis efforcée de sourire, même si, pour ne rien vous cacher, c'était un peu comme si je me laissais peloter devant tout le monde.

Alcide m'a pris la main pour me réconforter.

— Désolé de ne pas être intervenu plus tôt, a-t-il dit.

— Tu ne pouvais pas prévoir.

Slurp, slurp, slurp… Je commençais à m'impatienter. Hé ! Il ne fallait quand même pas exagérer. Ça devait avoir fini de saigner, maintenant !

Le vampire s'est redressé et s'est ostensiblement léché les babines, avant de m'adresser un sourire.

— Ce fut un véritable plaisir, ma chère. Permettez-moi de me présenter : Russell Edgington.

Russell Edgington, roi du Mississippi. Vu la réaction des motards, je m'y attendais un peu.

— Enchantée de vous rencontrer, ai-je poliment répondu, tout en me demandant si je devais faire la révérence.

Non, il n'avait pas précisé son titre, et je n'étais pas censée le connaître.

— Je m'appelle Sookie Stackhouse, et voici mon ami, Alcide Herveaux.

— Je connais les Herveaux depuis des années, a affirmé le roi du Mississippi. Ravi de vous voir, Alcide. Comment va votre père ?

On aurait pu se croire sur le parvis de l'église, à la sortie de la messe dominicale, plutôt que dans un bar à vampires au milieu de la nuit.

— Bien, merci, a dit Alcide d'un ton peut-être un brin tendu. Nous sommes désolés d'avoir perturbé la soirée.

— Vous n'y êtes pour rien, lui a aimablement répondu le vampire. Les hommes sont parfois amenés à quitter momentanément leurs compagnes, et ces dames ne sont pas responsables de la goujaterie de certains rustres.

Edgington s'est alors incliné devant moi. Je n'avais pas la moindre idée de ce qu'on faisait dans ces cas-là. J'ai préféré jouer la prudence et me suis contentée de l'imiter.

— Vous êtes comme une rose dans un jardin en friche, ma chère, a-t-il cru bon d'ajouter.

Et toi, c'est fou ce que tu peux débiter comme conneries !

— Merci monsieur Edgington, l'ai-je remercié en gardant les yeux baissés, pour ne pas lui montrer ce que j'en pensais.

J'aurais peut-être dû l'appeler Votre Majesté ?

— Alcide, j'ai bien peur que, pour moi, la soirée ne s'arrête là, ai-je aussitôt ajouté, en m'efforçant de jouer la « rose dans un jardin en friche » : toute douce, toute mielleuse et très secouée – sur ce dernier point, malheureusement, je n'avais pas à me forcer.

— Bien sûr, ma chérie, a tout de suite répondu Alcide. Donne-moi juste le temps de récupérer ton châle et ton sac.

Il s'est immédiatement dirigé vers notre table. Adorable.

— Il va de soi, mademoiselle Stackhouse, que nous vous attendons demain soir, a soudain lancé Russell Edgington.

L'homme qui l'accompagnait se tenait debout derrière lui, les mains posées sur ses épaules. Edgington a tapoté familièrement celle qui se trouvait sur son épaule gauche.

— Nous ne voudrions pas être privés de votre charmante compagnie à cause des déplorables manières d'un butor.

— Merci. J'en parlerai à Alcide, ai-je répondu, sans manifester le moindre enthousiasme.

J'espérais qu'en paraissant m'en remettre à Alcide, je ne passerais pas pour autant pour une fille dépourvue de caractère – il n'y a pas de place pour les faibles, chez les vampires, et ceux qui ne savent pas se défendre ne font pas de vieux os. Mais Russell Edgington croyait offrir l'image du parfait gentleman du Sud de la grande époque. Si c'était son truc, je préférais entrer dans son jeu.

Quand Alcide est revenu me chercher, il n'avait pas l'air réjoui.

— Malheureusement, ton châle a eu un petit accident, m'a-t-il annoncé d'une voix frémissante de rage. Debbie, je parie.

Vu le nombre de trous, je peux vous assurer qu'elle n'y était pas allée de main morte. Des brûlures de cigarette, probablement. Je me suis efforcée de rester de marbre. Sans grand résultat. J'ai même senti les larmes me monter aux yeux (le contrecoup de la bagarre avec les loups-garous, j'imagine).

Évidemment, Edgington n'en perdait pas une miette.

— Je préfère que ce soit mon châle plutôt que moi, ai-je plaisanté, jouant les bravaches, avec un haussement d'épaules fataliste pour faire bonne mesure.

J'ai même ressorti mon petit sourire de façade. Mon petit sac perlé était intact, c'était déjà ça. Bon, je n'avais rien de valeur dedans, n'ayant pris avec moi qu'un poudrier, un rouge à lèvres et de quoi me payer à dîner.

À ma grande confusion, Alcide a ôté sa veste et m'a invitée à l'enfiler. J'ai d'abord protesté, mais, au regard qu'il m'a lancé, j'ai vite compris qu'il n'en démordrait pas.

— Bonne nuit, mademoiselle Stackhouse, m'a dit le petit vampire aux cheveux roux. Alcide, je vous vois demain soir ? Vos affaires vous retiendront-elles quelque temps à Jackson ?

— Tout à fait, a répondu Alcide. Content de vous avoir revu, Russell.

Le pick-up était garé devant la porte quand nous sommes sortis du club. Il se dégageait de l'endroit cette même atmosphère oppressante et lourde de menace qui nous avait accueillis. Je me suis vaguement demandé comment les vampires faisaient pour produire tous ces effets spéciaux, mais j'étais trop déprimée pour trouver le courage d'interroger mon compagnon.

— Tu n'aurais pas dû me donner ta veste, tu dois geler, ai-je observé après un silence.

— Je suis habillé plus chaudement que toi.

Je lui ai jeté un coup d'œil. Il ne frissonnait pas comme moi, lui, même en simple chemise. Je me suis enroulée dans sa veste, en caressant de la joue

140

le revers de soie, et je me suis laissé envelopper par sa chaleur, son odeur…

— Je n'aurais jamais dû te laisser seule avec tous ces types dans la boîte.

— Tout le monde a le droit de s'éclipser, ai-je rétorqué, pensant le déculpabiliser.

— J'aurais dû demander à quelqu'un de rester avec toi.

— Je suis une grande fille, Alcide. Je n'ai pas besoin de garde du corps. Je gère ce genre d'incident pratiquement tous les jours, au bar.

J'ai moi-même perçu la lassitude dans ma voix. Il faut bien reconnaître que, quand on travaille comme serveuse, on a rarement l'occasion de voir le meilleur côté des hommes. Même au *Merlotte*, où le patron veille sur ses employées et où la clientèle est presque exclusivement locale.

— Eh bien, alors, tu ne devrais pas travailler là-bas, a-t-il dit, d'un ton péremptoire.

— D'accord. Épouse-moi et arrache-moi à tout ça, ai-je répliqué, pince-sans-rire.

Pour toute réponse, j'ai eu droit à un regard terrifié. Je l'ai rassuré d'un grand sourire.

— Il faut bien que je gagne ma vie, Alcide. Et généralement, j'aime bien mon job.

Très pensif, il n'a pas eu l'air convaincu. Il était temps de changer de sujet.

— Ils ont Bill, ai-je subitement lâché.

— Tu en es sûre ?

— Absolument sûre.

— Les informations qu'il possède doivent être sacrément importantes, pour qu'Edgington soit prêt à risquer une guerre pour les connaître. De quoi s'agit-il ?

— Je ne peux pas te le dire.

— Mais tu le sais ?

Le lui avouer, c'était lui prouver ma confiance : si on apprenait que je connaissais le secret de Bill, les mêmes dangers que lui me guetteraient. Et moi, je craquerais bien plus facilement.

— Oui, je le sais.

6

Nous n'avons pas parlé dans l'ascenseur. Appuyée contre le mur, j'ai regardé d'un œil morne Alcide ouvrir la porte de l'appartement. J'étais complètement déboussolée, fatiguée, tiraillée entre des émotions contradictoires, encore secouée par la rixe avec le motard et la conduite de Debbie.

Arrivée devant ma chambre, je me suis contentée d'un simple « bonne nuit », puis je me suis rendu compte que j'avais encore la veste d'Alcide sur les épaules.

— Oh! Tiens. Et merci, lui ai-je lancé en la lui tendant.

Il l'a posée sur l'un des tabourets de bar de la cuisine.

— Besoin d'un coup de main pour ta fermeture Éclair? m'a-t-il alors demandé.

— Juste le haut, ça suffira.

Je lui ai tourné le dos. Il m'avait aidée à fermer ma robe avant de partir, et j'étais touchée qu'il pense à me proposer son aide avant de disparaître dans sa chambre.

J'ai entendu le crissement de la fermeture et senti la chaleur de ses grands doigts sur ma peau. Puis il s'est passé quelque chose d'inattendu : il m'a touchée de nouveau.

J'ai frissonné en sentant ses doigts m'effleurer le dos.

Je ne savais pas ce que je devais faire

Je ne savais pas ce que je voulais faire.

Je me suis lentement retournée pour le regarder. La même incertitude se lisait sur son visage.

— Ça ne pourrait pas plus mal tomber, lui ai-je dit dans un murmure embarrassé. Tu viens de te faire larguer, je suis à la recherche de mon petit ami… Bon, d'accord, il me trompe. N'empêche…

— Ce n'est pas le bon moment, a-t-il reconnu en posant les mains sur mes épaules.

Puis il s'est penché et m'a embrassée.

En une demi-seconde, mes mains sont arrivées sur sa taille et sa langue s'est glissée dans ma bouche. Ses baisers étaient étonnamment tendres. J'avais envie de faire courir mes doigts dans sa crinière noire, de prendre toute la mesure de sa large carrure, de découvrir le goût de sa peau… et de vérifier si ses fesses étaient aussi fermes et rebondies qu'elles en avaient l'air sous son pantalon… Et flûte. Je l'ai repoussé en douceur.

— Ce n'est pas le bon moment, ai-je répété, avant de m'empourprer violemment en constatant que ma robe avait à moitié glissé et qu'Alcide avait une vue plongeante sur mon décolleté. Au moins, j'avais mis de jolis dessous.

— Nom de Dieu, a-t-il soufflé après avoir admiré le panorama, avant de fermer ses yeux verts dans un ultime effort. Tu as raison… Mais j'espère que ce ne sera pas toujours le cas, a-t-il ajouté. Et j'espère que le bon moment se présentera bientôt.

— Qui sait ? lui ai-je répondu avec un sourire.

Puis je me suis faufilée dans ma chambre, tant que j'avais encore la force de me diriger par là et non dans la direction opposée. J'ai refermé la porte doucement. Puis je suis allée suspendre ma robe, ravie de constater qu'elle était sortie indemne de ma mésaventure. Contrairement à ses longues manches en soie toutes tachées de cambouis et de sang. Assaillie de regrets, j'ai poussé un long soupir.

Je n'avais pas l'intention de le provoquer, mais mon peignoir était rose, court et translucide, sans aucun doute possible. J'allais donc devoir faire attention en passant de la chambre à la salle de bains, ce que j'ai fait à toute vitesse pendant qu'il s'occupait dans la cuisine.

Finalement, je me suis éternisée dans la salle de bains et, quand j'en suis sortie, toutes les lampes de l'appartement étaient éteintes, sauf celle de ma chambre. J'ai descendu les stores par habitude, avant de me dire que c'était un peu ridicule, étant donné que j'étais au quatrième et sans aucun vis-à-vis. J'ai enfilé ma chemise de nuit rose et je me suis glissée dans mon lit pour lire un ou deux chapitres d'un des livres que j'avais emportés, histoire de me calmer un peu. Comme c'était le roman où l'héroïne finit dans le lit du héros, ça n'a pas très bien marché. Mais j'ai quand même réussi à oublier la chair du motard, brûlée au contact du gobelin, ainsi que la moue malveillante de Debbie. Et l'image de Bill qu'on torturait.

En revanche, la scène d'amour (de sexe, en réalité) n'a fait que me rappeler la chaleur de la bouche d'Alcide…

J'ai refermé mon livre et éteint ma lampe de chevet, avant de me pelotonner au fond du lit en remontant les couvertures. Enfin au chaud ! Enfin en sécurité !

Des coups frappés à ma fenêtre m'ont réveillée en sursaut.

J'ai poussé un cri. Puis j'ai compris. J'ai attrapé ma robe de chambre, dont j'ai noué la ceinture d'un geste rageur, et j'ai remonté les stores.

Comme je m'y attendais, Eric flottait derrière la vitre. J'ai rallumé le plafonnier et je me suis battue avec la poignée de la fenêtre.

— Qu'est-ce que tu viens faire ici, bon sang? ai-je pesté, au moment même où Alcide déboulait dans ma chambre.

Je lui ai à peine jeté un coup d'œil avant de poursuivre:

— Tu ferais mieux de me laisser tranquille. J'ai besoin de dormir, moi! Et puis, il va falloir que tu perdes l'habitude de te pointer n'importe où, au beau milieu de la nuit, et de compter sur moi pour te laisser entrer!

— Sookie, ouvre-moi.

— Non! De toute façon, je ne suis pas chez moi, ici. C'est à Alcide de décider.

Je me suis tournée vers l'intéressé... et j'en suis restée un instant bouche bée. Alcide dormait en pantalon à lien coulissant. Et rien d'autre. Waouh. S'il avait été torse nu, une demi-heure avant, le moment m'aurait sans doute semblé parfait, finalement.

— Que voulez-vous, Eric? s'est enquis Alcide, beaucoup plus calme et plus aimable que moi.

— Nous avons à parler, lui a répondu Eric, d'un ton impatient.

— Si je lui donne l'autorisation d'entrer maintenant, est-ce que je pourrai la lui retirer après? m'a demandé mon hôte.

— Et comment! me suis-je exclamée en adressant un grand sourire à Eric. Tu peux revenir sur ta décision quand ça te chante.

— Bon, d'accord. Vous pouvez entrer, Eric, a dit Alcide en ouvrant la fenêtre.

Eric s'est glissé dans la pièce, les pieds devant. J'ai refermé la fenêtre derrière lui. Et voilà! Je recommençais à avoir froid. Et je n'étais pas la seule: Alcide avait la chair de poule, sur tout son torse. Et ses mamelons… Je me suis forcée à garder les yeux rivés sur Eric, lequel nous dévisageait d'un regard aiguisé comme un poignard, ses yeux bleus brillant comme des saphirs dans la lumière électrique.

— As-tu découvert quelque chose, Sookie?

— Oui. Les vampires d'ici retiennent Bill en otage.

Les yeux d'Eric se sont peut-être légèrement écarquillés, mais en dehors de ça, il n'a pas eu la moindre réaction. Il semblait plongé dans d'intenses réflexions.

— Dites, ce n'est pas risqué, pour vous, de vous balader sur le territoire d'Edgington, sans vous être annoncé? s'est étonné Alcide.

Il nous refaisait le coup du type négligemment appuyé contre le mur, genre mauvais garçon. Avec Eric et lui, ça faisait deux grands mecs baraqués dans la même pièce. Ma chambre m'a paru toute petite, brusquement. Il n'y avait peut-être pas assez d'oxygène pour deux ego de cette trempe dans un espace aussi réduit.

— Oh, si, a reconnu Eric. Très risqué.

Et il lui a décoché un sourire radieux.

Pendant ce temps-là, je n'avais qu'une idée en tête: retourner me coucher. Le remarqueraient-ils? J'ai bâillé ostensiblement.

— Tu as autre chose à m'apprendre, Sookie? s'est enquis Eric.

— Oui. Ils l'ont torturé.

— Ils ne le lâcheront plus, alors.

Bien sûr que non. On ne peut pas laisser partir un vampire qu'on a torturé. On passerait sa vie à regarder par-dessus son épaule. Je n'y avais pas pensé mais c'était pourtant évident.

— Vous allez attaquer? ai-je demandé, inquiète.

Je n'avais aucune intention de me trouver dans les environs de Jackson à ce moment-là.

— Je vais réfléchir à la question, a déclaré Eric. Tu retournes au club demain soir?

— Oui, Russell nous a expressément invités.

— Sookie a attiré son attention, ce soir, a expliqué Alcide.

— Ah! Mais c'est parfait! s'est exclamé Eric, enthousiaste. Donc, demain soir, Sookie, tu iras t'asseoir avec les hommes d'Edgington et tu leur tireras les vers du nez.

— Eh bien, vois-tu, Eric, si tu ne me l'avais pas dit, ça ne me serait jamais venu à l'esprit. Je suis drôlement contente que tu m'aies réveillée pour m'y faire penser.

— Tout le plaisir est pour moi, a-t-il répliqué. Si tu as envie que je vienne te réveiller une autre fois, tu n'as qu'à demander. C'est quand tu veux, Sookie.

— Va-t'en, Eric, ai-je soupiré. Et encore bonne nuit, Alcide.

Alcide s'est redressé, mais il n'a pas quitté la pièce. Visiblement, il attendait qu'Eric ait franchi la fenêtre pour partir. Eric, quant à lui, attendait qu'Alcide s'en aille.

— Je vous retire l'autorisation de pénétrer dans mon appartement, a soudain déclaré Alcide.

Eric a immédiatement fait volte-face et s'est dirigé vers la fenêtre d'un pas martial. Il l'a ouverte d'un geste brusque et s'est jeté dans le vide. Il était manifestement en colère. Une fois dehors, il s'est cependant ressaisi et nous a adressé un sourire satisfait, en nous faisant un signe de la main, avant de disparaître vers les étages inférieurs.

Alcide a refermé la fenêtre avec un claquement sec, puis a redescendu les stores.

— Mais si, il y en a plein à qui je ne plais pas, lui ai-je assuré.

Je n'avais eu aucun mal à lire dans ses pensées, cette fois. Il a eu un drôle de regard.

— Ah, oui ?

— Oui, plein.

— Si tu le dis...

— La plupart des gens — des gens normaux, je veux dire – me prennent pour une cinglée.

— C'est vrai ?

— Oui. Et ils sont drôlement nerveux quand c'est moi qui les sers au bar.

Tout à coup, il s'est mis à rire. Sa réaction m'a tellement surprise que je n'ai rien trouvé à dire. Il a quitté la pièce sans ajouter un mot, manifestement toujours amusé.

Une fois la porte refermée, j'ai éteint le plafonnier et ôté ma robe de chambre, que j'ai jetée au pied du lit. Je me suis de nouveau blottie sous les draps, en remontant les couvertures jusqu'au menton. Il faisait froid et triste dehors, mais moi, j'étais bien au chaud, en sécurité et... seule.

Terriblement seule.

Alcide était déjà parti quand je me suis levée, le lendemain. Dans le bâtiment, on commence de bonne heure. Moi, naturellement, je me levais tard, au contraire. D'abord, à cause de mon travail. Ensuite, parce que je sortais avec un vampire : si je voulais passer un peu de temps avec Bill, il fallait bien que ce soit de nuit.

J'ai trouvé un petit mot sur la cafetière. J'avais un léger mal de tête, ayant bu deux cocktails la veille. Ce n'était pas une vraie gueule de bois, mais je n'ai pas l'habitude de boire de l'alcool. Je n'étais donc pas vraiment dans une forme olympique, et mon humeur s'en ressentait. J'ai plissé les yeux pour déchiffrer les pattes de mouche d'Alcide.

Parti en ville. Fais comme chez toi. De retour dans l'après-midi.

Pendant un moment, je suis restée interdite. J'étais déçue, presque vexée. Puis je me suis ressaisie. Ce n'était pas comme s'il m'avait invitée à passer un week-end en amoureux. On se connaissait à peine. On lui avait imposé ma compagnie. J'ai haussé les épaules, je me suis servi un café et j'ai allumé la télévision. Après avoir regardé un bulletin du journal de CNN en mangeant mes toasts, j'ai décidé de me doucher. J'ai pris mon temps : je n'avais que ça à faire.

Un terrible péril, jusqu'alors inconnu de moi, me menaçait : l'ennui. Chez moi, je trouvais toujours quelque chose à faire. Je ne dis pas que c'étaient forcément des trucs marrants, mais quand on a une maison, ce ne sont pas les occupations qui manquent. Et puis, à Bon Temps, j'allais à la bibliothèque, au Tout à un dollar ou chez l'épicier. Bill me demandait aussi de lui rendre quelques services, des démarches administratives qui ne pouvaient se faire que le jour à cause des heures de bureau, par exemple.

Penchée au-dessus du lavabo de la salle de bains, face au miroir, j'étais en train de m'épiler les sourcils quand le visage de Bill m'est brusquement apparu. J'ai dû reposer ma pince et m'asseoir sur le bord de la baignoire. Mes sentiments pour lui étaient devenus si compliqués, si conflictuels... Et j'avais peu de chances de voir la situation s'éclaircir. Mais penser qu'on le torturait, qu'il souffrait et, pire encore, que je ne pouvais rien faire pour l'aider m'était insupportable. Je n'avais jamais imaginé que la vie serait un long fleuve tranquille avec lui : après tout, c'était quand même une relation hybride. Nous appartenions à deux « espèces » différentes. Et Bill était bien plus âgé que moi. Mais ce vide béant qui s'était ouvert en moi, depuis qu'il était parti... Si on me l'avait prédit, je ne l'aurais jamais cru.

J'ai enfilé un jean et un pull, j'ai fait mon lit, j'ai aligné tous mes produits de toilette sur la tablette au-dessus du lavabo, et j'ai étendu ma serviette. J'aurais bien remis un peu d'ordre dans la chambre d'Alcide, mais je craignais d'empiéter sur son territoire. Alors, j'ai repris mon roman et j'ai lu quelques chapitres. Et puis, au bout d'un moment, j'ai craqué : impossible de rester plus longtemps sans rien faire dans cet appartement.

J'ai laissé un message à Alcide pour lui dire que j'étais partie faire un tour et je me suis retrouvée dans l'ascenseur avec un type qui transportait un sac de golf. Je me suis retenue de lui lancer un « Alors, on va jouer au golf ? » très original. Je me suis contentée de remarquer que ce n'était pas un temps à rester enfermé. Le ciel était clair, l'air cristallin et il faisait doux. C'était une belle journée, avec toutes les décorations de Noël qui brillaient au soleil et une foule de gens dans les rues, les bras chargés de cadeaux.

Je me suis soudain demandé si Bill serait rentré pour Noël, s'il m'accompagnerait à la messe de minuit. Encore faudrait-il qu'il le veuille, évidemment.

Puis j'ai pensé à la scie que j'avais achetée pour Jason. Ça faisait des mois que je l'avais commandée à Monroe. Je n'étais allée la chercher que la semaine précédente. J'avais aussi prévu des jouets pour les enfants d'Arlene et un pull pour elle. Je n'avais personne d'autre à qui faire des cadeaux et je trouvais ça plutôt triste. Du coup, j'ai décidé d'offrir un CD à Sam. Ça m'a ragaillardie. J'adore faire des cadeaux. Ça aurait dû être mon premier Noël à deux...

Et zut! Voilà que j'étais revenue à mon point de départ! Bill passait en boucle dans mon esprit, comme les infos sur CNN.

— Sookie!

Interrompue dans mes pensées moroses, je me suis retournée et j'ai aperçu Janice qui me faisait de grands signes depuis le trottoir d'en face – inconsciemment, j'avais refait le seul trajet que je connaissais. Je lui ai répondu d'un geste de la main.

— Venez, venez! m'a-t-elle crié.

Je suis allée jusqu'au bout du trottoir pour emprunter le passage protégé. Le salon était plein, et Corinne et Jarvis couraient d'une cliente à l'autre.

— Les fêtes de Noël, m'a expliqué Janice, tout en mettant des bigoudis à une jeune femme aux longs cheveux noirs. On n'est pas ouvert, d'habitude, le samedi après-midi.

Sa cliente, imperturbable, feuilletait négligemment un *Southern Living* d'une main chargée de diamants.

— Qu'en dites-vous? a-t-elle demandé à Janice, en désignant d'un ongle rutilant l'illustration d'une recette. Des boulettes de viande au gingembre.

— Mmm... c'est de la cuisine orientale, non?

— Apparemment, a répondu la cliente en lisant la recette avec attention. Personne n'y aura pensé. On peut même mettre des piques dedans pour les servir.

— Alors, Sookie, que faites-vous de beau, aujourd'hui ? a demandé Janice, après s'être assuré que sa cliente était complètement absorbée par ses histoires de viande hachée.

— Oh ! Je me promène, lui ai-je répondu avec un petit haussement d'épaules. Votre frère avait des choses à faire en ville, d'après ce que disait son petit mot.

— Il vous a laissé un message pour vous dire ce qu'il faisait ? s'est exclamée Janice. Eh bien, ma fille, vous pouvez être fière de vous. Cet homme n'a plus touché un stylo depuis le lycée !

Elle m'a jeté un regard pétillant de malice, un sourire espiègle aux lèvres.

— Et cette soirée, hier ? Vous vous êtes bien amusés ?

J'ai pris le temps de la réflexion.

— Euh... oui. C'était sympa.

J'avais adoré danser avec Alcide, en tout cas.

Janice a éclaté de rire.

— Si vous avez besoin de réfléchir aussi longtemps que ça avant de répondre, c'est que ça n'a pas dû être la meilleure soirée de votre vie !

— Eh bien, non. Il y a eu de la bagarre, et le videur a été obligé de jeter un des clients dehors. Et puis, il y avait Debbie...

— Alors, elle a bien fêté ses fiançailles ?

— Ils étaient toute une bande à sa table. Mais elle est tout de même venue à la nôtre, au bout d'un moment, pour satisfaire sa curiosité.

Ce souvenir m'a fait sourire.

— Ça ne lui a pas plu de voir Alcide avec une autre fille, en tout cas.

Janice s'est esclaffée.

— Ah, ça, je veux bien vous croire !

— Qui s'est fiancé ? a demandé la cliente, qui avait manifestement renoncé à sa recette exotique.

— Debbie Pelt. Elle sortait avec mon frère jusqu'à présent.

— Oh ! Je vois très bien qui c'est, a dit la jeune femme aux cheveux noirs, visiblement ravie de pouvoir parler potins en connaissance de cause. Elle fréquentait votre frère, Alcide ? Et elle épouse quelqu'un d'autre ?

— Oui. Charles Clausen, a précisé Janice avec un hochement de tête solennel. Vous le connaissez ?

— Bien sûr ! Nous étions ensemble au lycée. Il épouse Debbie Pelt ? Eh bien, il vaut mieux que ce soit lui que votre frère !

— C'est bien ce que je pensais. Mais... vous semblez en savoir plus que moi...

— Oh ! Cette Debbie a des mœurs particulières, a murmuré la jeune femme avec un haussement de sourcils lourd de sous-entendus. Elle est... bizarre.

— Comment ça, « bizarre » ? ai-je demandé en retenant ma respiration.

Était-il possible que cette femme soit au courant ? Qu'elle soit consciente de l'existence des métamorphes et des loups-garous ? Mon regard a rencontré celui de Janice. La même appréhension se lisait dans ses yeux.

Janice connaissait le secret de son frère. Elle savait qu'il appartenait à un monde parallèle. Et elle savait que je le savais.

— Certains parlent de satanisme, a chuchoté la femme aux cheveux noirs. De sorcellerie...

Janice et moi la dévisagions dans le miroir en ouvrant des yeux comme des soucoupes. La cliente avait obtenu la réaction qu'elle attendait. Elle a ponctué sa déclaration d'un petit coup de menton satisfait. S'adonner au culte de Satan et pratiquer la sorcellerie étaient deux choses bien différentes. Mais je n'allais pas pinailler. Ce n'était ni le lieu ni le moment.

— Oui, madame, a renchéri la cliente. C'est ce que j'ai entendu dire. À chaque pleine lune, elle disparaît dans la forêt avec ses amis. Et ils font des choses. Quoi exactement ? Personne ne le sait.

Janice et moi avons soupiré avec un bel ensemble.

— Oh ! mon Dieu, ai-je lâché sans grande conviction.

— Eh bien, mon frère l'a échappé belle, alors, a conclu Janice. On ne peut pas tolérer de telles pratiques.

— Ça, non, ai-je approuvé avec enthousiasme.

Nous évitions de nous regarder.

Comme je m'apprêtais à m'en aller, après ce petit épisode, Janice m'a interrogée sur mes projets pour la soirée et la tenue que j'allais porter.

— Oh ! Une petite robe dans les tons de beige nacré. Ils appellent ça « champagne », comme couleur.

— Alors ce vernis rouge ne va pas du tout ! a-t-elle décidé. Corinne !

En dépit de mes protestations, j'ai finalement quitté le salon de coiffure avec des ongles bronze (aux mains et aux pieds) et « un petit coup de peigne » gracieusement offert par Jarvis. Quand j'ai voulu payer, Janice s'y est formellement opposée. C'est à peine si elle m'a laissée donner un pourboire à ses employés.

— Je n'ai jamais été aussi chouchoutée de toute ma vie, ai-je déclaré, ravie.

— Et dans la vie, justement, qu'est-ce que vous faites ?

Nous n'avions pas encore eu le temps d'aborder le sujet.

— Je suis serveuse dans un bar.

— Ah ! Ça change de Debbie !

Janice paraissait songeuse.

— Ah, oui ? Pourquoi ? Qu'est-ce qu'elle fait ?

— Elle est conseillère juridique.

J'ai ressenti un petit pincement d'envie. Moi, je n'avais pas franchi le seuil de la fac. Financièrement, ça aurait déjà été difficile. J'aurais certainement réussi à me débrouiller, s'il n'y avait eu que ça, mais avec mon handicap, j'étais tout juste parvenue à terminer le lycée. Être télépathe, pour une ado, ce n'est pas du gâteau. J'avais si peu de contrôle sur moi-même, à l'époque ! Chaque jour apportait son lot de drames (les drames des autres). Essayez donc de vous concentrer en classe et de réussir vos interrogations écrites dans une pièce pleine de cerveaux en ébullition ! La seule chose pour laquelle j'étais douée, c'étaient les devoirs à la maison. Là, j'excellais.

Janice ne semblait pas traumatisée par le fait que je ne sois qu'une simple serveuse, un emploi qui n'impressionne pas beaucoup la famille de vos petits copains, en général.

J'ai dû, une fois de plus, me rappeler à l'ordre : cette histoire avec Alcide n'était qu'un arrangement provisoire qui faisait partie d'un plan plus vaste, dans lequel il n'avait qu'un rôle tout à fait mineur. Après avoir découvert où se trouvait Bill – tu sais bien, Sookie, Bill, ton petit ami ? – je ne le reverrais jamais. Oh, il lui arriverait peut-être de passer au

Merlotte, s'il lui prenait l'envie de faire une petite pause pour briser la monotonie de l'autoroute de Shreveport à Jackson, mais ça n'irait pas beaucoup plus loin.

Quant à Janice, il était évident qu'elle espérait sincèrement me voir entrer dans la famille Herveaux très prochainement. C'était si gentil de sa part. Et puis, je l'aimais vraiment bien. J'en venais presque à souhaiter qu'Alcide tombe amoureux de moi et que Janice ait de réelles chances de devenir ma belle-sœur.

On dit que ça ne fait pas de mal de rêver.

Eh bien, ce n'est pas vrai.

7

Quand je suis rentrée, Alcide m'attendait. À voir tous les paquets cadeaux empilés sur le comptoir de la cuisine, il n'était pas difficile de deviner à quoi il avait employé sa matinée : il avait fini ses achats de Noël.

Il avait l'air vaguement embarrassé – c'était pas très discret –, comme s'il pensait avoir fait quelque chose qui risquait de ne pas me plaire. Quoi que ce puisse être, il n'avait manifestement pas l'intention de me le révéler pour l'instant et, par politesse, j'ai décidé de le laisser penser en paix. Je m'apprêtais à emprunter le petit couloir qui menait à ma chambre quand j'ai senti une drôle d'odeur. Peut-être les poubelles n'avaient-elles pas été descendues. C'était à peine perceptible, mais nauséabond. Nous n'étions pourtant pas dans l'appartement depuis longtemps. Mais j'étais encore sous le coup de ma complicité avec Janice et de ma joie de revoir Alcide, et je ne m'y suis pas attardée.

— Très joli, a-t-il commenté en détaillant ma coiffure et mes ongles.

— Je suis passée chez Janice.

J'ai eu peur qu'il n'estime que j'abusais de la générosité de sa sœur.

— Je ne sais pas comment elle s'y prend, mais elle a l'art de vous faire accepter ce que vous vous étiez promis de refuser !

— Elle a bon cœur, a-t-il simplement affirmé. Elle sait que je suis un loup-garou depuis le lycée et elle n'en a jamais soufflé mot à qui que ce soit.

— Je sais.

— Mais comment... Ah, oui ! s'est-il exclamé en secouant la tête. Je n'ai jamais rencontré personne de plus normal que toi, alors j'ai tendance à oublier que tu as tous ces trucs en plus.

C'était la première fois qu'on me présentait les choses comme ça.

— Dis donc, en rentrant, tu n'as pas senti quelque chose de biz...

La sonnette de la porte l'a interrompu. Pendant qu'il allait ouvrir, j'en ai profité pour ôter mon manteau.

À la chaleur avec laquelle il recevait le visiteur, j'ai compris qu'il était content de le voir. Je me suis donc retournée, tout sourire. Le jeune homme qui entrait n'a pas eu l'air surpris par ma présence. Alcide s'est empressé de faire les présentations. Dell Phillips était le mari de Janice. Je lui ai tendu la main, certaine de le trouver aussi adorable que sa femme.

Il a écourté le contact au maximum, puis il m'a m'ignorée tout simplement.

— Je me demandais si tu pourrais passer cet après-midi pour m'aider à accrocher les guirlandes lumineuses de Noël, a-t-il déclaré à l'intention d'Alcide (et d'Alcide exclusivement).

— Bien sûr. Mais où est Tommy ? s'est étonné Alcide avec une pointe de déception dans la voix. Tu ne l'as pas amené ?

Tommy était le fils de Janice.

Dell m'a jeté un regard réprobateur et a secoué la tête.

— Tu héberges une femme chez toi. Ce sont des choses qui ne se font pas. Je l'ai laissé chez ma mère.

L'accusation était tellement inattendue que j'en suis restée clouée sur place, muette de stupéfaction. L'attitude de son beau-frère avait visiblement pris Alcide de court aussi.

— Dell, je te prie de rester poli devant mon amie, s'il te plaît, a-t-il dit d'un ton sec.

— Elle dort dans ton appartement : ça en dit long sur votre « amitié », a rétorqué Dell, d'un ton détaché. Désolé, mademoiselle, mais ça ne se fait pas.

— « Ne jugez point et vous ne serez point jugé », lui ai-je répondu d'une voix blanche, en espérant ne pas trahir la fureur qui me gagnait.

Je m'en voulais de citer la Bible sous le coup de la colère. J'ai fait demi-tour sans ajouter un mot et je suis allée me réfugier dans la chambre d'amis.

À peine la porte d'entrée s'était-elle refermée sur Dell Phillips qu'Alcide frappait à la mienne.

— Tu veux faire un Scrabble ? m'a-t-il proposé.

J'ai cligné des yeux, incrédule.

— Avec plaisir.

— J'en ai pris un en achetant les cadeaux pour Tommy, ce matin.

Il avait déjà posé le jeu sur la table basse du salon, mais il n'avait pas osé le déballer et l'installer.

— Je vais nous chercher un Coca, ai-je proposé.

J'ai remarqué encore une fois qu'il ne faisait vraiment pas chaud dans cet appartement. Bien sûr, on était quand même mieux dedans que dehors, mais je regrettais de ne pas avoir apporté un pull.

J'hésitais à demander à Alcide de monter un peu le thermostat. Ce n'était pas très poli, et je ne voulais pas le vexer. Je me suis souvenue de sa peau si chaude. Il devait faire partie de ces personnes qui ont toujours trop chaud. Ou alors, c'était peut-être un trait commun des loups-garous. Je suis allée chercher le sweat que j'avais laissé dans ma chambre et je l'ai enfilé, en prenant bien soin de ne pas me décoiffer.

Alcide s'était installé par terre, d'un côté de la table et je me suis assise en face de lui. Comme nous n'avions pas joué au Scrabble depuis long-temps, nous avons consciencieusement étudié les règles avant de commencer.

Alcide était diplômé de Louisiana Tech, l'univer-sité de Ruston ; je n'étais peut-être jamais allée à la fac, mais je lisais beaucoup, si bien que mon voca-bulaire était tout aussi étendu que le sien. Alcide était le plus doué, question stratégie. Mais j'avais l'impression de réfléchir un peu plus vite.

Quand j'ai fait un joli score, il m'a tiré la langue, ce qui m'a fait pouffer de rire.

— Et ne t'avise pas de lire dans mes pensées, ce serait de la triche, m'a-t-il conseillé.

— Oh ! Comment tu peux imaginer une chose pareille ? ai-je protesté d'un air innocent.

Il a grimacé d'un air menaçant.

J'ai perdu – de douze points seulement. Après avoir passé tous les coups de la partie en revue (avec protestations – de la plus mauvaise foi qui soit – et pas mal de fous rires à la clé), Alcide est allé reporter nos verres vides dans la cuisine. Il les a posés dans l'évier et s'est mis à fouiller dans les placards, pendant que je rangeais le Scrabble.

— Où veux-tu que je mette le jeu ?

— Dans la penderie de l'entrée, sur l'étagère.

J'ai coincé la boîte sous mon bras et je me suis dirigée vers la porte du placard. L'odeur que j'avais remarquée en arrivant semblait s'être accentuée.

— Dis, Alcide, ai-je lancé, en espérant ne pas le froisser ni passer pour une maniaque, tu ne trouves pas que ça sent bizarre, de ce côté ? On dirait quelque chose qui pourrit.

— Si, si. C'est bien pour ça que j'inspecte tous les placards. C'est peut-être une souris crevée ?

Tandis qu'il parlait, j'ai tourné la poignée. C'est ainsi que j'ai découvert d'où provenait la puanteur en question.

— Oh, non ! me suis-je écriée. Oh, non, non, non, non, non !

— Ne me dis pas que c'est un rat qui est allé mourir là-dedans ?

— Non, pas un rat. Un loup-garou.

Il y avait une barre au-dessous de l'étagère pour la penderie, mais c'était un tout petit espace, juste assez grand pour ranger les manteaux des visiteurs de passage. Maintenant, il était entièrement occupé par le motard qui m'avait agrippée par le bras au *Club Dead*. Et il était raide mort, apparemment depuis plusieurs heures.

J'étais incapable d'en détacher les yeux.

Alcide est venu se poster derrière moi, posant les mains sur mes épaules, ce qui m'a réconfortée.

— Pas une goutte de sang, lui ai-je fait observer d'une voix tendue.

— Son cou, m'a-t-il expliqué.

Il avait l'air aussi secoué que moi.

La tête du type reposait en fait sur son épaule, tout en restant attachée au torse. L'effet était... Beurk ! J'ai eu du mal à avaler ma salive.

— On devrait appeler la police, ai-je suggéré – d'un ton qui manquait de conviction.

Je continuais à fixer le corps dans la penderie. Le cadavre se tenait pratiquement debout. On avait dû le fourrer dans le placard et forcer sur la porte pour la refermer. Il s'était solidifié sur place.

— Oui, mais si on appelle les flics...

Alcide a laissé sa phrase en suspens un bon moment. Puis il a pris une profonde inspiration et a poursuivi :

— Ils ne croiront jamais qu'on n'y est pour rien. Ils interrogeront les copains de ce type, qui diront qu'il était au *Club Dead*, la nuit dernière. Ils découvriront qu'il s'était attiré des ennuis en s'en prenant à toi. Personne ne voudra croire que sa mort n'a aucun rapport avec la bagarre d'hier soir. On fera des coupables tout désignés.

— Oui, mais est-ce que tu penses vraiment que ces types parleront du *Club Dead* à la police ? ai-je objecté d'un ton songeur.

Alcide a médité ma remarque en silence. Il se passait le pouce sur les lèvres au rythme de ses réflexions.

— Tu as peut-être raison, a-t-il finalement conclu. Et impossible de mentionner la bagarre sans parler du *Club Dead*... Mais s'ils apprennent qu'on a retrouvé le corps de leur copain ici, ils décideront de prendre les choses en main et de faire justice eux-mêmes.

Cet argument m'a définitivement convaincue. Pas de police.

— Bon. Alors, il faut se débarrasser de lui.

Fini de plaisanter. Il était temps de passer aux choses sérieuses.

— Comment va-t-on s'y prendre ? ai-je ajouté.

Alcide était un homme pragmatique. Trouver des solutions aux problèmes, même les plus importants, faisait partie de son quotidien.

— On va l'abandonner sur un terrain vague ou dans la forêt. Mais, d'abord, il faut le descendre dans mon pick-up, a-t-il expliqué après avoir réfléchi un instant. Et pour ça, il faut l'envelopper dans quelque chose.

— Le rideau de douche, ai-je aussitôt suggéré, en hochant la tête en direction de la petite salle de bains. Euh... on ne pourrait pas refermer la penderie et discuter de ça ailleurs ?

— Si, si, bien sûr.

Alcide semblait soudain aussi pressé que moi de s'arracher à cette contemplation plutôt macabre.

Nous sommes donc allés dans le salon pour faire une petite réunion d'organisation. Mais, priorité des priorités, j'ai éteint le chauffage et ouvert toutes les fenêtres pour essayer de chasser l'odeur. Le cadavre n'avait pas révélé sa présence plus tôt parce qu'Alcide appréciait la fraîcheur et que la porte était assez étanche. Cependant, il était devenu indispensable d'évacuer l'odeur légère mais insistante.

— Je ne crois pas que je réussirai à le porter sur cinq étages, a dit Alcide. Il va falloir faire au moins un bout du trajet en ascenseur. Ce sera la partie la plus risquée de l'expédition.

Nous avons discuté longuement, répétant et peaufinant inlassablement notre plan. Par deux fois, Alcide m'a demandé si j'allais bien. Chaque fois, je l'ai rassuré. J'ai fini par comprendre qu'il avait peur que je ne pique une crise de nerfs ou que je ne m'évanouisse.

Je lui ai mis les points sur les *i*.

— Je n'ai jamais pu trop me permettre de faire la délicate. Et ce n'est pas dans ma nature.

S'il pensait que j'allais réclamer mes sels ou le supplier de me protéger du grand méchant loup, il était mal tombé. Ce n'était pas franchement le genre de la dame.

J'étais peut-être fermement résolue à garder mon sang-froid, je n'en étais pas pour autant d'un calme olympien. J'étais même tellement nerveuse que j'ai failli arracher directement le rideau en plastique de ses anneaux. *Lentement mais sûrement,* me suis-je répété avec intensité. *Respire. Inspiration, expiration. Décrocher le rideau. Aller l'étaler sur le sol de l'entrée...*

Le rideau de douche était bleu et vert, avec des petits poissons jaunes qui nageaient paisiblement en rangs réguliers.

Alcide était descendu au parking pour approcher son pick-up au plus près de la cage d'escalier. Il a eu la bonne idée de rapporter une paire de gros gants de chantier. Tout en les enfilant, il a respiré un grand coup (peut-être pas très indiqué, vu la proximité du corps). Une expression d'inflexible détermination sur le visage, il a ouvert la penderie, saisi le cadavre par les épaules et l'a tiré vers lui.

Le résultat de la manœuvre a dépassé nos espérances. Le motard a basculé d'un bloc, forçant Alcide à se jeter sur le côté pour l'éviter. Après avoir heurté de plein fouet le comptoir de la cuisine, il est retombé en plein sur le rideau de douche.

— Waouh! ai-je murmuré en constatant l'effet produit. Il est bien tombé...

Alcide et moi avons échangé un signe de tête résolu, avant de nous agenouiller chacun à une extrémité du cadavre. Parfaitement coordonnés, nous avons d'abord rabattu un pan du rideau, puis l'autre. Une fois la tête du mort disparue, nous nous sommes détendus légèrement. Alcide avait aussi rapporté du ruban adhésif industriel (les vrais hommes ont toujours du ruban adhésif dans leur pick-up), et nous nous en sommes servis pour enfermer le corps dans le rideau. Ensuite, nous avons replié les bouts qui dépassaient avant de les coller avec le ruban. Par chance, quoique baraqué, le loup-garou n'était pas très grand.

Nous nous sommes relevés en même temps et nous sommes accordé un petit moment de répit. C'est Alcide qui s'est ressaisi le premier.

— On dirait un gros *burrito* vert, a-t-il platement lâché.

J'ai dû plaquer une main sur ma bouche pour réprimer une crise de fou rire. J'ai vu la stupeur se peindre sur le visage d'Alcide. Il me dévisageait au-dessus du cadavre emmailloté, déconcerté par ma réaction. Puis, tout à coup, il a éclaté de rire.

Après quelques minutes d'hystérie partagée, nous avons fini par nous calmer.

— Prêt pour la phase deux ? lui ai-je lancé.

Il a acquiescé d'un hochement de tête. J'ai enfilé mon manteau et je me suis faufilée entre le cadavre et Alcide pour gagner la porte d'entrée. Une fois dehors, j'ai fermé la porte de l'appartement d'un geste vif, au cas où quelqu'un passerait à ce moment-là, et j'ai rejoint l'ascenseur.

À l'instant même où j'appuyais sur le bouton, un homme a tourné le coin du couloir pour venir se planter à côté de moi. Peut-être était-ce quelqu'un de la famille de la vieille Mme Osburgh. Ou peut-être un des sénateurs, qui s'était payé un vol express pour Jackson. En tout cas, il devait avoir la soixantaine bien tassée, il était tiré à quatre épingles et trop poli pour ne pas se sentir obligé de me faire la conversation.

— Il fait froid aujourd'hui, n'est-ce pas ?

— Oui. Mais moins qu'hier, ai-je répondu.

Les yeux rivés sur la porte de l'ascenseur, je priais pour qu'elle s'ouvre.

— Vous venez d'emménager ?

Jamais les bonnes manières d'un homme affable ne m'avaient autant tapé sur les nerfs.

— Non, je suis juste en visite.

J'avais dit ça d'un ton glacial, dans l'espoir de lui faire comprendre que le sujet était clos. Peine perdue.

— Oh ! s'est-il exclamé joyeusement. Chez qui ?

Heureusement, l'ascenseur a choisi ce moment-là pour arriver. La porte s'est ouverte juste à temps pour éviter à ce concentré de bonne éducation sur pattes de se faire égorger. Il m'a invitée à le précéder d'un geste de la main. Mais j'ai reculé d'un bond en m'écriant :

— Oh mince ! J'ai oublié mes clés !

J'ai fait brusquement volte-face et me suis dirigée au pas de charge vers l'appartement voisin de celui d'Alcide, celui dont il m'avait dit qu'il était inoccupé. J'ai frappé à la porte. J'ai alors entendu l'ascenseur s'éloigner et j'ai poussé un long soupir de soulagement.

Quand j'ai estimé que Monsieur Pot-de-colle avait eu le temps de récupérer sa voiture et de sortir du parking (à moins qu'il n'ait tenu la jambe au gardien), j'ai rappelé l'ascenseur. On était samedi, et il était impossible de prévoir l'emploi du temps des gens. D'après Alcide, la plupart des appartements avaient été achetés par des investisseurs qui les louaient à des députés et des sénateurs, lesquels étaient sans doute déjà partis en vacances de Noël. En revanche, les locataires à l'année devaient bel et bien être là. Et leurs déplacements seraient d'autant plus imprévisibles que c'était le week-end – l'avant-dernier week-end avant les fêtes, qui plus est.

Quand l'ascenseur grinçant et crissant est revenu au cinquième, il était vide. Je suis retournée à toute vitesse frapper au 504, avant de me précipiter vers la porte de l'ascenseur pour le retenir. Précédé par les jambes du cadavre, Alcide est sorti de l'appartement. Il a parcouru la distance qui le séparait de l'ascenseur très rapidement, malgré le corps sur son épaule.

C'était le moment le plus risqué. Le fardeau d'Alcide ne ressemblait à rien d'autre qu'à un cadavre enveloppé dans un rideau de douche. Le plastique atténuait un peu l'odeur, mais elle était tout de même perceptible, surtout dans un espace aussi réduit. Nous avons descendu un étage sans encombre. Puis un autre. Au troisième, nos nerfs ont lâché. J'ai arrêté l'ascenseur qui, à notre grand soulagement, s'est ouvert sur un couloir désert. J'ai couru jusqu'à la porte de l'escalier, que j'ai tenue ouverte pour Alcide. Je suis passée la première, dévalant les marches pour aller jeter un coup d'œil à travers la vitre qui donnait sur le parking.

— Stop! ai-je lancé en levant la main.

Une femme d'une quarantaine d'années et une adolescente se disputaient vigoureusement, tout en sortant des paquets du coffre d'une Toyota d'une blancheur immaculée. La fille avait été invitée à une soirée. Non, disait la mère.

Mais toutes ses amies y seraient! Non, disait la mère.

Mais toutes les autres mères avaient dit oui! Non, disait la mère.

Faites qu'elles ne prennent pas l'escalier! ai-je prié intérieurement.

Ma prière a été exaucée: la dispute s'est poursuivie dans l'ascenseur. Et j'ai clairement entendu la fille interrompre sa plaidoirie assez longtemps pour s'exclamer : « Pouah ! Ça schlingue, là-dedans ! », juste avant que la porte ne se referme.

— Qu'est-ce qui se passe ? a murmuré Alcide d'une voix inquiète.

— Rien. On va attendre un peu, au cas où.

Le silence a perduré. Je suis entrée dans le parking et me suis précipitée vers le pick-up d'Alcide, en lançant des regards autour de moi pour m'assurer qu'il n'y avait personne. Le gardien ne pouvait pas nous voir, sa guérite étant en bas de la rampe d'accès.

J'ai déverrouillé l'arrière du pick-up. Ça tombait bien, il disposait d'un couvre-benne. Après avoir une nouvelle fois balayé les alentours d'un œil prudent, je suis retournée vers l'escalier et j'ai frappé discrètement à la porte. J'ai attendu une seconde avant de l'ouvrir, pour laisser le temps à Alcide de se préparer.

Il a surgi de sa cachette comme un diable de sa boîte et a foncé vers son pick-up plus vite que je ne l'aurais cru possible, lesté d'un tel poids mort. Il a fallu pousser de toutes nos forces pour faire entrer le cadavre, mais nous avons fini par y arriver. Avec un immense soulagement, nous avons claqué et verrouillé le hayon.

— Phase deux terminée, a soufflé Alcide.

Parcourir les rues d'un centre-ville un samedi après-midi, à quinze jours de Noël, avec un cadavre dans sa voiture, est un excellent exercice pour tester son niveau de paranoïa.

— Surtout, tu respectes bien le code de la route, hein ? lui ai-je rappelé, incapable de contenir ma nervosité.

— OK, OK, grognait-il, manifestement aussi nerveux que moi.

— Tu ne trouves pas que ces gens, là, dans le Jimmy, nous regardent bizarrement ?

— Mais non, mais non.

Ce n'était pas avec ce genre de commentaires que j'allais détendre l'atmosphère. Mieux valait que je me taise. Et c'est ce que j'ai fait. Nous avons repris l'autoroute qui nous avait menés à Jackson et nous avons roulé jusqu'à ce nous nous retrouvions en rase campagne.

— Ça me paraît bien, là, non? a dit Alcide, au moment où un panneau annonçait la sortie «Bolton».

J'ai acquiescé. De toute façon, je ne crois pas que j'aurais pu tenir encore longtemps à rouler comme ça, avec un cadavre à l'arrière. Entre Jackson et Vicksburg, le terrain est plutôt plat, avec de l'open-field interrompu par de rares bayous, et ce coin-là en était un exemple type. Nous avons quitté l'autoroute pour filer vers les bois. Au bout de quelques kilomètres, Alcide a tourné à droite, sur une petite route qui aurait dû être refaite depuis des années. Des arbres bordaient de part en part ce vieux ruban gris cahoteux et le triste ciel d'hiver ne laissait aucune chance au soleil de percer. Il faisait sombre et froid, et j'ai frissonné dans la cabine.

— On va bientôt s'arrêter, m'a annoncé Alcide.

J'ai opiné d'un hochement de tête nerveux. Une petite route étroite s'enfuyait sur la gauche. J'ai tendu l'index dans cette direction. Alcide a freiné. Nous avons inspecté les alentours en silence, avant d'échanger un regard satisfait. Alcide s'est engagé sur le chemin en marche arrière. Plus nous nous enfoncions dans les bois, plus je me félicitais de notre choix. Pour commencer, cette route-là avait été gravillonnée récemment, et le pick-up ne laisserait pas de traces de pneus. Ensuite, ça ne m'aurait pas étonnée que cette chaussée rudimentaire ne mène qu'à un vulgaire cabanon de chasse, et il avait peu de chances d'être occupé, étant donné que la saison de la chasse était terminée.

J'avais vu juste. Après avoir cahoté sur quelques dizaines de mètres, nous avons repéré une pancarte clouée sur un tronc: « Camp de Kiley-Odum. Propriété privée. Défense d'entrer. »

Nous avons continué à reculer. Alcide conduisait très lentement, l'œil rivé au rétroviseur.

— Ici, a-t-il brusquement décidé, après s'être suffisamment enfoncé dans les bois pour que le pick-up ne soit plus visible de la route.

Il a serré le frein à main.

— Écoute, Sookie, a-t-il repris, tu n'es pas obligée de m'aider. Tu peux rester à l'intérieur.

— Ça ira plus vite à deux.

Il a essayé de me faire le coup du regard noir, mais je lui ai fait celui du visage de marbre et, finalement, c'est lui qui a cédé.

— Bon, d'accord. Finissons-en.

Dehors, l'air était glacial et chargé d'humidité. Si vous restiez plus de deux minutes sans bouger, vous étiez transi jusqu'aux os. La température était en train de plonger, et le beau soleil de la matinée n'était plus qu'un lointain souvenir: le jour rêvé pour se débarrasser d'un cadavre. Alcide a ouvert le hayon, nous avons tous les deux enfilé des gants puis nous avons empoigné le long paquet vert et bleu. Les petits poissons jaunes avaient quelque chose d'obscène dans la pénombre du sous-bois glacé.

— À trois, tire de toutes tes forces, m'a recommandé Alcide.

Nous avons réussi à sortir la moitié du chargement d'un coup. L'une des extrémités dépassait de la benne et le spectacle était troublant.

— Prête? On recommence. Un, deux, trois!

Une fois de plus, j'ai tiré de mon mieux. Entraîné par son propre poids, le corps a basculé hors du véhicule pour atterrir sur la route.

Nous aurions pu nous arrêter là et filer sans demander notre reste. Et ça ne m'aurait pas déplu. Mais nous avions décidé de remporter le rideau de douche : nous avions très bien pu laisser des empreintes sur le plastique ou sur le ruban adhésif. Sans parler des multiples traces microscopiques (je ne regarde pas Discovery Channel pour des prunes).

Comme Alcide avait un couteau suisse, je lui ai laissé le privilège de déballer le cadavre. Je me suis contentée de tenir un sac-poubelle ouvert pour qu'il y jette les bouts de plastique au fur et à mesure. J'ai bien essayé de ne pas regarder, mais, évidemment, je n'ai pas pu m'en empêcher. Disons simplement que l'état du corps ne s'était pas vraiment amélioré.

L'affaire a été terminée plus vite que je ne le pensais. Je me retournais déjà, prête à monter dans le pick-up, quand j'ai remarqué l'attitude étrange d'Alcide : il était resté figé sur place, le visage levé vers le ciel, les narines dilatées. On aurait dit qu'il humait la forêt.

Il a dû deviner ma perplexité.

— C'est la pleine lune ce soir, a-t-il annoncé.

Un tressaillement a semblé parcourir son corps tout entier. Quand il a posé les yeux sur moi, je les ai trouvés bizarres. Ils n'avaient pas changé de couleur, ni de forme, mais j'avais l'impression que quelqu'un d'autre que le Alcide que je connaissais me regardait à travers eux.

Tout à coup, je me suis sentie terriblement seule, dans ces bois. Mon petit camarade venait de prendre subitement une toute nouvelle dimension. J'ai successivement réprimé plusieurs impulsions contradictoires: hurler, éclater en sanglots, ou m'enfuir. Je lui ai adressé mon plus beau sourire et j'ai patiemment attendu. Après un long (très long) moment de silence pesant (très pesant), Alcide s'est enfin décidé à parler.

— Allons-y.

Ouf! Je n'étais pas mécontente de retrouver la sécurité du pick-up.

— De quoi est-il mort, d'après toi? lui ai-je demandé, après avoir laissé suffisamment de temps à Alcide pour qu'il recouvre sa normalité.

— On a dû lui tordre le cou, a répondu Alcide. Mais je ne comprends pas comment on a pu entrer dans l'appartement. Je suis sûr d'avoir fermé la porte à clé en rentrant, hier soir. J'en suis certain. Et la porte était bien fermée ce matin.

J'ai essayé de trouver une explication plausible. En vain. Puis je me suis demandé de quoi on mourait, exactement, quand on vous tordait le cou. En définitive, j'ai estimé qu'il y avait plus réjouissant comme sujet de réflexion.

Sur le trajet, nous avons fait un arrêt au Wal-Mart. Un samedi et à une date si proche de Noël, c'était une véritable fourmilière. En voyant tous ces gens courir partout, je me suis rappelé que je n'avais rien acheté pour Bill.

Et tout à coup, j'ai eu l'impression qu'on me broyait le cœur. Je venais de prendre conscience que je ne lui achèterais peut-être jamais de cadeau de Noël. Ni cette année, ni jamais.

Il nous fallait du désodorisant, un produit pour nettoyer les taches de sang sur la moquette et un nouveau rideau de douche. J'ai mis un mouchoir sur mon chagrin d'amour et j'ai accéléré le pas, la tête haute et la démarche plus déterminée que jamais. Alcide m'a laissée choisir le rideau de douche. C'est idiot, mais ça m'a amusée. Il a payé en liquide. De cette façon, il n'y aurait aucune trace de notre passage.

En remontant dans le pick-up, j'ai soudain pensé à vérifier l'état de mes faux ongles vernis: ils étaient impeccables. Puis je me suis dit qu'il fallait vraiment être un monstre pour se préoccuper de telles futilités moins d'un quart d'heure après avoir balancé le corps d'un type qui s'était fait trucider. Pendant quelques minutes, je suis restée assise à me mépriser copieusement.

J'ai fini par en parler à Alcide. Il me semblait plus abordable, maintenant que nous étions de retour dans le monde civilisé et que notre passager silencieux ne nous accompagnait plus.

— Écoute, ce n'est pas toi qui l'as tué, m'a-t-il fait remarquer. Euh... j'ai tort? C'est toi qui l'as tué?

J'ai plongé les yeux dans son regard vert. Sa question ne m'étonnait pas vraiment.

— Non, certainement pas. Et de ton côté?

— Non.

J'ai clairement vu à son expression qu'il attendait cette question de ma part aussi. Mais l'idée ne m'avait même pas effleurée. Je n'avais jamais soupçonné Alcide. Quelqu'un avait pourtant bel et bien assassiné ce loup-garou. Pour la première fois, je me suis demandé qui pouvait bien avoir caché ce cadavre dans la penderie. Jusqu'à présent, je m'étais contentée de chercher le meilleur moyen de le faire disparaître.

— Qui a la clé de l'appartement?

— Mon père et moi, c'est tout. Ah! Et la femme de ménage qui s'occupe de la plupart des appartements de l'immeuble. Mais c'est le régisseur de l'immeuble qui la lui remet quand elle en a besoin.

Nous avons fait le tour du bâtiment pour aller jeter notre sac-poubelle dans les containers du supermarché.

— Ça ne fait pas grand monde.

— Non, mais je sais que mon père est à Jackson. On s'est téléphoné ce matin. Quant à la femme de ménage, elle ne vient que si on laisse un message au régisseur. Il l'appelle, il lui donne la clé, et elle la lui rend quand elle a fini son travail.

— Et le gardien du parking ? Il est de service toute la nuit ?

— Oui. C'est notre seule sécurité contre les personnes de l'extérieur qui pourraient s'introduire dans l'immeuble par le parking. Tu es toujours passée par là, mais il y a une entrée principale qui donne sur la rue, sur le devant de l'immeuble. Ces portes-là sont verrouillées vingt-quatre heures sur vingt-quatre. Il n'y a pas de concierge, ni de vigile. Mais il faut une clé spéciale pour les franchir.

— Donc, si quelqu'un a réussi à tromper la vigilance du gardien, il a pu prendre l'ascenseur jusqu'à ton appartement sans être inquiété.

— C'est certain.

— Mais il aurait fallu que ce quelqu'un force ta serrure.

— Et il se serait trimbalé avec un cadavre, qu'il aurait planqué dans la penderie ? Ça paraît difficile à croire.

— C'est pourtant bien ce qui s'est passé. Et... euh... est-ce que tu n'aurais pas donné un double de la clé à Debbie ? Quelqu'un aurait pu prendre la sienne.

J'avais essayé de prendre un ton détaché. Ça n'a pas dû très bien marcher.

— Si, je lui ai donné un double, a admis Alcide, les dents serrées, après un long silence.

175

Je me suis mordu la lèvre pour ne pas poser la question que j'avais sur le bout de la langue.

— Et non, je ne l'ai pas récupéré, a-t-il ajouté.

Voilà qui répondait à ma question.

Sans doute pour essayer de détendre l'atmosphère, Alcide a alors proposé que nous nous arrêtions pour un déjeuner tardif. Curieusement, je mourais de faim.

Nous avons déjeuné au *Hal and Mal's*, près du centre-ville. C'était un ancien hangar, et les tables étaient suffisamment espacées pour que nous puissions discuter librement sans que nos voisins s'empressent d'appeler la police.

— Je n'arrive pas à imaginer que quelqu'un ait pu se balader dans l'immeuble avec un cadavre sans se faire repérer, ai-je confié à Alcide.

— C'est pourtant ce qu'on vient de faire, m'a-t-il rappelé. Ça a dû se passer entre 2 et 7 heures du matin. On dormait déjà à 2 heures, non ?

— Plutôt 3, si on compte la petite visite d'Eric.

Nos regards se sont croisés. Eric. Eurêka !

— Mais pourquoi aurait-il fait une chose pareille ? Il est dingue de toi à ce point-là ? a lâché Alcide.

— Euh... pas à ce point-là, ai-je bredouillé, gênée.

— Oh ! Mais il aimerait bien te mettre dans son lit.

J'ai hoché la tête, sans le regarder.

— Remarque, ce n'est pas moi qui lui jetterais la pierre, a-t-il marmonné à mi-voix.

J'ai préféré détourner la conversation.

— Tu es toujours accro à Debbie et tu le sais très bien.

Nous nous sommes de nouveau regardés. Autant crever l'abcès tout de suite.

176

— Tu lis dans mes pensées encore mieux que je ne l'imaginais, a-t-il constaté.

Il avait soudain l'air malheureux comme les pierres.

— Mais ce n'est pas… Pourquoi je tiens à elle comme ça ? Ce n'est même pas une fille pour moi. Alors que toi, je t'aime vraiment beaucoup.

— Merci, ai-je posément répondu, en lui adressant un vrai sourire. Moi aussi, je t'aime vraiment beaucoup.

— On serait bien mieux ensemble qu'avec les deux énergumènes qu'on fréquente, a-t-il conclu.

C'était incontestable.

— Oui. Je serais heureuse avec toi.

— Et je serais heureux de partager mes journées avec toi.

— Mais on dirait bien qu'on n'en prend pas le chemin.

— Non, a-t-il soupiré. Je crains que non.

La jeune serveuse nous a apporté l'addition avec un sourire rayonnant, en veillant bien, en partant, à ce qu'Alcide puisse apprécier ses fesses rondes et fermes étroitement moulées dans son jean.

— La seule chose qu'il me reste à faire, a-t-il finalement déclaré, c'est de réussir à m'arracher Debbie de la tête. Une fois que j'en serai délivré, j'irai frapper à ta porte, le jour où tu t'y attendras le moins. Et j'espère que, d'ici là, tu auras fait une croix sur ton vampire.

— Et nous serons heureux jusqu'à la fin de nos jours ? lui ai-je demandé en riant.

Il a hoché la tête.

— Eh bien, ça nous donne déjà de l'espoir pour l'avenir, lui ai-je répondu.

8

J'étais si fatiguée, quand nous sommes arrivés à l'appartement, que je n'étais plus bonne qu'à dormir. Je venais de passer l'un des plus longs jours de ma vie. Et ce n'était que le milieu de l'après-midi.

Mais il nous restait encore quelques corvées ménagères à faire. Pendant qu'Alcide suspendait le nouveau rideau de douche, j'ai nettoyé la moquette dans la penderie et ouvert un des désodorisants, que j'ai placé sur l'étagère. Nous avons fermé toutes les fenêtres, monté le chauffage à fond, et, les yeux dans les yeux, nous nous sommes mis à renifler comme des chiens à l'affût.

Pas d'odeur suspecte à signaler. Nous avons poussé en chœur un soupir de soulagement.

— On vient de faire un truc franchement illégal, et tout ce que j'éprouve, c'est la satisfaction qu'on s'en soit sortis, ai-je déploré, gênée par mon manque flagrant de moralité.

— Tu ne vas quand même pas te reprocher de ne pas te sentir coupable ! a répliqué Alcide. Ne t'inquiète pas, l'occasion d'avoir des remords se présentera bien assez tôt. Ce n'est pas ce qui manque, dans la vie.

Son conseil m'a paru si sensé que j'ai décidé de l'appliquer. Du coup, je lui ai annoncé que j'allais faire une petite sieste.

— Ça me permettra d'être à peu près opérationnelle ce soir.

Il valait mieux avoir toute sa présence d'esprit quand on s'aventurait sur le territoire des vampires...

— Excellente idée, a approuvé Alcide.

Et il a haussé un sourcil interrogateur avec un air entendu. J'ai éclaté de rire, avant de secouer fermement la tête. J'ai regagné la chambre d'amis, fermé la porte et ôté mes chaussures. Je me suis laissée tomber sur le lit avec un sentiment de bonheur absolu. Au bout d'un moment, j'ai attrapé le bord du couvre-lit pour m'enrouler dedans. Avec le silence qui régnait dans l'appartement et le chauffage enfin à température, il ne m'a pas fallu cinq minutes pour m'endormir.

Je me suis réveillée en sursaut, l'esprit alerte et les idées étonnamment claires. Il y avait quelqu'un d'étranger dans l'appartement. Je l'ai immédiatement senti – à moins que je n'aie entendu frapper à la porte dans mon demi-sommeil ou perçu les grondements sourds des voix dans le salon. Je me suis levée sans bruit et j'ai marché pieds nus jusqu'à la porte. J'ai collé l'oreille contre le battant.

— Jerry Falcon est passé me voir dans la nuit, disait une grosse voix rauque.

— Je ne le connais pas, a répondu Alcide.

Il avait l'air calme, bien que méfiant.

— Il a prétendu qu'il avait eu des ennuis au *Josephine's* à cause de toi, hier soir.

— À cause de moi? Si c'est le type qui s'en est pris à ma cavalière, il s'est attiré des ennuis tout seul!

— Raconte-moi ce qui s'est passé.

— Il a profité de ce que j'étais aux toilettes pour draguer mon amie. Et quand elle l'a repoussé, il l'a malmenée.

— Il l'a blessée ?

— Il l'a secouée et il l'a griffée à l'épaule jusqu'au sang.

— Un outrage de sang ?

La voix de l'étranger était soudain devenue d'une gravité de mauvais augure.

— Oui.

Donc, les griffures sur mon épaule constituaient une offense ? Un « outrage de sang » ?

— Ensuite ?

— Quand je suis sorti des toilettes, je l'ai remis à sa place. Puis Hob est intervenu.

— D'où les brûlures.

— Oui. Hob l'a jeté dehors par la sortie de secours. C'est la dernière fois que je l'ai vu. Vous dites qu'il s'appelle Jerry Falcon ?

— Oui. Il est venu directement chez moi, après que lui et ses gars ont quitté le club.

— Edgington a été obligé d'intervenir. Ils étaient sur le point de nous sauter dessus.

— Edgington était là ?

La voix de basse semblait très agitée.

— Oui. Avec son petit ami.

— Comment Edgington s'est-il retrouvé impliqué dans cette histoire ?

— Il leur a dit de partir. En tant que roi, et comme ils travaillent pour lui de temps à autre, il s'attendait à être obéi. Mais l'un d'entre eux, un petit morveux, a voulu jouer les rebelles. Edgington lui a brisé la jambe et a ordonné aux autres de le faire sortir. Je suis désolé que l'ordre public ait été perturbé sur vos terres, Terence. Mais je n'y suis pour rien.

— Tu jouis des privilèges de l'invité, dans notre meute, Alcide. Et nous te respectons. Quant à ceux qui louent leurs services aux vampires, eh bien... ce ne sont pas nos meilleurs éléments. Mais Jerry est leur leader et il a été humilié devant les siens. Combien de temps comptes-tu rester dans notre ville ?

— Juste cette nuit.

— Et c'est la pleine lune.

— Oui, je sais. J'essaierai de garder un profil bas.

— Que vas-tu faire ce soir ? Tenter d'éviter la mutation ou venir chasser avec moi sur mes terres ?

— Je vais m'arranger pour me soustraire à l'influence de la lune et tout faire pour éviter les problèmes.

— Dans ce cas, tu éviteras aussi d'aller au *Josephine's*.

— Malheureusement, Russell nous a pratiquement fait promettre de revenir ce soir. Comme mon amie avait passé une mauvaise soirée, il a mis un point d'honneur à l'inviter personnellement.

— Le *Club Dead* une nuit de pleine lune, Alcide. Ce n'est pas raisonnable.

— Mais je n'ai pas d'autre choix. C'est Russell qui mène la danse dans cet État.

— Je comprends, mais méfie-toi. Si tu vois Jerry Falcon là-bas, garde tes distances. Ce sont mes terres, Alcide. C'est moi le chef de meute, ici.

La grosse voix grondait d'autorité.

— Je comprends, Terence.

— Bien. Maintenant que Debbie et toi avez rompu, j'espère qu'on ne te reverra pas rôder par ici de sitôt. Je n'ai rien contre toi, Alcide, mais il faut laisser les choses se tasser un peu. Jerry est une tête brûlée. S'il peut te blesser sans déclencher un affrontement, il le fera.

— C'est lui qui a commis l'outrage de sang, Terence.

— Je sais, mais sa longue association avec les vampires lui est montée à la tête. Il se croit supérieur aux autres et au-dessus des lois de la meute. Il est venu me voir, comme il se doit, mais seulement parce qu'à ses yeux Edgington l'avait trahi en vous soutenant, toi et ton amie.

Jerry n'enfreindrait plus les lois de la meute. Jerry gisait dans les bois à plus de cinquante kilomètres à l'ouest d'ici.

Un petit coup contre ma fenêtre m'a fait sursauter. Je suis allée ouvrir les stores. Il faisait déjà noir dehors. Pendant que je dormais, la nuit était tombée.

C'était Eric. J'ai aussitôt porté un doigt à mes lèvres, en espérant que personne ne levait les yeux dans la rue à ce moment-là. Ça n'avait pas l'air de préoccuper beaucoup Eric, qui m'a souri et m'a fait signe d'ouvrir la fenêtre. J'ai secoué la tête en renouvelant mon geste, qui l'incitait clairement à la discrétion. Si je le laissais entrer maintenant, Terence nous entendrait, et ma présence serait découverte. Je savais d'instinct que Terence ne serait pas ravi d'apprendre qu'une oreille étrangère l'avait écouté. J'ai regagné mon poste sur la pointe des pieds pour écouter. Terence prenait congé. J'ai jeté un coup d'œil vers la fenêtre. Eric m'observait à travers la vitre avec le plus grand intérêt. J'ai levé un doigt pour lui signifier que je serais à lui dans une minute.

J'ai entendu la porte d'entrée se fermer. Quelques instants plus tard, Alcide venait frapper à la mienne. Je l'ai fait entrer dans ma chambre, tout en espérant que je n'avais pas le visage trop chiffonné par le sommeil.

— J'ai entendu la plus grande partie de la conversation, lui ai-je immédiatement avoué. Je suis désolée d'avoir écouté aux portes, mais j'ai cru comprendre que ça me concernait un peu. Et... euh... Eric est là.

— Je vois, a répondu Alcide d'un ton qui manquait d'enthousiasme. J'imagine que je ne peux pas le laisser dehors plus longtemps.

Sans plus attendre, il est allé ouvrir la fenêtre.

— Entrez, Eric.

Eric portait un costume, une cravate, des lunettes sombres, et il avait noué ses cheveux en queue de cheval.

Je me suis éclairci la voix.

— Hum... c'est une tenue de camouflage ?

— Exactement, m'a-t-il répondu fièrement. Qu'en dis-tu, Sookie ? À quoi je ressemble ?

— À Eric, et en costume pour une fois.

— Il te plaît, mon costume ?

— Beaucoup.

Je n'y connais pas grand-chose en mode masculine, mais j'étais prête à parier que le costume trois pièces couleur bronze et parfaitement coupé devait coûter ce que je gagnais en deux semaines. Voire quatre. Je n'aurais peut-être pas choisi cette couleur pour un homme aux yeux bleus, mais je devais bien admettre qu'Eric était époustouflant. Si *GQ* décidait de sortir un numéro spécial vampires, il pourrait sans problème faire la couverture.

— Qui t'a fait cette coiffure ?

Je venais seulement de remarquer qu'on lui avait tressé les cheveux d'une façon compliquée, mais très élégante.

— Oh oh ! Jalouse ?

— Non. Je me disais juste que j'aimerais bien qu'on m'apprenne à en faire autant sur moi.

Lassé de nos fascinants échanges, Alcide commençait à donner des signes d'impatience.

— À quoi vous avez voulu jouer exactement, en abandonnant un cadavre dans mon placard?

J'ai rarement vu Eric chercher ses mots, mais là, il est resté muet pendant une bonne trentaine de secondes.

— Un cadavre? Ne me dites pas que c'était Bubba!

À notre tour de rester bouche bée. Alcide parce qu'il ignorait tout de Bubba, et moi parce que je me demandais ce qui avait bien pu arriver au malheureux vampire hébété.

J'ai fait un rapide topo à Alcide pour qu'il comprenne de quoi il retournait.

— Ah! Ça explique toutes les apparitions mystérieuses, s'est-il exclamé en secouant la tête. Bon sang! C'était donc vrai!

— Les vampires de Memphis voulaient le garder, mais c'était impossible, lui a expliqué Eric. Il ne cessait d'essayer de rentrer chez lui, ce qui provoquait des incidents. Alors, nous avons commencé à l'héberger chacun à notre tour.

— Et maintenant, vous l'avez perdu, a terminé Alcide, qui semblait plus amusé que réellement préoccupé par le problème d'Eric.

— Les copains du type qui a attaqué Sookie à Bon Temps ont très bien pu s'en prendre à Bubba, a déclaré Eric.

Il a ponctué sa tirade en tirant légèrement sur sa veste. Il s'est examiné avec une satisfaction manifeste, puis il a ajouté:

— C'était qui, dans le placard, au fait?

— Un motard qui a agressé Sookie hier soir, lui a répondu Alcide. Il l'a draguée un peu trop lourdement pendant que j'étais parti aux toilettes.

— Il l'a agressée ?

— Griffée, plus exactement. Un outrage de sang, a précisé Alcide, presque solennel.

— Tu ne m'en as pas parlé, la nuit dernière, m'a dit Eric en levant un sourcil.

— Je n'en avais pas envie.

Je n'aimais pas le ton que prenait la conversation. Je me suis empressée de dédramatiser.

— Et puis, je n'allais pas faire une histoire pour trois gouttes de sang, ai-je ajouté.

— Montre-moi ta blessure.

J'ai levé les yeux au ciel. Mais je savais qu'Eric n'en démordrait pas. J'ai fait glisser mon pull – c'était un vieux pull, l'encolure était détendue – et ma bretelle de soutien-gorge sur mon épaule.

Des croûtes en arc de cercle avaient remplacé les profondes entailles, mais ma peau était rouge et gonflée. J'avais pourtant pris soin de bien nettoyer les plaies avant de me coucher. Vu le nombre de bactéries qu'il devait y avoir sous les ongles du motard, c'était plus prudent.

— Tu vois, rien de grave, ai-je commenté. J'étais surtout en colère, mais je n'ai pas vraiment eu peur et il ne m'a pas fait grand-chose.

Eric ne quittait pas mon épaule des yeux. Comme je remontais mon pull, il s'est enfin tourné vers Alcide.

— Et vous avez retrouvé l'agresseur de Sookie mort dans votre placard ?

— Exactement. Ça faisait déjà plusieurs heures qu'il était mort.

— De quoi ?

— Il n'a pas été mordu. Il semblait avoir la nuque brisée, ai-je répondu. Mais on n'a pas regardé de trop près non plus. Donc, ce n'est pas toi qui l'as supprimé ?

— Non. Quoique je l'eusse fait avec un immense plaisir.

J'ai préféré ne pas m'appesantir sur le sujet.

— Bon. Alors, qui l'a mis là ? ai-je repris pour relancer le débat.

— Et pourquoi ? a renchéri Alcide.

— Serait-ce trop indiscret de ma part de vous demander où il se trouve à l'heure qu'il est ? s'est enquis Eric.

On aurait dit un vieux maître d'école indulgent interrogeant deux gamins qui ont fait une grosse bêtise.

Alcide et moi nous sommes consultés du regard.

— Euh... eh bien... ai-je vaguement bredouillé.

Eric a flairé l'air comme un fin limier aux aguets.

— Le corps n'est plus là, en tout cas. Vous avez appelé la police ?

— Euh... eh bien... ai-je répété, guère plus inspirée. Non. En fait, on...

— On l'a... balancé dans la nature, a achevé Alcide.

La formule n'était peut-être pas des plus élégantes, mais il n'y avait pas grand-chose d'autre à dire.

Pour la deuxième fois de la soirée, Eric a semblé surpris.

— Tiens donc ! On ne manque pas d'initiative, à ce que je vois ! a-t-il commenté.

— On a pris nos précautions, lui ai-je assuré, d'une voix peut-être un petit peu trop tendue. On n'a pas laissé de traces.

Eric a souri (âmes sensibles s'abstenir).

— Mais j'imagine bien.

— Terence, le chef de meute de la région, est venu me voir aujourd'hui, lui a annoncé Alcide. Il sort d'ici, en fait. Et il ne savait pas que Jerry –

l'agresseur de Sookie – avait disparu. Jerry est allé se plaindre auprès de lui après s'être fait virer du club, hier soir. Il est allé lui dire que je lui avais fait du tort. L'essentiel, en ce qui nous concerne, c'est qu'il a été vu et entendu après la bagarre au *Josephine's*.

— Vous sortez de cette histoire lavés de tout soupçon, si je comprends bien ?

— C'est bien parti pour, en tout cas.

— Vous auriez dû brûler le corps. Vous auriez éliminé tout risque qu'on retrouve votre odeur sur le cadavre.

— Je ne crois pas qu'on puisse repérer notre odeur, ai-je objecté. Ça me paraît vraiment impossible. Je ne pense pas qu'on l'ait seulement touché une seule fois à mains nues.

Eric a interrogé Alcide du regard. L'intéressé a opiné du bonnet.

— Je suis d'accord avec elle, a-t-il dit. Et je suis un loup-garou.

Eric a haussé les épaules.

— Quoi qu'il en soit, je n'ai aucune idée de l'identité du tueur. De toute évidence, quelqu'un voulait vous faire accuser du meurtre.

— Dans ce cas, pourquoi ne pas avoir appelé les flics en leur disant qu'il y avait un cadavre planqué dans la penderie du 504 ?

— Bonne question, Sookie, à laquelle je ne peux pas répondre pour l'instant.

Eric semblait avoir brusquement perdu tout intérêt pour le sujet.

— Je serai au club, ce soir, a-t-il poursuivi. Si Russell s'étonne de ma présence, Alcide, vous lui direz que je suis un ami fraîchement arrivé à Jackson et que vous m'avez invité pour rencontrer Sookie, votre nouvelle fiancée.

— D'accord. Mais je ne comprends pas pourquoi vous voulez venir. C'est dangereux. Si un des vampires vous reconnaissait ?

— Je n'en connais aucun.

— Mais pourquoi prendre un tel risque ? ai-je demandé. Pourquoi tiens-tu tellement à y aller ?

— Je peux comprendre des choses que ni Alcide ni toi ne remarqueriez parce que vous n'êtes pas des vampires, nous a-t-il patiemment expliqué. Et maintenant, si vous voulez bien nous excuser un instant, Alcide... Sookie et moi avons une petite affaire à régler.

Alcide a cherché mon assentiment du regard, puis il a hoché la tête d'un air renfrogné, avant de quitter la pièce.

— Veux-tu que je soigne tes griffures ? m'a aussitôt proposé Eric.

J'ai pensé aux vilaines cicatrices boursouflées et aux fines bretelles de ma robe champagne, et j'ai bien failli dire oui. J'aurais nettement préféré ne pas avoir de marques. Puis je me suis ravisée.

— Et comment je pourrais l'expliquer, ce soir ? Il m'a agressée devant tout le bar... lui ai-je fait remarquer.

— Oui, bien sûr, tu as raison.

Eric secouait la tête, les yeux clos, comme s'il s'en voulait.

— Tu n'es ni un loup-garou ni une vampire. Comment aurais-tu pu guérir si vite, en effet ?

Il a alors pris ma main droite, l'a enfermée entre les siennes et l'a serrée étroitement. C'était tout à fait inattendu. Puis il m'a regardée droit dans les yeux.

— J'ai passé toute la région de Jackson au peigne fin, Sookie, m'a-t-il annoncé. J'ai fouillé les cimetières, les hangars déserts, les fermes isolées, tous

188

les endroits qui portaient la plus subtile odeur de vampire, toutes les propriétés qu'Edgington et ses sujets possèdent. Je n'ai trouvé aucune trace de Bill. J'ai bien peur qu'il ne faille nous rendre à l'évidence, Sookie : Bill est très probablement mort. Définitivement mort.

J'ai cru qu'on venait de me fracasser le crâne avec une massue. Mes jambes ont cédé. Si Eric n'avait pas été vif comme l'éclair, je me serais effondrée sur la moquette.

Eric s'est assis sur une chaise, dans un coin de la pièce, en me tenant dans ses bras comme un bébé.

— Je t'ai bouleversée, je suis désolé, a-t-il dit, l'air sincèrement navré. Je voulais être délicat et, au lieu de ça, je me suis montré...

— Brutal, ai-je murmuré en sentant deux larmes couler sur ma joue.

Il s'est empressé de les lécher. Quand ils ne peuvent pas avoir de sang, les vampires adorent tous les fluides corporels, et ça ne me gênait pas. J'étais contente qu'on m'offre du réconfort, même si c'était Eric. Tandis que je m'enfonçais dans le désespoir le plus noir, il en a profité pour réfléchir à haute voix :

— J'ai fouillé tous les endroits... sauf un : le domaine royal de Russell Edgington, sa propriété privée et ses dépendances. Il faudrait qu'il soit fou pour emprisonner un vampire sous son propre toit. Mais ça fait plus d'un siècle qu'il règne sur le Mississippi : il se pourrait qu'il pèche par excès de confiance. Je réussirais sans doute à franchir le mur d'enceinte, mais je n'en ressortirais pas. Son domaine est constamment surveillé par des patrouilles de loups-garous. Il est fort peu probable que nous parvenions à pénétrer à l'intérieur d'une telle forteresse. Et il est encore moins probable qu'Edgington nous y invite, sauf circonstances extrêmement particulières...

Il a laissé le temps à toutes ces informations de faire leur chemin dans mon esprit.

— Je crois que tu devrais me dire tout ce que tu sais du dossier sur lequel Bill travaillait.

— C'était pour ça, le « désolé » et les bras secourables ? me suis-je écriée, folle de rage. Tu voulais me faire parler ?

Je me suis relevée d'un bond, galvanisée par la colère.

Eric s'est redressé. Croyait-il m'impressionner en me dominant de toute sa hauteur ?

— Je pense que Bill est mort, Sookie, a-t-il répété, sans même essayer de prendre de gants, cette fois. Et j'essaie simplement de sauver ma peau. Et la tienne par la même occasion, imbécile femelle !

Il avait l'air aussi furieux que moi.

— Je vais le trouver, moi, Bill, ai-je tout à coup déclaré, en détachant bien les syllabes.

J'allais passer au crible toutes les pensées des humains présents dans le club, au besoin, mais j'allais dénicher des indices imparables et quelque chose se dénouerait. J'ai toujours été optimiste.

— Ne compte pas faire les yeux doux à Edgington, Sookie. Les femmes ne l'intéressent pas. Et si je flirtais avec lui, il se méfierait. Un vampire avec un vampire... c'est inhabituel. Edgington n'est pas tombé de la dernière pluie. Sinon, il ne serait pas arrivé là où il est. Son bras droit, Betty Joe, pourrait peut-être me trouver à son goût. Mais c'est une vampire aussi, et la même règle s'applique. Tu ne peux pas imaginer à quel point la fascination de Bill pour Lorena est étrange. En fait, c'est très mal vu pour un vampire de fréquenter un autre vampire. À nos yeux, cela tient presque du sacrilège.

J'ai délibérément ignoré ses dernières réflexions et lui ai demandé :

— Comment as-tu découvert tout ça sur Edgington ?

— J'ai rencontré une jeune vampire, hier soir. Son petit ami a été invité aux soirées qu'Edgington donne chez lui.

— Oh ! Elle a un petit ami bi ?

— C'est un loup-garou. J'en déduis qu'il est hybride à plus d'un titre...

— Je croyais que les vampires ne sortaient pas plus avec les loups-garous qu'avec ceux de leur propre espèce.

— C'est une petite perverse. Les jeunes aiment bien tenter de nouvelles expériences.

J'ai levé les yeux au ciel.

— Donc, si je te comprends bien, il faut que je me concentre sur la façon de parvenir à me faire inviter chez Edgington, puisque c'est le seul endroit, de tout Jackson, où Bill peut se trouver ?

— Il est peut-être retenu ailleurs dans la ville, a prudemment rectifié Eric. Mais je ne le pense pas.

Il a marqué une pause, avant d'ajouter :

— Et n'oublie pas, Sookie, qu'ils le retiennent depuis des jours, maintenant...

Quand il m'a regardée, j'ai vu de la pitié dans ses yeux.

Cela m'a terrifiée au-delà de tout ce que j'aurais pu imaginer.

9

J'éprouvais cette fébrilité qui précède le moment d'affronter le danger. C'était le dernier soir. Alcide ne pourrait plus se rendre au *Club Dead* après cette nuit. Terence s'était montré formel. Si jamais je voulais y retourner, je devrais donc y aller seule – à supposer qu'on me laisse entrer sans cavalier.

Tout en m'habillant, je me disais que j'aurais nettement préféré me rendre dans un bar à vampires standard, le genre d'établissement où des humains tout ce qu'il y a d'ordinaire viennent se donner des frissons en reluquant les morts-vivants. Le *Fangtasia*, le bar d'Eric à Shreveport, était de ceux-là. Les voyagistes l'avaient même inséré dans le circuit touristique de base : les gens débarquaient par cars entiers, habillés tout en noir, parfois même affublés de fausses dents ou de quelques gouttes de sang synthétique. Ils se précipitaient pour observer les vampires soigneusement répartis dans les endroits stratégiques du bar, grisés par leur propre audace. De temps à autre, il arrivait que l'un d'entre eux franchisse la limite de sécurité, en se permettant un geste déplacé pour draguer un vampire ou en manquant de respect à Chow, le barman. Dans ce cas, ce touriste mal inspiré avait toutes les chances de réaliser très brusquement où il avait mis les pieds.

Dans une boîte comme le *Club Dead*, on jouait cartes sur table. La règle était claire : les humains ici n'étaient que pure décoration.

La veille encore, à cette heure-ci, j'étais tout excitée à l'idée de la soirée qui m'attendait. Maintenant, je ne ressentais guère qu'une sorte de détermination froide, comme si j'étais sous l'effet d'une drogue qui me déconnectait de mes émotions. J'ai enfilé mes bas et les ai attachés au joli porte-jarretelles noir qu'Arlene m'avait offert pour mon anniversaire. J'ai souri en pensant à ma pétulante amie rousse et à son optimisme invétéré à l'égard des hommes, même après quatre mariages et autant de divorces. Arlene m'aurait conseillé de profiter de chaque minute, de chaque seconde, avec tout l'enthousiasme d'une adolescente se rendant à son premier rendez-vous. « Tu ne peux pas savoir à l'avance qui tu vas rencontrer, m'aurait-elle dit. Peut-être que ce soir sera le grand soir, LA nuit magique. » Peut-être qu'un porte-jarretelles changerait le cours de ma vie, aurait-elle ajouté.

Je ne prétendrai pas que j'ai réussi à retrouver mon insouciance, mais je me suis sentie un peu moins tendue en enfilant ma robe. Elle avait la même couleur que le champagne et ne cachait pas grand-chose. Après avoir mis de longues boucles d'oreilles et chaussé mes escarpins noirs à hauts talons, je me suis demandé si mon vieux manteau bleu tout usé gâcherait vraiment mon look ou si j'étais prête à risquer une pneumonie par excès de vanité. En examinant l'objet en question, j'ai laissé échapper un soupir. Je l'ai quand même pris, par acquit de conscience, et je l'ai emporté dans le salon.

Alcide était déjà prêt. Il m'attendait, planté au milieu de la pièce. Juste au moment où je me disais qu'il avait l'air particulièrement nerveux, il a pris sur le comptoir un des paquets cadeaux qu'il avait rapportés de son shopping matinal et, avec sur le visage cette expression de gêne que j'avais déjà remarquée plus tôt dans la journée, il m'a tendu une grosse boîte.

— Je crois que je te dois bien ça, a-t-il murmuré.

— Oh, Alcide! Tu m'as acheté un cadeau?

Oui, je sais, je sais. La question était idiote, puisque j'avais déjà la boîte à la main. Mais vous devez comprendre que ce n'est pas le genre de chose qui m'arrive souvent.

— Vas-y, ouvre, m'a-t-il dit d'un ton bourru.

J'ai lancé mon vieux manteau sur la chaise la plus proche et j'ai défait le paquet – maladroitement, car je n'étais pas habituée à mes faux ongles. J'ai néanmoins fini par ouvrir la grande boîte blanche. Alcide avait décidé de remplacer mon châle en soie noire. J'ai déplié lentement le long rectangle, une magnifique étole frangée en velours frappé, avec une petite perle au bout de chaque frange. Je n'ai pas pu m'empêcher de penser qu'elle devait valoir au moins cinq fois le prix de celle que Debbie avait brûlée.

Je suis restée sans voix, chose qui ne m'arrive pas souvent. Mais, comme je vous le disais, ce n'est pas tous les jours que je reçois un cadeau, et ce n'est pas le genre de chose que je prends à la légère. Je me suis enroulée dans ma nouvelle étole, en admirant les reflets du velours, le scintillement discret des perles. Je me suis caressé la joue avec.

— Merci, ai-je chuchoté d'une voix tremblante.

— De rien, a répondu Alcide. Oh! Sookie, tu ne vas pas pleurer! Je croyais te faire plaisir!

— Je suis très, très contente, ai-je affirmé. Et je ne vais pas pleurer.

J'ai ravalé mes larmes et je suis allée m'admirer dans le miroir de la salle de bains.

— Oh, elle est tellement belle, ai-je soufflé, profondément touchée.

— Heureux qu'elle te plaise, a dit Alcide d'un ton un peu brusque, en me regardant depuis le seuil. J'ai pensé que c'était bien le moins que je pouvais faire.

Il est venu arranger les plis de l'étoffe pour cacher les blessures rouges que j'avais sur l'épaule.

— Tu ne me devais rien du tout, ai-je rétorqué avec gravité. Au contraire, c'est moi qui te suis redevable.

À voir la tête qu'il faisait, il était clair que mon ton sérieux paniquait Alcide presque plus que mes larmes. J'ai essayé de le détendre.

— Allez, viens ! En route pour le *Club Dead* ! Ce soir, je vais découvrir le fin mot de l'histoire, et tout le monde reviendra de l'aventure sans une égratignure !

Ce qui prouve bien que la télépathie n'a rien à voir avec la divination.

Alcide portait un autre costume, et moi une autre robe, mais au *Josephine's*, rien ne semblait avoir changé. Le trottoir était désert, l'atmosphère toujours aussi lugubre… Il faisait même encore plus froid que la veille. Si froid que je voyais de la buée sortir de ma bouche et que j'étais profondément reconnaissante de pouvoir m'envelopper dans l'étole en velours pour me réchauffer.

Cette fois-ci, Alcide a sauté à bas du pick-up et s'est précipité sous le dais de l'entrée sans seulement songer à m'aider à descendre. Il s'est contenté de rester caché dans l'ombre, à m'attendre.

— C'est la pleine lune, m'a-t-il expliqué d'une voix crispée. Je risque de ne pas être très détendu, ce soir.

— Désolée, ai-je murmuré, sincèrement peinée de ne pouvoir rien faire pour lui. Ça doit être terrible.

S'il n'avait pas été obligé de m'accompagner, il aurait pu être en train de courir les bois, à cette heure-ci, à chasser le chevreuil ou le lapin. Il a balayé mes excuses d'un haussement d'épaules.

— Il reste toujours demain. C'est presque aussi bien, le lendemain.

Mais sa nervosité était presque palpable.

Je n'ai pas sursauté aussi fort, cette fois, quand le pick-up s'est éloigné, apparemment de son propre chef. Et je n'ai même pas frémi lorsque j'ai vu M. Hob s'encadrer dans la porte. Je ne peux pas dire que le gobelin avait l'air content de nous voir, mais en fait, je n'avais aucune idée de la façon dont son visage laissait filtrer ses émotions : s'il avait été fou de joie, je ne m'en serais pas rendu compte.

Cependant, je doute qu'il ait été enchanté de me voir revenir dans son club. En était-il le propriétaire, d'ailleurs ? J'avais du mal à imaginer M. Hob baptisant sa boîte *Josephine's*. *Au chien crevé*, peut-être, ou encore *À l'asticot goulu*. Mais pas *Josephine's*.

— Il n'y aura aucun incident, ce soir, a déclaré M. Hob d'un ton revêche.

Sa voix semblait graveleuse et rouillée, comme s'il n'était pas habitué à parler et n'en tirait aucun plaisir.

— Ce n'était pas sa faute, a protesté Alcide.

— Peu importe, a rétorqué M. Hob, glacial.

Il s'en est tenu là. Sans doute estimait-il qu'il n'avait pas besoin d'en dire plus pour se faire comprendre. Il avait raison. Le petit être difforme a désigné de son menton un endroit du club où plusieurs tables avaient été rapprochées.

— Le roi vous attend, a-t-il ajouté.

Les hommes se sont levés à mon approche. Russell Edgington et son ami, Talbot, étaient installés en bord de piste. En face d'eux se tenaient un vampire plus âgé (enfin, il avait dû devenir immortel quand il était plus vieux) et une femme qui, bien sûr, était restée assise. En la reconnaissant, j'ai poussé un cri de joie.

— Tara !

Ma copine de lycée a eu exactement la même réaction que moi et m'a sauté au cou. Nous nous sommes retrouvées avec plus d'effusion que d'habitude. Nous étions comme deux exilées du même pays qui se rencontraient en terre étrangère, ici au *Club Dead*.

Tara, qui a plusieurs centimètres de plus que moi, est aussi brune que je suis blonde. Elle portait une robe à manches longues chatoyante, bronze et or. Perchée sur des talons interminables, elle était aussi grande que son cavalier.

Juste au moment où je me détachais d'elle en lui donnant une petite tape dans le dos, je me suis rendu compte que rencontrer Tara était à peu près la pire des choses qui pouvaient m'arriver. J'ai aussitôt lu dans ses pensées : elle allait effectivement me demander ce que je faisais dans cette boîte avec un autre homme que Bill.

— Allez, ma belle, accompagne-moi donc aux toilettes des dames, que j'aille me laver les mains ! lui ai-je lancé avec enthousiasme.

Elle a aussitôt attrapé son sac en adressant à son cavalier un sourire parfait, mêlé de regrets et de promesses.

De mon côté, j'ai fait un petit signe à Alcide, demandé à ces messieurs de nous excuser un instant, et j'ai entraîné Tara vers les toilettes, situées dans le couloir qui menait à la sortie de secours. Par chance, le lieu était désert. Je me suis adossée à la porte pour empêcher d'autres femmes d'entrer et j'ai regardé Tara, qui me fixait d'un air interrogateur.

— Tara, je t'en prie, surtout ne dis rien à personne au sujet de Bill. Et ne parle pas de Bon Temps, ni de quoi que ce soit qui me concerne.

— Je peux savoir pourquoi ?

— C'est juste que…

J'ai essayé de trouver une réponse plausible. Sans résultat.

— Tara, ma vie en dépend.

Elle a sursauté et m'a dévisagée un instant sans rien dire, le visage fermé. Qui n'en aurait pas fait autant ? Mais Tara en avait vu de toutes les couleurs, au cours de sa jeune existence, et c'était une dure à cuire. Elle avait été blessée, certes, mais elle était coriace.

— Je suis si contente de te voir ici ! s'est-elle finalement exclamée. Je me sentais un peu seule dans cette jungle, avec toute cette faune exotique, a-t-elle poursuivi. Dis donc, c'est qui, ton copain ? Et qu'est-ce qu'il est ?

J'oublie toujours que tout le monde n'est pas télépathe. Et parfois, j'ai également tendance à oublier que les autres ne sont pas au courant de l'existence des loups-garous et des métamorphes.

— C'est un expert qui travaille dans le bâtiment, ai-je répondu, évasive. Viens, je vais te le présenter.

En arrivant à notre table, j'ai présenté nos excuses à ces messieurs.

— Pardon d'être parties aussi rapidement, ai-je gazouillé avec un grand sourire à la ronde. Ce n'était pas bien élevé.

Puis je me suis tournée vers Alcide pour me plier aux présentations de rigueur.

— Tara, je crois que tu ne connais pas encore Alcide Herveaux. Alcide, mon amie, Tara Thornton.

Tara a aussitôt embrayé :

— Sookie, voici Franklin Mott.

— Ravie de vous connaître, monsieur Mott, ai-je déclaré en lui tendant la main.

J'ai compris mon erreur avant même d'avoir achevé mon geste : les vampires ne serrent jamais la main de quiconque.

— Pardonnez-moi, ai-je précipitamment bredouillé, en lui adressant un petit signe de la main. Vous vivez à Jackson, monsieur Mott ?

J'étais bien décidée à ne pas embarrasser Tara.

— Appelez-moi Franklin, je vous en prie.

Il avait une superbe voix, douce, chaude, avec un léger accent italien. Il devait avoir la cinquantaine bien sonnée, voire la soixantaine, quand il avait quitté le monde des vivants. Il avait les cheveux gris, une moustache argentée, et le temps avait profondément marqué son visage aux traits distingués. Il semblait cependant très masculin, en pleine force de l'âge.

— Oui, a-t-il enchaîné, je vis à Jackson, mais je possède une ligne de produits franchisés et j'ai des succursales à Ruston et à Vicksburg. J'ai rencontré Tara à l'occasion d'un salon professionnel à Ruston.

Peu à peu, le petit jeu social s'est mis en place : Tara et moi nous sommes assises, j'ai expliqué à ces messieurs que nous avions fréquenté le même lycée, et nous avons commandé un verre. Tous les vampires ont bien sûr pris du sang synthétique, tandis que Talbot, Tara, Alcide et moi demandions des cocktails. J'ai opté une seconde fois pour le cocktail à base de champagne que j'avais déjà bu la veille. J'ai trouvé, au passage, que la serveuse, une métamorphe, se déplaçait d'une façon étrange, un peu rampante. Elle n'a pas desserré les dents plus que le strict nécessaire. L'influence de la pleine lune se faisait sentir…

Les hybrides se faisaient d'ailleurs beaucoup plus rares que la veille. Pour ma part, j'étais contente que Debbie et son fiancé ne soient pas de la fête et qu'il n'y ait qu'une paire de loups-garous motards. En revanche, les vampires et, surtout, les humains étaient plus nombreux. Je me suis demandé comment les vampires de Jackson s'y prenaient pour garder cet endroit secret. Certains des humains qui y avaient été introduits par un vampire avaient pourtant dû être tentés d'en parler à un journaliste ou, plus simplement, à un groupe d'amis.

Alcide m'a fourni la réponse.

— La boîte est ensorcelée: même si tu le voulais, tu serais absolument incapable d'expliquer à qui que ce soit comment s'y rendre.

Je me suis promis d'essayer plus tard, pour voir si ça marchait. Je me suis interrogée sur l'identité de celui ou celle qui pratiquait l'ensorcellement. Puisque je connaissais maintenant l'existence des vampires, des loups-garous et des métamorphes, je n'aurais aucune difficulté à croire aux sorcières.

J'étais assise entre Talbot et Alcide. Histoire d'engager la conversation avec mon voisin, j'ai interrogé Talbot sur le club et sur le mystère qui semblait l'entourer. Ça n'a pas paru le déranger. De leur côté, Alcide et Franklin Mott s'étaient trouvé des connaissances communes et discutaient dans leur coin. Talbot avait un peu forcé sur le parfum. C'était un homme amoureux et, qui plus est, accro au sexe version vampire : on pouvait l'excuser. Il était intelligent, mais ignorait jusqu'au sens du mot «pitié». Il ne comprenait pas vraiment comment sa vie avait pu prendre un tour aussi... exotique. C'était également un puissant émetteur, ce qui expliquait que j'en découvre autant sur lui.

Il m'a donné la même réponse qu'Alcide : le club était ensorcelé.

— Mais la façon dont les choses qui se passent ici sont tenues secrètes, ça, c'est tout à fait différent, m'a-t-il confié.

Il a paru hésiter. Visiblement, il se demandait s'il pouvait se lancer dans de plus amples détails ou en rester là pour le moment.

J'admirais ses traits fins et réguliers, et me suis répété que cet homme savait qu'on torturait Bill et s'en fichait éperdument. J'aurais bien voulu qu'il pense justement à Bill pour que je puisse en apprendre davantage, que je sache au moins s'il était encore en vie...

— Voyez-vous, mademoiselle Sookie, a-t-il repris, c'est le recours à la terreur et au châtiment, qui permet de garder le secret.

Il savourait ses propos. Il aimait ça. Il avait conquis le cœur de Russell Edgington, un être puissant qui pouvait tuer d'un geste, respecté et craint, et il en était fier.

— Tout vampire ou loup-garou – tout SurNat, en fait – qui amène un humain ici est responsable de son invité. Par exemple si, en sortant d'ici, vous appeliez un journal à scandale, ce serait à Alcide qu'il reviendrait de vous traquer et de vous tuer.

— Je vois.

Je voyais même très bien.

— Et si Alcide n'arrivait pas à se résoudre à me supprimer ?

— Dans ce cas, sa tête serait mise à prix, et un chasseur de primes serait dépêché pour faire le travail à sa place.

Nom de Dieu.

— Parce qu'il y a des chasseurs de primes ? ai-je demandé d'une voix un peu incertaine.

Alcide s'était bien gardé de mentionner ces petites particularités. Il aurait tout de même pu me prévenir. La surprise n'était pas des plus réjouissantes.

— Bien entendu. Les loups-garous en tenue de motard, dans ce coin, là... D'ailleurs, ils sont justement en train d'interroger les gens au bar, parce que...

Soudain, ses traits se sont durcis, et son regard s'est fait soupçonneux.

— Cet homme qui vous a importunée, hier... Vous l'avez revu, dans la soirée ? Après avoir quitté le club ?

— Non.

Techniquement, je ne mentais pas. Ou alors seulement par omission. Je ne faisais que répondre à la question posée : je ne l'avais pas revu dans la soirée. Bon. Je savais ce que Dieu pensait du mensonge par omission. Mais je me disais aussi qu'il ne m'avait pas donné la vie pour que je la perde aussi bêtement.

— Nous sommes rentrés directement chez Alcide. J'étais bouleversée...

Et j'ai baissé les yeux comme une jouvencelle qui n'a pas l'habitude de se faire aborder dans les bars. Ce qui n'était pas tout à fait la vérité non plus. Bien que Sam s'arrange toujours pour limiter ce genre d'incident au strict minimum, et qu'en tant que cinglée notoire, je ne sois pas une proie désirable, je dois néanmoins supporter parfois les avances, franchement lourdes et le plus souvent grossières, de certains clients éméchés ou carrément trop soûls pour se souvenir que je suis censée être bonne à enfermer.

— En tout cas, vous n'aviez pas l'air d'avoir froid aux yeux quand les choses ont commencé à mal tourner, m'a fait remarquer mon voisin.

De toute évidence, pour Talbot, le courage dont j'avais fait preuve, la veille, cadrait mal avec mon comportement timoré du moment. Et zut! J'aurais dû être un peu plus nuancée dans mon rôle de demoiselle en détresse.

— Ça, c'est sûr qu'elle n'a pas froid aux yeux! s'est exclamée Tara. Pour le spectacle de fin d'année – un spectacle qu'on a fait toutes les deux il y a quelques millions d'années de ça –, c'est elle qui m'a poussée sur la scène. Moi, je tremblais comme une feuille!

Merci, Tara. Je te revaudrai ça.

— Un spectacle? s'est étonné Franklin Mott, soudain distrait de sa discussion avec Alcide par notre conversation.

— Oui, et pas n'importe lequel, a renchéri Tara. Pour tout vous dire, on a remporté le prix du meilleur spectacle de l'année! Ce dont on ne s'est rendu compte que bien plus tard – on avait quitté le lycée et on avait eu le temps de rouler notre bosse –, c'est que notre petit numéro était un peu… euh…

— Suggestif, ai-je précisé. Vous n'auriez pas pu trouver plus naïves que nous dans tout le lycée. Mais on avait pompé notre enchaînement sur les clips de MTV – très exactement!

— Il nous a fallu des années pour comprendre pourquoi le proviseur transpirait tellement en nous regardant danser, a poursuivi Tara en s'esclaffant. Mais attendez, ça me donne une idée... Ne bougez pas. Je vais dire un mot au DJ.

Avant que j'aie pu l'en empêcher, elle avait traversé la piste pour aller trouver le vampire campé derrière sa platine, sur la petite estrade de la piste de danse. J'ai vu le DJ se pencher vers elle, l'écouter attentivement et hocher la tête.

— Oh, non! ai-je gémi, en prenant brusquement conscience de ce qui m'attendait.

— Quoi? m'a demandé Alcide d'un ton amusé.

— Elle va vouloir le refaire maintenant!

Et effectivement, en fendant les rangs des danseurs pour nous rejoindre, Tara avait un sourire jusqu'aux oreilles. Elle ne m'avait pas attrapé les mains pour m'entraîner sur la piste que j'avais déjà réussi à trouver au moins vingt-cinq bonnes raisons de ne pas la suivre dans son délire. Mais, en voyant la joie qu'elle s'en faisait, je n'ai pas eu le cœur de refuser. La piste s'est vidée tandis que résonnaient les premières notes de «Love is a Battlefield» de Pat Benatar.

Hélas, je me souvenais de chaque pas, jusqu'au moindre déhanchement.

Avec la plus parfaite candeur, Tara et moi avions chorégraphié notre show à la façon des couples de patinage artistique: nous nous touchions presque, pendant tout le numéro. Qui se rapprochait nettement d'une exhibition de strip-tease lesbien. Je n'étais jamais allée dans une boîte de strip-tease ni dans un cinéma X, mais j'imagine que la brusque montée de lubricité collective que j'ai sentie au *Josephine's*, ce soir-là, ne devait pas être très éloignée de ce que recherchent ceux qui les fréquentent. Je n'ai pas particulièrement aimé l'idée de susciter un tel... engouement. Pourtant, je dois bien avouer que, dans le feu de l'action, j'ai éprouvé une sensation de pouvoir assez grisante.

Bill m'avait fait connaître les joies d'une sexualité épanouie, ce qui devait être manifeste dans ma façon de danser. Les mouvements de Tara témoignaient eux aussi d'une sensualité sans équivoque. D'une certaine manière un peu perverse, nous nous offrions toutes les deux un petit moment de «Je suis femme et je vais vous le montrer». Et Pat Benatar avait sacrément raison : l'amour était bel et bien un champ de bataille !

Nous nous tenions de profil par rapport au public. Tara m'a empoigné par la taille et, pendant les deux ou trois dernières mesures, nous avons projeté les hanches en avant dans un mouvement de va-et-vient, pour terminer penchées, nos mains frôlant le sol. Quand la musique s'est arrêtée, il y a eu un silence d'une fraction de seconde. Puis ça a été le triomphe : les clients se sont mis à siffler et à applaudir à tout rompre.

À voir leurs regards de bêtes affamées, les vampires ne pensaient plus qu'au sang qui coulait dans nos veines – surtout celles qui couraient à l'intérieur de nos cuisses –, et j'entendais les loups-garous se demander quel goût pouvait avoir la chair ferme de nos fesses rebondies. En retournant m'asseoir à ma table, j'éprouvais l'étrange impression d'être devenue comestible. Nous avons reçu d'innombrables compliments et presque autant d'invitations sur le trajet. J'ai même été à moitié tentée d'accepter une danse avec un petit vampire adorable à bouclettes brunes. Mais je me suis contentée de lui sourire et de continuer mon chemin.

Franklin Mott était aux anges.

— Oh! Je vois ce que vous vouliez dire, mainte-nant! a-t-il commenté en tirant le fauteuil à sa droite pour inviter Tara à s'asseoir.

En revanche, Alcide n'a pas bougé d'un pouce et m'a fusillée du regard, obligeant Talbot à se lever et à avancer mon siège avec une politesse un peu gauche et manifestement forcée (il a quand même eu droit à une caresse sur l'épaule de la part de Russell pour la peine).

— Je ne comprends pas que vous n'ayez pas été renvoyées, après une telle démonstration, a plai-santé Talbot pour dissiper le malaise qu'avait créé le flagrant manque de courtoisie de mon cavalier.

Si on m'avait dit qu'Alcide était le type même du mec possessif et jaloux, jamais je n'aurais voulu le croire.

— Mais on ne se rendait compte de rien! a pro-testé Tara en riant. Franchement. On ne compre-nait même pas pourquoi on avait fait un tel tabac!

— Et pourquoi tu fais la tête? ai-je discrètement demandé à Alcide, pendant que Tara monopolisait l'attention.

Mais il m'a suffi d'un tout petit effort de concen-tration pour découvrir la raison de son attitude. Il s'en voulait de m'avoir confié qu'il était toujours accro à Debbie. Sinon, se disait-il, il aurait tout fait pour partager mon lit le soir même. En cette nuit de pleine lune, il était envahi d'émotions contra-dictoires, un peu comme pour une femme sous l'in-fluence de son cycle. En quelque sorte.

— Le moins qu'on puisse dire, c'est que tu ne te fatigues pas beaucoup pour retrouver ton petit copain, en tout cas, m'a-t-il répondu froidement et plutôt méchamment.

C'était comme s'il m'avait lancé un seau d'eau glacée à la figure. C'était affreusement douloureux et j'ai senti mes yeux s'emplir de larmes. Malheureusement, toute la tablée s'en est aperçue : il était évident qu'il venait de me dire quelque chose de blessant.

Talbot, Russell et Franklin ont rivé sur Alcide un regard lourd de menace. Talbot, pour sa part, ne faisait qu'imiter son amant, mais ce n'était qu'un humain et il comptait pour du beurre. Russell, par contre, était tout de même le roi du Mississippi, et Franklin était apparemment un vampire influent. Ainsi rappelé à l'ordre, Alcide s'est brusquement repris.

— Excuse-moi, Sookie, a-t-il dit, assez fort pour que nos compagnons l'entendent. Je crois que j'ai fait une petite crise de jalousie. C'était très intéressant.

— Intéressant ? ai-je répété d'un ton léger, comme si je me moquais gentiment de lui.

En fait, j'étais folle de rage. J'ai fait courir mes doigts dans sa chevelure, en me penchant vers lui.

— Intéressant ? Et c'est tout ? ai-je murmuré.

Nous avons échangé un sourire complètement hypocrite. Les autres n'y ont vu que du feu. Quant à moi, j'avais bien envie de lui arracher quelques bonnes touffes de cheveux, tout loup-garou qu'il était. Il ne pouvait peut-être pas lire dans les pensées, comme moi, mais il a senti le danger, et je l'ai vu réprimer une grimace.

C'est alors que Tara (quel amour !) est venue à la rescousse, en demandant à Alcide ce qu'il faisait dans la vie. J'ai repoussé légèrement mon fauteuil pour me détacher du cercle étroit que nous formions et j'ai laissé mon esprit vagabonder dans la salle. Alcide avait raison : j'aurais dû me mettre au travail depuis longtemps, au lieu de m'amuser. Mais je voyais mal comment j'aurais pu opposer un refus à Tara et la priver de ce qu'elle appréciait tant.

À la faveur d'un mouvement des danseurs sur la piste, j'ai aperçu Eric, adossé au mur du fond, près de la petite estrade du DJ. Même à cette distance et malgré ses lunettes, je sentais son regard brûlant braqué sur moi. Il me dévorait des yeux. En voilà un qui ne boudait pas, au moins ! Un qui avait apprécié notre petit numéro à sa juste valeur !

Eric avait fière allure dans son costume. Je trouvais même qu'il avait l'air moins impressionnant qu'en temps normal, avec ses lunettes. Le temps de me faire ces quelques réflexions, et je me suis remise au travail. Comme il y avait moins de loups-garous et d'humains que la veille, il était plus facile de les suivre individuellement. J'ai fermé un instant les yeux pour mieux me concentrer et essayer de remonter le fil des pensées qui me parvenaient jusqu'à leurs propriétaires. Presque immédiatement, j'ai surpris une bribe de monologue intérieur.

... serai un martyr..., se disait le type – c'était un homme, de toute évidence. Il se trouvait quelque part derrière moi, à proximité du bar. Je commençais déjà à tourner la tête dans sa direction quand je me suis ravisée. C'était peut-être un réflexe naturel, mais ça ne me servirait à rien. J'ai préféré regarder par terre pour ne pas me laisser distraire par les mouvements des autres clients.

Les gens ne font pratiquement jamais de phrases complètes lorsqu'ils se parlent à eux-mêmes, et quand je retranscris leurs pensées, je ne fais, en réalité, qu'interpréter des images et lier des groupes de mots isolés : je traduis.

Quand je mourrai, mon nom passera à la postérité, songeait-il. J'y suis presque... Dieu, faites qu'il

n'y ait pas de douleur. Au moins, il est là, avec moi...
J'espère que le pieu est assez pointu...

Oh non. Avant même de savoir ce que je faisais,
j'avais quitté la table.

J'avançais à pas comptés, essayant de m'isoler du
bruit, de la musique et du brouhaha des conversa-
tions pour n'écouter que le discours muet. Ça me
donnait un peu l'impression de marcher sous l'eau.
Au comptoir, en train de siroter un verre de sang
synthétique, était assise une vampire aux cheveux
soigneusement crêpés et laqués. Elle était sanglée
dans une robe noire à jupe bouffante. Ses bras
musclés et sa large carrure juraient étrangement
avec sa tenue. Mais je ne me serais jamais permis
de le lui faire remarquer. Personne de sensé ne
s'y serait risqué, d'ailleurs. Ce devait être Betty Joe
Pickard, le bras droit de Russell Edgington. Elle
portait même des gants blancs et des escarpins
assortis. Il ne lui manquait plus qu'un petit chapeau à voilette. J'aurais parié que Betty Joe était
une grande fan de Mamie Eisenhower.

Derrière elle, également assis au comptoir, se
trouvaient deux humains. L'un était grand et d'âge
moyen. Ses cheveux poivre et sel étaient un peu
trop longs, comme s'il avait eu une bonne coupe
mais n'avait pas pris soin de l'entretenir régulièrement. Son visage me semblait étrangement familier. Son compagnon était plus petit. Il avait une
épaisse tignasse brune parsemée de quelques rares
fils argentés et portait un blazer de prêt-à-porter,
acheté chez JCPenney un jour de soldes, probablement.

Et, à l'intérieur de cette veste bon marché, dans
une poche spécialement cousue à cet effet, le petit
brun dissimulait un pieu.

C'est affreux, mais j'ai hésité. Si je l'empêchais d'agir, j'allais dévoiler mes dons cachés. Or, les révéler, c'était me démasquer. Les conséquences de cette révélation dépendaient de ce qu'Edgington savait à mon sujet. Apparemment, à sa connaissance, la petite amie de Bill était une serveuse qui travaillait dans un bar de Bon Temps. Il ignorait son nom – sinon je ne me serais jamais présentée sous ma véritable identité, évidemment. Mais s'il savait qu'elle était télépathe, et qu'il découvrait que je l'étais... eh bien, j'avais déjà une assez bonne idée de ce qui se passerait.

Tandis que j'étais tiraillée entre scrupules, culpabilité et angoisse, la décision a été prise pour moi : le destin avait tranché. L'homme aux cheveux bruns a glissé la main dans la poche intérieure de son blazer, le fanatisme qui bouillonnait dans son esprit a atteint son paroxysme, et il a subitement sorti un long bâton de frêne, taillé en pointe. Tout s'est accéléré.

J'ai hurlé : « Attention au pieu ! » et j'ai plongé sur le forcené, les mains en avant pour lui immobiliser le bras. Les vampires et leurs employés humains se sont retournés comme un seul homme, cherchant d'où provenait la menace. Métamorphes et loups-garous se sont sagement écartés, dégageant la piste et ses environs immédiats pour laisser le passage aux vampires. Le grand type aux cheveux poivre et sel s'est rué sur moi, ses grandes mains bourrant ma tête et mes épaules de coups, tandis que son compagnon tentait de se libérer, tirant d'un côté et de l'autre pour me faire lâcher prise.

À un moment donné, dans la mêlée, le regard du grand type a croisé le mien. Nous nous sommes reconnus. C'était Steve Newlin, ancien leader de la Confrérie du Soleil, une secte anti-vampires dont la branche texane avait plus ou moins été dissoute après ma petite visite à Dallas, au centre que dirigeait Newlin, justement. Il allait vendre la mèche, leur dire qui j'étais! Mais je devais me concentrer sur ce que faisait l'homme au pieu. Je chancelais sur mes hauts talons et tentais de conserver mon équilibre, quand l'assassin a eu un éclair de génie: il a transféré son pieu de sa main droite, que j'immobilisais, à sa main gauche.

Après m'avoir donné un dernier coup de poing dans le dos, Steve Newlin s'est précipité vers la sortie de secours. J'ai vaguement perçu une ruée de SurNat bondissant à sa poursuite, dans une explosion de cris et de hurlements d'animaux en tout genre. Puis le petit brun a rejeté son bras gauche en arrière et m'a planté son pieu dans le flanc droit.

Je l'ai aussitôt lâché et j'ai baissé les yeux vers le pieu enfoncé dans ma chair. Quand je les ai relevés, j'ai rencontré un regard écarquillé par l'effroi, un regard où se lisait une terreur qui ne devait pas être moins grande que la mienne. Puis Betty Joe a assené à mon agresseur deux coups de son poing ganté de blanc. Le premier lui a brisé la nuque. Le second lui a fracassé le crâne. J'ai entendu les os craquer.

Il est tombé sur le côté. Et comme mes jambes étaient emmêlées aux siennes, je suis tombée avec lui, sur le dos.

Je suis restée allongée, à regarder l'énorme ventilateur qui tournait lentement au-dessus de ma tête. Je me suis demandé pourquoi il fonctionnait en plein hiver. J'ai vu un aigle voler au plafond, évitant de justesse les immenses pales. Un loup est venu me lécher la joue en gémissant, puis s'est enfui. Tara criait. Moi non. J'avais trop froid.

De la main droite, j'ai cherché l'endroit où le pieu m'entrait dans le corps. J'avais peur de regarder.

J'ai senti l'étoffe mouillée de ma robe sous ma main et la tache de sang qui s'agrandissait.

— Appelez les secours ! a hurlé Tara en tombant à genoux à côté de moi.

Le barman et Betty Joe ont échangé un coup d'œil au-dessus de sa tête. J'ai compris.

— Tara, ma chérie, ai-je croassé, tous les métamorphes sont en train de se transformer. C'est la pleine lune. Il ne faut pas que les flics entrent ici, et si on appelle le 911, ils vont venir.

La partie concernant les métamorphes n'a pas semblé émouvoir particulièrement Tara. Et pour cause : elle ne savait même pas de quoi je parlais.

— Les vampires ne te laisseront pas tomber, m'a-t-elle assuré à travers ses larmes. Tu viens d'en sauver un.

J'aurais bien voulu en être aussi convaincue. J'apercevais la mine sombre de Franklin Mott qui me dévisageait, derrière elle.

— Tara, ai-je murmuré, il faut que tu fiches le camp d'ici. Ça part en vrille. Si jamais les flics débarquent, il vaut mieux qu'on ne te trouve pas là.

Franklin Mott a hoché la tête.

— Je ne te quitterai pas tant qu'il n'y aura pas quelqu'un pour s'occuper de toi, a insisté mon adorable Tara d'un ton ferme et résolu.

Hormis elle, je n'étais entourée que de vampires. Parmi eux se tenait Eric, une expression indéchiffrable sur le visage.

— Le grand blond va m'aider, ai-je répondu d'une voix faible et rauque.

J'ai réussi à désigner Eric du doigt. J'avais horriblement peur qu'il ne me rejette. S'il refusait de m'aider, j'allais rester allongée là, et je finirais ma vie sur le plancher ciré d'une boîte à vampires de Jackson, Mississippi.

Mon frère ne me le pardonnerait jamais.

Tara avait déjà rencontré Eric, mais dans des circonstances très particulières et pour le moins stressantes. Elle n'avait pas l'air de faire le rapprochement entre le grand blond qu'elle avait vu à Bon Temps ce soir-là et le grand blond que je lui désignais, en costume sombre, avec lunettes noires et catogan.

— Sauvez-la, s'il vous plaît, a-t-elle dit sans hésiter à Eric, tandis que Franklin l'aidait à se relever.

— Ce jeune homme se fera un plaisir de secourir ton amie, Tara, a confirmé Mott.

Et il a lancé à Eric un coup d'œil qui en disait long sur ce qui lui arriverait s'il s'avisait de refuser.

— Absolument, a confirmé l'intéressé. Ne serait-ce que par amitié pour Alcide.

Décidément, Eric mentait avec une facilité et un culot éhontés. Il est aussitôt venu remplacer Tara à mes côtés. Dès qu'il s'est agenouillé près de moi, je l'ai vu changer de visage. Son teint est devenu encore plus pâle, son regard s'est embrasé : il avait senti l'odeur de mon sang.

— Tu ne peux pas savoir ce que ça me coûte, a-t-il chuchoté en remuant à peine les lèvres. Je n'aurais qu'à me baisser pour laper ton sang…

— Si tu fais ça, ils vont tous se jeter sur moi, lui ai-je aimablement rappelé. Et ils ne se contenteront pas de lécher la plaie : ils me mordront.

Il y avait déjà un berger allemand assis à mes pieds qui me fixait de ses yeux jaunes et lumineux.

— C'est bien ce qui me retient.

— Qui êtes-vous ? lui a soudain demandé Russell Edgington, en le jaugeant d'un œil circonspect, avant de se pencher sur nous.

— Je suis un ami d'Alcide, a dit Eric. Il m'avait invité ici, ce soir, pour me présenter officiellement sa nouvelle fiancée. Je m'appelle Leif.

Russell le dominait à plus d'un titre : non seulement physiquement (Eric étant agenouillé), mais en tant que roi du Mississippi qui s'adressait à un vampire étranger en visite sur son territoire. Il a plongé son regard brun parsemé de pépites d'or dans les yeux bleus d'Eric.

— Alcide n'a pas beaucoup de vampires parmi ses relations, lui a fait remarquer Russell.

— Je suis l'un d'eux.

— Il faut faire sortir cette jeune femme d'ici, a soudain décrété Russell.

Loups-garous et métamorphes s'étaient rassemblés autour de quelque chose, non loin de moi. De leur attroupement montaient des grognements qui s'intensifiaient.

Tout à coup, j'ai entendu M. Hob rugir :

— Emportez-moi ça ! Par la sortie de secours ! Vous connaissez le règlement !

Deux vampires se sont éloignés pour évacuer le cadavre (car c'était bel et bien ce que loups-garous et métamorphes se disputaient avec autant de voracité). À peine eurent-ils franchi la porte de service que tous les animaux se ruèrent à leur suite. C'en était fini du fanatique illuminé.

L'après-midi même, Alcide et moi nous étions donné du mal pour nous débarrasser d'un cadavre. Nous n'avions pas pensé à le déposer derrière le club, dans la contre-allée. Mais bon, cette viande-ci était encore fraîche...

— ... peut-être touché un rein, disait Eric.

J'avais dû rater un épisode. Étais-je tombée dans les pommes ? En tout cas, j'avais vraisemblablement eu un moment d'absence.

Je transpirais à grosses gouttes et je souffrais le martyre. J'ai eu un petit pincement au cœur en pensant à ma belle robe neuve, qui allait être toute tachée de sueur. Mais avec le gros trou que j'avais à la hanche, il y avait de grandes chances pour qu'elle soit déjà fichue, non?

— Nous allons la transporter chez moi, a annoncé Russell.

Si je n'avais pas été dans un aussi sale état, je crois que j'aurais bien éclaté de rire.

— Ma limousine est en chemin. Je crois qu'il lui faut un visage familier, ne pensez-vous pas? a-t-il suggéré.

À mon avis, Russell ne voulait pas abîmer son costume en me portant. Et Talbot en était probablement incapable. Le petit vampire aux cheveux noirs et bouclés se tenait toujours là, sourire aux lèvres. Mais j'étais certainement un fardeau trop encombrant pour lui.

J'ai perdu connaissance à nouveau.

— Alcide s'est changé en loup et s'est lancé à la poursuite du type qui accompagnait l'assassin, m'a répondu Eric, quoique je n'aie aucun souvenir de lui avoir posé la question.

J'ai failli lui expliquer qui était justement l'acolyte. Puis j'ai pensé que ce n'était peut-être pas une très bonne idée.

— Leif, ai-je marmonné en essayant de bien m'ancrer ce prénom dans le crâne. Leif, on voit mon porte-jarretelles. Est-ce que...

— Oui, Sookie?

Mais j'avais déjà replongé. Je me suis subitement rendu compte que je bougeais: Eric devait me porter. Jamais je n'avais autant souffert. Et je me suis dit, une fois de plus, qu'avant de rencontrer Bill je n'avais jamais mis les pieds dans un hôpital. Maintenant, j'avais l'impression de passer la moitié de mon temps à prendre des coups, et l'autre à me remettre de ceux que j'avais pris. À méditer.

Un lynx nous a doublés à pas feutrés dans le couloir. J'ai eu le temps d'apercevoir l'or de ses yeux étincelants. Quelle nuit ça allait être, à Jackson ! J'espérais que toutes les bonnes gens avaient décidé de rester bien au chaud à la maison.

Je me suis bientôt retrouvée dans la limousine, la tête sur les genoux d'Eric. Sur la banquette qui nous faisait face étaient assis Talbot, Russell et le petit vampire bouclé. Comme la voiture s'arrêtait à un feu, un bison a traversé la rue devant nous.

— Heureusement que le centre-ville est désert, les nuits d'hiver, a lâché Talbot d'un ton détaché, ce qui a fait rire Eric.

Le trajet m'a paru long. Eric a tiré ma jupe pour couvrir mes jambes et repoussé une mèche sur mon front. J'ai levé les yeux vers lui... puis plus rien.

— ... t-elle su ce qu'il allait faire ? demandait Talbot quand j'ai repris connaissance.

— Elle l'a vu tirer le pieu de sa veste, m'a-t-elle dit, a répondu Eric avec l'aisance des menteurs professionnels. Elle allait au bar commander un autre verre.

— Une chance pour Betty Joe, a commenté Russell avec son bel accent traînant du Sud. Elle est partie à la chasse pour s'occuper de l'autre.

Puis nous avons tourné pour nous arrêter devant une grille. Un vampire barbu a jeté un coup d'œil dans la voiture, dévisageant scrupuleusement tous ses occupants. Il avait l'air autrement plus éveillé que le gardien de l'immeuble d'Alcide.

J'ai entendu un bourdonnement électronique, et la grille s'est ouverte. Nous avons remonté une allée (j'ai reconnu le crissement du gravier), et la limousine s'est garée devant le perron d'une imposante demeure de style colonial illuminée comme un sapin de Noël. Comme Eric me sortait avec précaution de la voiture, j'ai découvert le perron avec son imposante volée de marches et ses colonnes – même l'abri voiture en avait. Je m'attendais presque à voir Vivien Leigh descendre l'escalier.

J'ai eu un nouveau passage à vide et je me suis réveillée dans le hall. La douleur semblait commencer à s'atténuer, mais j'avais des vertiges.

Apparemment, le retour du maître de maison était un grand événement, et quand les habitants ont senti l'odeur du sang frais, ils se sont précipités d'autant plus vite. J'avais l'impression d'atterrir en plein casting pour couverture de roman sentimental : je n'avais jamais vu autant de beaux garçons au mètre carré. Il était cependant clair qu'ils n'étaient pas pour moi. Russell régnait sur sa maisonnée de mignons comme Hugh Hefner sur Playboy Mansion.

— « De l'eau, de l'eau, partout, et pas une goutte à boire », ai-je soupiré.

Eric a éclaté de rire. *C'est pour ça qu'il me plaît*, ai-je soudain songé, dans les nuages. *Il me comprend au quart de tour.*

— Parfait. La piqûre commence à faire effet, en a déduit un homme aux cheveux blancs, en chemise et pantalon à pinces.

C'était un humain, et il avait tout d'un médecin typique.

— Vous avez encore besoin de moi ? a-t-il enchaîné.

— Pourquoi ne resteriez-vous pas quelque temps avec nous ? lui a proposé Russell. Josh se fera un plaisir de vous tenir compagnie, j'en suis persuadé.

Je n'ai pas pu voir à quoi ressemblait Josh, parce que Eric était déjà en train de me porter à l'étage.

— Rhett Butler et Scarlett O'Hara, ai-je murmuré.

— Pardon ?

— Tu n'as pas vu *Autant en emporte le vent* ?

J'étais horrifiée. Mais bon, pourquoi un vampire viking devrait-il avoir vu ce monument à la gloire du romantisme sudiste ? Il avait cependant lu Coleridge et reconnu *La Ballade du vieux marin*, que j'avais étudiée au lycée. C'était déjà pas si mal.

— Il faudra que tu loues le DVD, ai-je poursuivi. Mais qu'est-ce qui me prend de débiter ce genre de débilités, moi ? Pourquoi je ne suis pas morte de trouille ?

— Le médecin humain t'a injecté une belle dose de médicament, m'a répondu Eric en souriant. Et je monte te coucher pour qu'on puisse effectuer la guérison.

Je l'ai brusquement interrompu.

— Il est ici.

Il m'a fusillée du regard pour m'engager à la prudence.

— Oui, oui. Russell est là. Mais j'ai bien peur qu'Alcide n'ait pas fait un excellent choix, Sookie. Il s'est rué dans la nuit à la poursuite du second agresseur. Il aurait dû rester auprès de toi.

— Qu'il aille se faire foutre ! ai-je lâché avec exubérance.

— Après t'avoir vue danser, c'est plutôt sur toi qu'il aurait aimé se… concentrer.

Je n'étais pas vraiment en état de rire, mais ça m'a néanmoins traversé l'esprit. Puis j'ai repris avec plus de calme :

— Ce n'était peut-être pas une très bonne idée de me shooter.

J'avais trop de secrets à garder.

— Je suis assez d'accord. Mais je suis heureux de ne plus te voir souffrir.

Nous étions arrivés dans la chambre. Eric m'a allongée sur un lit à baldaquin totalement stupéfiant. Il en a profité pour me chuchoter à l'oreille : « Fais attention. » J'ai essayé de m'enfoncer cette idée dans le crâne. J'avais le cerveau tellement imbibé de drogue que je risquais de cracher le morceau, de laisser échapper par mégarde que je savais, sans aucun doute possible, que Bill était là, quelque part, tout près de moi.

10

Ma chambre était bondée de monde. Eric m'avait installée aussi confortablement que possible. J'étais si haut perchée sur ma couche royale qu'il m'aurait fallu un escabeau pour en descendre. Ce serait néanmoins plus pratique pour le processus de guérison.

Je venais de surprendre certains commentaires de Russell et je commençais à m'inquiéter. Qu'entendait-il exactement par « guérison », lui ? La dernière fois que j'avais eu droit à une « guérison » vampirique, la méthode m'avait paru pour le moins peu conventionnelle.

— Que va-t-il se passer ? ai-je demandé à Eric, qui se tenait près de mon lit, à ma gauche, du côté opposé à ma blessure.

Un autre vampire s'était placé à ma droite. Il avait un visage longiligne, un peu chevalin. Ses cils et ses sourcils étaient d'un blond si pâle qu'il en semblait dépourvu. Son torse nu était également parfaitement lisse. Il portait un pantalon noir que je soupçonnais d'être en vinyle. J'aurais personnellement détesté en porter un, même en hiver. Son seul charme, à mes yeux, tenait à la beauté de ses longs cheveux blonds presque blancs.

— Mademoiselle Stackhouse, je vous présente Ray Don, a déclaré Russell Edgington.

— Coucou, enchantée.

«Avec des bonnes manières, on a ses entrées partout», disait toujours Gran.

— Ravi de vous connaître, m'a répondu Ray.

Il avait été bien élevé, lui aussi. Quant à savoir à quel siècle ça remontait...

— Je ne vous demande pas comment vous allez, puisque vous avez un gros trou dans le côté, a-t-il poursuivi.

— C'est ce qu'on appelle l'ironie du sort, non? Que ce soit une humaine qui se soit pris le pieu, ai-je plaisanté, histoire de lui faire un peu la conversation.

J'espérais que j'allais revoir le médecin. J'aurais bien aimé lui demander ce qu'il m'avait donné. Ça valait de l'or, ce truc-là.

Ray Don semblait déconcerté, et j'ai compris que j'avais visé un peu trop haut pour ses capacités intellectuelles. Je devrais peut-être lui offrir un calendrier de l'Avent avec un « Mot du Jour », comme celui qu'Arlene m'offrait tous les ans à Noël.

— Je vais t'expliquer, Sookie, est intervenu Eric. Tu sais que quand nous nous nourrissons, nos crocs s'allongent et produisent une petite quantité d'anticoagulant?

— Euh, oui.

— Et que, quand nous avons terminé, avant de se rétracter, nos dents libèrent alors un produit coagulant et un peu de... de...

— De ce truc qui vous aide à guérir si vite?

— Précisément.

— Et Ray Don, que va-t-il me faire?

— Au dire de ses frères de nid, Ray sécréterait des réserves supplémentaires de cette substance chimique. C'est son don particulier.

Ray m'a adressé un sourire radieux. Il était fier de posséder cette étrange faculté.

— Ray va… amorcer le processus sur un volontaire et, quand il sera repu, il nettoiera ta blessure et commencera à la soigner.

Ce qu'Eric avait pudiquement omis de dire, dans son exposé, c'est qu'à un moment donné il allait falloir retirer le pieu et qu'aucune drogue au monde ne pourrait empêcher cette délicate opération de me faire atrocement mal (déduction résultant d'un de mes rares éclairs de lucidité. J'aurais préféré m'en passer).

— OK, ai-je acquiescé. Faites chauffer la colle.

Le volontaire en question se trouvait être un jeune humain filiforme et blond, presque un adolescent, pas plus grand et sans doute pas beaucoup plus carré que moi. Il semblait presque impatient. Ray Don l'a embrassé avant de le mordre – spectacle dont je me serais bien dispensée, n'étant pas vraiment exaltée par les démonstrations d'affection charnelle en public. Quand je dis qu'il l'a embrassé, je ne parle pas d'un gros bisou. Soyons clairs, il lui a roulé une pelle, soupirs et gémissements à la clé. Ce préambule achevé, Blondie a offert son cou à Ray, qui s'est empressé d'y enfoncer ses crocs, morsure qui a provoqué son lot d'étreintes et de halètements lascifs. Même pour moi et mon cerveau qui baignait dans les stupéfiants, le pantalon en vinyle de Ray ne laissait pas grand-chose à l'imagination.

Eric assistait à la scène sans manifester la moindre réaction. En général, les vampires semblent très tolérants quant aux préférences sexuelles. Après plusieurs centaines d'années, j'imagine que certains tabous finissent par tomber d'eux-mêmes.

Quand Ray Don s'est redressé et s'est tourné vers mon lit, il avait la bouche barbouillée de sang.

Aussitôt, Eric s'est assis à côté de moi et m'a agrippée par les épaules pour m'immobiliser et mon euphorie s'est évanouie d'un coup. Le Moment Atroce se profilait.

— Regarde-moi, Sookie, m'a ordonné Eric. Regarde-moi.

J'ai senti le matelas s'affaisser légèrement du côté droit. J'en ai conclu que Ray venait de s'agenouiller pour se pencher sur ma plaie.

Une petite secousse, au creux de mon flanc droit, m'a glacée jusqu'à la moelle des os. Ray devait avoir empoigné le pieu. J'ai alors senti la couleur refluer de mon visage et un cri hystérique monter dans ma gorge en même temps que le sang jaillissait de ma blessure.

— Non, Sookie ! s'est écrié Eric. Regarde-moi !

J'ai vu les doigts de Ray blanchir sur le pieu tandis qu'il resserrait son emprise.

Dans une fraction de seconde, il allait...

J'ai hurlé. J'ai hurlé encore et encore, hurlé à m'en éclater les poumons, hurlé jusqu'à n'avoir plus assez de force pour continuer. J'ai rivé mes yeux à ceux d'Eric tandis que Ray collait ses lèvres à ma plaie. Eric me tenait les mains, à présent, et je lui avais planté mes ongles dans la peau, comme si on était en train de faire tout autre chose... *Il ne m'en voudra pas*, ai-je vaguement songé, en voyant que je l'avais griffé jusqu'au sang. Et j'avais raison.

— Tu dois lâcher prise, Sookie, m'a-t-il conseillé.

Je lui ai obéi : j'ai lâché ses mains.

— Mais non ! s'est-il exclamé avec un sourire amusé. Pas moi. Tu peux t'agripper à moi aussi longtemps qu'il te plaira. Laisse aller la douleur, Sookie. Il faut que tu lâches prise.

C'était la première fois de ma vie que j'acceptais de m'en remettre aussi totalement à quelqu'un, de m'abandonner à sa volonté. Il m'a suffi de le regarder. Ça s'est fait tout seul. Je me suis sentie partir, loin de ce corps torturé par la souffrance et de cet endroit étrange.

Lorsque j'ai repris connaissance, j'étais allongée sur le dos, bien bordée sous les draps. Mon ex-superbe robe de cocktail avait disparu, mais j'avais toujours mes sous-vêtements en dentelle champagne. Bien. Eric était au lit avec moi. Nettement moins bien. Ça commençait à devenir une habitude. Il était couché sur le côté, un bras en travers de ma poitrine, une jambe sur les miennes. Ses cheveux se mêlaient aux miens sur l'oreiller. On les confondait, tant la teinte était proche. J'ai contemplé la scène un moment d'un œil vague, dans une sorte d'état second.

Eric était en veille : parfaitement immobile, figé comme une statue. Les vampires se plongent souvent dans cette espèce de léthargie quand ils n'ont rien de mieux à faire. Ça les repose, j'imagine. Ça les protège des aléas de la vie qu'ils traversent, siècle après siècle, et de la folie du monde, ce monde plein de guerres et de famines, qui bourdonne autour d'eux avec ses inventions permanentes qu'ils doivent apprendre à maîtriser, ses changements de mœurs, de conventions, de styles auxquels ils sont contraints de s'adapter.

J'ai repoussé les couvertures pour jeter un coup d'œil à ma hanche droite. J'avais toujours mal, mais nettement moins qu'avant. Mon flanc portait une cicatrice, un large cercle de peau rouge et lisse, chaude et luisante.

— C'est beaucoup mieux, m'a assuré Eric.

J'ai sursauté. Je ne l'avais pas senti sortir de son état de veille.

Il portait un caleçon en soie – je l'aurais plutôt imaginé porter du coton.

— Merci, Eric, ai-je murmuré, d'une voix tellement chevrotante que ça m'a fait honte.

— Merci de quoi ? m'a-t-il demandé en me caressant le ventre.

— De ne pas m'avoir laissée tomber au club. De m'avoir accompagnée jusqu'ici. De ne pas m'avoir abandonnée avec tous ces gens que je ne connais pas.

— Et jusqu'où va ta reconnaissance, exactement ? a-t-il murmuré, sa bouche à quelques millimètres de la mienne.

Il avait recouvré ses esprits, à présent. Ses yeux étaient plongés dans les miens, et son regard était on ne peut plus alerte.

— Ça gâche tout, quelque part, quand tu sors des trucs comme ça, ai-je rétorqué, tout en m'efforçant de garder un ton aimable. Tu ne voudrais tout de même pas que je couche avec toi juste parce que je te dois une fière chandelle ?

— Je me moque de la raison pour laquelle tu couches avec moi, Sookie, du moment que tu le fais.

Déjà, ses lèvres frôlaient les miennes. J'ai bien essayé de résister, de rester de marbre… Le résultat n'a pas été très concluant. Il faut dire qu'Eric a eu des centaines d'années pour perfectionner sa technique et qu'il a su en tirer profit. Mes mains se sont posées sur ses épaules et, j'ai honte de le dire, j'ai répondu à ses avances. J'avais mal partout et j'étais épuisée, mais, si harassé et perclus qu'il soit, mon corps savait ce qu'il voulait. Ma volonté et ma raison pouvaient toujours courir, elles n'étaient pas près de le rattraper. Eric paraissait avoir autant de mains que Shiva. Elles étaient partout à la fois, encourageant mon corps à obtenir ce qu'il désirait. Il a glissé un doigt sous l'élastique de mon slip.

J'ai laissé échapper un petit cri qui n'avait rien d'une protestation en sentant le doigt se glisser en moi, puis entamer un mouvement affolant. Eric m'aspirait la bouche comme s'il voulait m'avaler tout entière. C'était merveilleux de sentir la douceur de sa peau sous mes doigts, l'ondulation de ses muscles...

Soudain, la fenêtre s'est ouverte à la volée.

— Mam'zelle Sookie! M'sieur Eric! s'est exclamé Bubba, rayonnant de fierté, en entrant dans la pièce. Je vous ai retrouvés!

Eric a brusquement mis fin à ses baisers.

— Oh! Bravo, Bubba, s'est-il exclamé.

J'ai brutalement refermé ma main sur son poignet et je l'ai repoussé d'autorité (ce qui sous-entend qu'il m'a laissée faire, bien sûr. Je n'étais pas de taille à lutter avec lui).

— Bubba! Ça fait longtemps que tu es là? À Jackson, je veux dire? ai-je bredouillé, après avoir repris mes esprits.

Mentalement, j'ai remercié le Ciel de m'avoir envoyé Bubba à temps. Enfin, Eric n'était sans doute pas de cet avis...

— M'sieur Eric m'avait dit de ne pas vous lâcher d'une semelle, m'a expliqué Bubba, avec sa logique habituelle.

Il s'est assis dans un petit fauteuil capitonné recouvert d'un ravissant tissu à fleurs. Une mèche noire lui tombait sur le front, et il avait une bague en or à chaque doigt.

— Vous avez été gravement blessée dans cette boîte de nuit, mam'zelle Sookie? s'est-il gentiment inquiété.

— Ça va beaucoup mieux, maintenant, merci.

— Désolé de ne pas avoir pu faire mon boulot, mam'zelle Sookie. Mais cette maudite bestiole qui gardait la porte n'a pas voulu me laisser entrer. Vous n'allez pas me croire, mais il ne semblait même pas savoir qui j'étais. Non, mais vous imaginez ?

Comme Bubba avait déjà bien du mal à s'en souvenir lui-même et faisait une attaque chaque fois que ça lui arrivait, il n'était peut-être pas si surprenant qu'un gobelin ne soit pas très calé en musique populaire américaine du XXe siècle.

— Mais quand je vous ai vue sortir dans les bras de m'sieur Eric, je vous ai suivie.

— Très futé, Bubba. Merci.

Il m'a adressé ce sourire en coin un peu indolent qu'il avait souvent.

— Dites, mam'zelle Sookie, qu'est-ce que vous faites au lit avec m'sieur Eric si c'est Bill votre petit copain ?

— Très bonne question, Bubba.

J'ai essayé de m'asseoir, mais je me suis laissée retomber avec un gémissement de douleur. Eric a juré dans une langue inconnue.

— Je vais devoir lui donner de mon sang, Bubba, a déclaré Eric. Mais avant, je vais t'expliquer ce que je voudrais que tu fasses pour moi.

— Pas de problème, a acquiescé Bubba docilement.

— Puisque tu as réussi à franchir le mur d'enceinte et à entrer dans la maison sans te faire prendre, je vais te demander de fouiller les lieux. Nous pensons que Bill est quelque part dans cette maison. Les vampires d'ici le gardent prisonnier. N'essaie pas de le délivrer, tu m'entends ? C'est un ordre. Dès que tu l'as trouvé, reviens me le dire. S'ils te voient, ne cherche pas à fuir. Contente-toi de tenir ta langue. Ne leur dis rien. Pas un mot. Ni sur moi, ni sur Sookie, ni sur Bill. Rien de plus que : « Bonjour, je m'appelle Bubba. »

— Bonjour, je m'appelle Bubba.

— C'est bien.

— Bonjour, je m'appelle Bubba.

— Parfait. Bon, maintenant, file ! Et surtout, sois discret. Fais-toi invisible.

Bubba nous a souri.

— Bien, m'sieur Eric. Mais après, faudra que je trouve à manger. J'ai vachement les crocs.

— D'accord, Bubba. Et maintenant, va chercher Bill.

Bubba a enjambé le rebord de la fenêtre... qui se trouvait quand même au deuxième étage. Je me suis demandé comment il allait s'y prendre pour descendre. Mais il avait bien réussi à monter, il n'y avait aucune raison pour qu'il n'arrive pas à faire le chemin en sens inverse.

— Sookie, m'a soufflé Eric, juste dans le creux de l'oreille, je sais que tu n'as pas envie de boire mon sang. Mais il faut regarder les choses en face : le soleil ne va pas tarder à se lever. Je ne sais pas si tu seras autorisée à passer la journée ici. Quant à moi, je vais devoir me trouver un abri, ici ou ailleurs. Or, je veux que tu sois assez forte pour être à même de te défendre toute seule. Ou, du moins, assez vive pour pouvoir réagir rapidement, en cas de problème.

— Je sais que Bill est ici, ai-je chuchoté à mon tour, après avoir pris le temps de réfléchir à la question. Et peu importe ce qu'on a failli faire – merci, Bubba ! –, je dois le retrouver. Et je ne vois pas de meilleur moment pour le faire sortir que pendant la journée, quand tous les vampires seront endormis. Est-ce qu'il pourra se déplacer, en plein jour ?

228

— S'il se sait en grand danger, il sera peut-être capable de mettre un pied devant l'autre, mais il tiendra à peine sur ses jambes...

Pensif, Eric parlait lentement, comme s'il réfléchissait à voix haute.

— S'il est conscient d'être en grand danger, il est possible qu'il puisse tituber, mais... Tu vas être quasiment obligée de le porter. Raison de plus pour que je te donne de mon sang. Et puis, tu devras le cacher, le recouvrir entièrement. Tiens! Tu prendras cette couverture. Elle est grande et épaisse, elle fera parfaitement l'affaire. Comment comptes-tu le faire sortir d'ici?

— C'est là que tu interviens. Quand nous en aurons terminé avec cette histoire de sang, il faut que tu me trouves une voiture. Une voiture avec un très grand coffre. Et tu devras te débrouiller pour me faire passer les clés. Pour ce qui est de te trouver un abri pour la journée, tu as intérêt à aller dormir ailleurs. Il vaut mieux que tu ne sois plus là quand les vampires de la maison se réveilleront et découvriront que leur prisonnier a disparu.

Eric avait toujours la main posée sur mon ventre, et nous étions toujours enlacés dans le lit. Mais la situation avait complètement changé.

— Où comptes-tu l'emmener, Sookie?

— Dans un endroit souterrain, un sous-sol... Peut-être dans le parking de l'immeuble d'Alcide. Ce sera toujours mieux que de rester à découvert.

Eric s'est assis, adossé à la tête de lit. Son caleçon en soie était bleu roi. Il a écarté les jambes et j'ai eu un aperçu de son anatomie. Oh Seigneur! Instinctivement, j'ai fermé les yeux, ce qui l'a fait rire.

— Assieds-toi en me tournant le dos et cale-toi contre moi, Sookie. La position sera plus confortable pour toi.

Il m'a ramenée doucement vers lui, mon dos contre sa poitrine, et a refermé ses bras autour de moi. J'avais l'impression d'être adossée à un oreiller ferme et frais. Son bras droit a disparu de mon champ de vision, et j'ai entendu un bruit bizarre. Puis son poignet est réapparu devant mon visage. Le sang s'écoulait des deux petites plaies qui trouaient ses veines.

— Ça te guérira de tout, m'a-t-il dit pour m'encourager à boire.

J'ai hésité. Puis je m'en suis voulu d'avoir des scrupules aussi ridicules. Évidemment, plus j'aurais de sang d'Eric dans le corps, mieux il me connaîtrait. Ça lui donnerait même un certain pourvoir sur moi. Mais je guérirais tout de suite, et je me sentirais dans une forme éblouissante. Je serais également plus attirante. C'est la raison pour laquelle les vampires sont pourchassés par les dealers, ces humains qui agissent en bandes organisées pour capturer les vampires, les ligoter avec des chaînes d'argent et les vider de leur sang, qu'ils vendent à prix d'or au marché noir. L'année dernière, la moindre fiole de cet élixir ne partait pas à moins de deux cents dollars. Dieu sait ce que le sang d'Eric aurait valu, étant donné son âge canonique ! Le problème, pour le dealer, c'est précisément de prouver l'authenticité et la valeur de sa marchandise. Saigner est une activité pour le moins hasardeuse et… tout à fait illégale.

En m'offrant son sang, Eric me faisait un cadeau inestimable.

Fort heureusement, je n'ai jamais été trop délicate. J'ai appliqué mes lèvres sur les petites plaies et j'ai aspiré.

Eric a gémi. Très rapidement, j'ai senti qu'il était ravi de me sentir de nouveau si proche de lui. Il a

230

commencé à se frotter un peu contre moi. Je ne voyais pas ce que j'aurais pu faire pour l'en empêcher. Son bras gauche me retenait fermement plaquée contre lui, et le droit... eh bien, avec le droit, il me nourrissait de son sang. Il fallait cependant que j'aie le cœur bien accroché pour ne pas être dégoûtée. Eric, quant à lui, passait manifestement un bon moment, et comme, à chaque gorgée, je me sentais de mieux en mieux, j'avais un peu de mal à me persuader que «ce n'était pas bien, ce que je faisais là». J'essayais de penser à autre chose et, surtout, de ne pas répondre à ses mouvements: je me rappelais parfaitement le jour où j'avais reçu du sang de Bill – ainsi que sa réaction...

Eric s'est serré contre moi encore plus fort. Il a soudain poussé un «Oh!» d'extase, avant de se relâcher complètement. J'ai senti quelque chose de mouillé dans mon dos. J'ai alors pris une dernière et longue gorgée de sang. Eric a émis un grognement guttural, avant de faire courir sa bouche dans mon cou.

— Ne me mords pas, hein! lui ai-je dit.

Je me raccrochais désespérément aux derniers lambeaux de bon sens qui me restaient. *C'est le fait d'avoir repensé à Bill qui t'a excitée*, me disais-je, *de t'être rappelé sa réaction quand tu l'as mordu, la violence de son désir. Il s'est trouvé qu'Eric était là à cet instant, c'est tout.* Je ne pouvais tout de même pas coucher avec un vampire (surtout Eric) simplement parce qu'il m'attirait physiquement. Surtout en étant consciente des conséquences désastreuses. Je n'avais pas le courage d'en faire la liste, mais ce serait inévitablement catastrophique pour tout le monde. Et puis, j'étais une grande fille, maintenant. Quand on est une grande fille, on ne couche pas avec quelqu'un uniquement parce qu'il est sexy et doué au lit. Enfin, en théorie...

J'ai senti les crocs d'Eric me griffer l'épaule.

J'ai bondi hors du lit comme une fusée et me suis ruée vers la porte. Comme je l'ouvrais d'un geste brusque, je me suis retrouvée nez à nez avec le petit vampire aux boucles brunes. Il se tenait juste derrière la porte, une pile de vêtements sur le bras gauche, la main droite prête à frapper.

— Eh bien! Regardez-moi ça! s'est-il exclamé.

Et, pour regarder, il regardait. Il était à voile et à vapeur, apparemment.

— Vous vouliez me parler?

Je me suis appuyée contre le chambranle en essayant de feindre un accès de faiblesse.

— Oui. Étant donné que nous avons été obligés de découper votre jolie robe, Russell m'a demandé de vous trouver une tenue de rechange. J'avais ça dans mon armoire, et comme nous sommes à peu près de la même taille...

— Euh... merci beaucoup, ai-je répondu d'une voix faible – je n'avais encore jamais échangé de vêtements avec un mec. C'est très gentil à vous.

Il m'avait apporté un jogging bleu poudré, un tee-shirt, des chaussettes et un peignoir en soie. Et même de la lingerie! Je préférais ne pas imaginer ce qu'il en faisait.

— Vous avez l'air beaucoup mieux, a-t-il affirmé.

Il y avait indéniablement de l'admiration dans ses yeux, mais aussi un certain détachement. Il me regardait comme on contemple un tableau. J'avais peut-être surestimé mes charmes, tout compte fait.

— Je ne suis pas encore très solide, lui ai-je répondu d'une voix mal assurée. Je me suis levée parce que je voulais aller me laver.

Tout à coup, le regard du petit vampire s'est enflammé : il venait d'apercevoir Eric par-dessus mon épaule. Ce spectacle semblait nettement plus à son goût. Son sourire s'est fait carrément agui-cheur.

— Leif, vous plairait-il de partager mon cercueil, aujourd'hui ?

Il ne manquait que les battements de cils.

Je n'ai pas osé me retourner vers Eric : j'avais une trace humide dans le dos. Cette idée m'a donné la nausée. Non seulement j'avais embrassé Alcide, mais j'avais laissé Eric me caresser. Je n'étais pas très fière de moi. Ce n'était pas parce que Bill m'avait trompée qu'il fallait que je me jette sur tout ce qui portait pantalon. Le fait qu'il m'ait habituée à des expériences spectaculaires et régulières et que je sois donc en manque n'était pas une excuse non plus. Ou alors juste un petit peu.

Il était temps de me remonter les bretelles, mora-lement parlant, et d'apprendre à bien me tenir. Prendre cette décision m'a tout de suite apaisée.

— J'ai une course à faire pour Sookie, disait Eric. Je ne sais pas si je serai de retour avant le jour. Mais si c'est le cas, vous pouvez compter sur moi.

Il flirtait ouvertement. Pendant que toutes ces fines répliques fusaient autour de moi, j'ai enfilé le peignoir, un petit truc aérien noir avec des fleurs roses et blanches partout. Vraiment superbe. Bou-clette a daigné m'accorder un regard et a semblé nettement plus intéressé que lorsque j'étais appa-rue en petite tenue.

— Miam ! a-t-il simplement résumé.

— Merci encore, ai-je répété. Pourriez-vous m'in-diquer où se trouve la salle de bains la plus proche ?

Il a tendu l'index en direction d'une porte entrou-verte, un peu plus loin dans le couloir.

J'ai poliment pris congé de ces messieurs et suis sortie, en faisant bien attention de marcher avec prudence, comme si j'avais encore mal. À environ vingt mètres de la salle de bains, deux portes plus loin, je pouvais apercevoir le haut de l'escalier. Parfait. Maintenant, je savais où était la sortie. Plutôt rassurant, mine de rien.

La salle de bains n'avait rien d'extraordinaire. Elle était parsemée de tout ce qu'on trouve habituellement dans une salle de bains : séchoirs à cheveux, fers à friser, déodorants, shampoings, gel, ainsi que du maquillage, des brosses, des peignes et des rasoirs. Elle était propre et rangée, mais il était cependant évident que plusieurs personnes se la partageaient.

J'étais prête à parier que celle de Russell Edgington n'avait rien à voir avec le modèle collectif. J'ai trouvé des épingles à cheveux et me suis fait un chignon avant de prendre la douche la plus rapide du siècle (je ne me suis pas lavé les cheveux. Je l'avais déjà fait le matin même, autant dire des siècles plus tôt).

Moins d'un quart d'heure après, j'étais de retour dans la chambre. Bouclette était parti, Eric était habillé, et Bubba était revenu : les choses étaient rentrées dans l'ordre.

Eric n'a pas dit un mot de ce qui s'était passé entre nous. Il s'est contenté de regarder mon peignoir d'un œil admiratif sans faire de commentaire.

— Bubba a inspecté tout le secteur, m'a annoncé Eric.

Bubba m'observait, son éternel petit sourire en coin aux lèvres. Il semblait très content de lui.

— Je l'ai trouvé, mam'zelle Sookie. J'ai trouvé Bill, m'a-t-il annoncé, triomphant. Il n'est pas en très bon état. Mais il est vivant.

Je me suis effondrée sur une chaise, qui, par chance, se trouvait juste derrière moi. Je suis tombée comme une masse. À un moment, j'étais debout; la seconde d'après, assise, sans bien comprendre comment j'étais arrivée là – une sensation bizarre de plus dans une nuit riche en péripéties.

Quand j'ai réussi à reprendre mes esprits, j'ai remarqué qu'Eric me dévisageait. Diverses émotions – plaisir, regret, colère, satisfaction – semblaient se succéder dans ses prunelles. Quant à Bubba, il n'était pas difficile de déchiffrer son expression: il rayonnait de fierté.

— Où est-il?

Je n'ai même pas reconnu ma voix.

— Il y a un gros bâtiment, là, derrière, comme un grand garage mais avec des apparts au-dessus et une pièce sur le côté.

Russell aimait garder ses employés sous la main, apparemment.

— Est-ce qu'il y a d'autres bâtiments avec lesquels je pourrais le confondre? Je ne risque pas de me tromper?

— Il y a bien la piscine, avec une petite baraque comportant des cabines pour que les gens se mettent en maillot dedans, et aussi une espèce d'atelier – enfin, je crois, vu qu'il est plein d'outils. Mais il est séparé du garage.

— Dans quelle partie du garage Bill est-il enfermé? lui a demandé Eric.

— La pièce à droite. Le garage, c'est sûrement une ancienne écurie. Et la pièce, c'est là qu'on devait mettre les selles et tout ça. Ce n'est pas bien grand.

— Combien sont-ils à l'intérieur, en dehors de Bill?

Eric posait les bonnes questions. Moi, je n'arrivais toujours pas à me remettre de la nouvelle. Bill était vivant, et il était bel et bien là, tout près de moi!

— Là tout de suite, il y en a trois, m'sieur Eric. Deux hommes et une femme. Des vampires, les trois. C'est elle qu'a le couteau.

J'ai eu l'impression de me ratatiner, comme une feuille racornie.

— Le couteau? ai-je lâché dans un souffle.

— Ouais, mam'zelle. Et elle l'a pas raté.

Ce n'était pas le moment de flancher. Je m'étais vantée de ne pas être une petite nature. C'était l'occasion ou jamais de me le prouver.

— Et il a tenu tout ce temps.

— Oui, Sookie, m'a confirmé Eric d'une voix ferme. Je vais aller te chercher une voiture. J'essaierai de la garer près de l'ancienne écurie.

Je me suis immédiatement alarmée:

— Ils ne vont pas t'arrêter quand tu reviendras?

— Pas si j'emmène Bernard.

— Bernard?

— Le petit brun, m'a-t-il répondu avec un lent sourire.

— Oh! Je vois... Tu crois que si tu pars avec Bouclette, on t'ouvrira les portes plus facilement au retour parce qu'il est de la maison?

— Oui, mais je serai sans doute obligé de rester ici. Avec lui.

— Tu ne pourrais pas... euh... te défiler?

— Tu peux compter sur moi pour essayer. Je n'ai aucune envie de me faire prendre à mon réveil, quand ils découvriront que Bill s'est échappé, et toi avec.

— Ils vont poster des loups-garous pour le garder, dans la journée, mam'zelle Sookie.

Nous nous sommes tous les deux tournés vers Bubba.

— Les loups-garous qu'ils avaient lancés après vous, mam'zelle Sookie, a insisté Bubba. Ils vont surveiller Bill pendant que les vampires dormiront.

— Oui, mais c'est la pleine lune, ai-je réfléchi. Ils seront sur les rotules lorsqu'il sera l'heure de reprendre leur service. S'ils se présentent seulement à leur poste...

Eric a hoché la tête, légèrement surpris.

— Tu as raison, Sookie. On n'aura pas de meilleure occasion pour agir.

Il ne nous restait plus qu'à mettre un plan au point. Peut-être que je pourrais jouer les grandes malades un peu plus longtemps, en attendant qu'un ami humain d'Eric arrive de Shreveport pour m'aider. Eric a dit qu'il essaierait d'appeler là-bas de son portable, dès qu'il aurait quitté les abords du domaine.

— Peut-être qu'Alcide pourrait t'aider ? a-t-il suggéré.

Je dois bien reconnaître que l'idée m'a tentée. Alcide, c'était du solide : un type sûr, compétent, responsable... Quelque chose de faible et de vulnérable en moi me répétait qu'il serait capable de tout prendre en main, qu'il saurait se débrouiller bien mieux que moi. Puis ma bonne conscience s'est réveillée. Alcide avait déjà fait ce qu'on lui avait demandé. Il devait penser à ses affaires. Il serait grillé dans tout l'État du Mississippi si jamais Russell découvrait qu'il avait participé à l'évasion de Bill Compton.

Il était temps de prendre une décision. Il restait moins de deux heures avant le lever du jour. Eric s'est absenté un instant pour aller trouver Bouclette – Bernard – et lui demander tendrement de l'accompagner, pour trouver une voiture. Je ne voyais pas vraiment où il pourrait dénicher une société de location de voitures ouverte à une heure pareille, mais ça n'avait pas l'air de l'inquiéter. De toute façon, il n'était plus temps d'avoir des doutes. Il était trop tard pour hésiter. Bubba a accepté de franchir le mur d'enceinte en sens inverse avant de se terrer pour la journée. D'après Eric, il n'avait réussi à sauver sa peau que parce que c'était la nuit de la pleine lune. Je voulais bien le croire. Le vampire qui gardait le portail était peut-être un excellent gardien, mais il ne pouvait pas être partout.

Pour ma part, j'étais censée jouer les grandes malades jusqu'à l'aube, lorsque les vampires iraient se coucher. Il me faudrait ensuite faire sortir Bill de l'écurie, d'une manière ou d'une autre, et le planquer dans le coffre de la voiture qu'Eric m'aurait trouvée. Puis je quitterais les lieux. Ils n'auraient aucune raison de m'empêcher de partir.

— C'est le plus mauvais plan qui m'ait jamais été proposé, a commenté Eric, de retour dans la chambre.

— C'est bien possible, mais c'est le seul qu'on ait, ai-je répliqué du tac au tac.

— Vous allez assurer comme un chef, mam'zelle Sookie! a déclaré Bubba.

Ah! Enfin une attitude positive! J'ai exprimé à Bubba toute ma gratitude. C'était exactement ce qui me manquait: un soutien moral. Parce que, physiquement, je me sentais invincible. Galvanisée par le sang d'Eric, j'avais l'impression que mes yeux lançaient des éclairs et qu'un courant électrique me parcourait les veines.

— Ne t'emballe pas trop non plus, Sookie, m'a dit Eric.

C'est souvent le problème, avec les gens qui prennent du sang de vampire acheté au marché noir : ils se sentent si forts qu'ils se lancent dans les entreprises les plus folles. Mais, parfois, ils ne sont pas à la hauteur comme ce type qui avait voulu se battre contre une bande de petites frappes – à dix contre un, ou cette femme qui avait essayé d'arrêter un train...

J'ai pris une profonde inspiration, le temps de graver cet avertissement dans ma mémoire. Si je m'étais écoutée, j'aurais enjambé le rebord de la fenêtre pour voir si je pouvais atteindre le toit en grimpant au mur comme Spiderman. Waouh. Ce sang avait un effet hallucinant. Je n'aurais jamais cru qu'il puisse y avoir une telle différence entre le sang de Bill et celui d'Eric.

On a frappé. Tous les yeux se sont braqués sur la porte, comme si nous pouvions voir au travers.

En une fraction de seconde, Bubba avait disparu par la fenêtre, Eric s'était assis sur une chaise près du lit, et je m'étais couchée, essayant de jouer les convalescentes fiévreuses.

— Entrez ! a lancé Eric d'une voix étouffée, comme il convient à un homme qui veille une grande malade.

C'était Bernard. Il était à croquer, avec son jean moulant et son beau sweat-shirt rouge. J'ai fermé les yeux et je me suis remonté les bretelles : où étaient donc passées mes bonnes résolutions ? Ma transfusion m'avait vraiment fait de l'effet.

— Comment va-t-elle ? s'est enquis Bernard. Elle semble avoir retrouvé des couleurs.

Il chuchotait presque.

— Elle souffre toujours, mais sa guérison est en bonne voie, grâce à la générosité de votre roi.

— Il sera heureux de l'apprendre, a poliment répondu Bernard. Mais... euh... eh bien, il le serait plus encore si elle pouvait rentrer par ses propres moyens demain matin. Il est certain que, d'ici là, son fiancé aura regagné son appartement, après avoir profité de la pleine lune de cette nuit. J'espère que ça ne vous paraît pas trop brutal ?

— Non, non, je comprends son inquiétude, a répondu Eric avec la même affabilité.

Apparemment, Russell craignait que je ne profite de mon acte d'héroïsme pour abuser de son hospitalité plusieurs jours. N'ayant pas l'habitude de recevoir des femmes chez lui, il préférait me renvoyer au plus vite chez Alcide pour qu'il s'occupe de moi. Sans compter qu'il n'était sans doute pas très à l'aise à l'idée qu'une inconnue se balade sur ses terres toute la journée, pendant que lui-même et sa suite seraient plongés dans un profond sommeil.

Il avait d'ailleurs absolument raison de s'inquiéter.

— Je vais donc lui procurer une voiture et la garer à l'arrière de la maison, afin qu'elle puisse repartir toute seule dès demain. Pourrez-vous vous assurer qu'on ne lui barrera pas l'entrée – j'imagine qu'elle est gardée durant la journée ? Je crois que, de la sorte, je n'aurai pas failli à mes devoirs envers mon ami Alcide.

— Tout cela me paraît tout à fait raisonnable, a approuvé Bernard en m'accordant, pendant une fraction de seconde, une miette du sourire qu'il destinait à Eric.

Je ne le lui ai pas rendu. J'ai fermé les yeux avec lassitude.

— Je laisserai un message au gardien en partant, afin que votre amie ne soit pas importunée à la porte, a poursuivi Bernard. Cela ne vous dérange pas si on prend ma voiture ? Ce n'est qu'une vieille guimbarde, mais elle nous emmènera bien jusqu'à... Où vouliez-vous aller, déjà ?

— Chez un de mes amis. Je vous indiquerai le chemin en route. Ce n'est pas très loin. Cet ami connaît quelqu'un qui me louera un véhicule pour un jour ou deux sans poser de questions.

Eric avait trouvé le moyen de me procurer une voiture sans laisser de traces administratives. C'était parfait.

J'ai senti un déplacement d'air sur ma gauche. Eric s'est penché vers moi. Je savais que c'était lui, grâce au sang que j'avais désormais dans les veines. Très angoissant. C'était bien pour ça que Bill m'avait recommandé de ne jamais accepter le sang d'un vampire (en dehors du sien, évidemment). Trop tard. Je m'étais retrouvée entre l'enclume et le marteau.

Eric m'a embrassée sur la joue – un chaste baiser de meilleur ami du petit ami.

— Sookie ? a-t-il murmuré très doucement. Sookie, tu m'entends ?

Petit hochement de tête à peine perceptible.

— Bon. Écoute, je vais aller te chercher une voiture. Je laisserai les clés sur ta table de chevet en rentrant. Demain matin, tu vas devoir retourner chez Alcide. Tu as compris ?

Deuxième hochement de tête.

— Au revoir, ai-je soufflé en adoptant un ton ensommeillé. Et merci pour tout.

— Tout le plaisir était pour moi.

La pointe d'ironie ne m'a pas échappé. J'ai dû faire un effort pour garder mon sérieux.

Si incroyable que ça puisse paraître, je me suis bel et bien endormie après son départ.

La maison est devenue bien calme à l'approche de l'aube. Les loups-garous ne devaient pas être encore rentrés de leur équipée sauvage. Ils étaient sans doute en train de pousser leur dernier hurlement, quelque part dans les bois. Loin d'ici, de préférence. Du moins, je l'espérais. Tout en sombrant dans le sommeil, j'ai songé aux métamorphes du club, à leur déferlement dans le centre-ville. Comment les choses s'étaient-elles passées pour eux, en définitive ? Comment feraient-ils pour se rhabiller ? La soirée avait été exceptionnellement animée, au club, mais j'imaginais qu'en temps ordinaire ils se métamorphosaient en suivant une certaine procédure. Je me suis demandé où était Alcide. Avait-il réussi à rattraper ce fumier de Newlin ?

Je me suis réveillée en entendant le cliquetis des clés.

— Je suis revenu, m'a annoncé Eric.

Il parlait si bas que j'ai dû ouvrir les yeux pour m'assurer qu'il était bien là.

— J'ai trouvé une Lincoln blanche. Elle t'attend en bas, près du garage. Malheureusement, il n'y avait pas de place à l'intérieur. Je n'ai pas pu m'approcher davantage pour vérifier les informations de Bubba. Tu m'entends ?

J'ai opiné, encore à moitié endormie.

— Bonne chance !

Il y a eu un bref silence, comme s'il hésitait.

— Si je parviens à me libérer, je te retrouverai dans le parking, chez Alcide, à la tombée de la nuit. Si tu n'es pas là, je repartirai directement pour Shreveport.

J'ai ouvert les yeux. La pièce était encore plongée dans l'obscurité. La peau d'Eric luisait dans le noir. La mienne aussi. Ça m'a flanqué une trouille bleue.

242

Je venais à peine de redevenir normale, après avoir reçu du sang de Bill (un cas d'urgence), et voilà qu'un nouveau drame survenait et que je recommençais à briller comme une boule à facettes dans une boîte de nuit! Vivre avec les vampires, c'était vivre perpétuellement en situation de crise. Un vrai bonheur.

— On aura une petite conversation plus tard, m'a-t-il promis.

Perspective plutôt alarmante.

— Merci pour la voiture.

Il m'a regardée. Il semblait avoir un suçon dans le cou. J'ai ouvert la bouche… et je l'ai refermée. Mieux valait ne pas faire de commentaires.

— Je n'aime pas éprouver des sentiments, a soudain lâché Eric froidement.

Et il est parti.

Difficile de faire mieux, comme sortie.

11

Un fin ruban de lumière rosée apparaissait à l'horizon. Quand j'ai quitté la demeure du roi du Mississippi, il faisait un peu moins froid que la veille, mais le temps était à la pluie et le ciel était sombre. J'avais, sous le bras droit, le baluchon contenant mes affaires (mes hauts talons et mon sac à main enroulés dans mon étole en velours, qui avait miraculeusement survécu à cette folle soirée. La clé de l'appartement d'Alcide se trouvait toujours dans mon sac : je saurais où me réfugier en cas de problème), et, sous le gauche, ma couverture – j'avais refait le lit de telle sorte que ma disparition ne sauterait pas immédiatement aux yeux.

Je portais les vêtements que Bernard m'avait prêtés. Comme il n'avait pas prévu de veste, j'avais piqué en partant une parka matelassée bleu foncé que j'avais trouvée sur la rampe d'escalier. Je n'avais jamais volé de ma vie, et voilà que je filais à l'anglaise avec la couverture du lit et la veste d'un invité. La voix de ma conscience protestait vigoureusement.

Mais quand je pensais à ce que je m'apprêtais à faire et aux moyens que j'allais peut-être devoir employer pour y parvenir, ce petit emprunt me paraissait bien anodin. J'ai ordonné à ma conscience de la fermer.

J'ai traversé la cuisine à pas de loup pour atteindre la porte de service. Mes pieds glissaient dans les chaussons que Bernard avait inclus dans mes affaires de rechange. Mais je préférais nettement les chaussons et les chaussettes à mes talons. De loin.

Jusqu'à présent, je n'avais rencontré personne. Je devais avoir choisi l'heure magique, celle où tous les vampires se terraient (dans leurs cercueils, lits, terriers ou je ne sais quelle tanière où ils passaient la journée), tandis que les loups-garous et autres SurNat du même genre achevaient leur chasse (gueuleton ou autre virée nocturne), à moins qu'ils ne soient déjà en train de récupérer. Je vibrais de tension à l'idée que, d'une minute à l'autre, ma chance pouvait tourner.

Derrière la maison se trouvait effectivement une petite piscine. L'hiver, on la recouvrait d'une immense bâche noire dont les bords lestés dépassaient largement le périmètre du bassin. La bicoque qui la flanquait était plongée dans le noir. J'ai suivi en silence un petit chemin de dalles de pierre irrégulières. Après avoir franchi une épaisse haie, je me suis retrouvée sur des pavés. J'ai tout de suite compris que j'étais arrivée dans la cour de l'ancienne écurie.

Grâce à la vue accrue dont j'avais hérité en buvant le sang d'Eric, je distinguais parfaitement l'édifice. C'était une grosse bâtisse aux bardeaux blancs. Le premier étage était percé de lucarnes à pignons – c'était sans doute là que se trouvaient les appartements dont Bubba nous avait parlé. Difficile de faire plus royal, comme garage : chaque emplacement s'ouvrait par voûte cintrée.

J'ai dénombré quatre véhicules à l'intérieur, parmi lesquels la limousine de Russell et une Jeep. Sur la droite, succédant au quatrième box, se dressait un mur blanc. Et dans ce mur blanc se découpait une porte.

Bill ! C'était plus qu'un appel, presque une prière. *Bill !* J'avais le cœur qui battait la chamade, maintenant. Avec un immense soulagement, j'ai aperçu la Lincoln garée dans l'allée de gravier qui longeait le bâtiment. J'ai ouvert la portière côté conducteur. Aussitôt, le plafonnier s'est allumé. Heureusement qu'il n'y avait personne pour le voir ! Enfin, je l'espérais... J'ai jeté mon petit baluchon sur le siège du passager avant de m'asseoir sur celui du conducteur, et avec de multiples précautions j'ai rabattu la portière sans la refermer tout à fait. J'ai trouvé un bouton pour éteindre le plafonnier et j'ai consacré une précieuse minute à examiner le tableau de bord. J'étais si excitée et si angoissée que j'avais du mal à me concentrer. Je suis ensuite allée ouvrir le coffre. Il était gigantesque, mais pas aussi propre que l'habitacle. Eric y avait stocké deux bouteilles de sang de synthèse, que j'ai coincées sous un des tendeurs, sur le côté. Le fond était sale, comme si le coffre avait été précipitamment vidé. Il restait néanmoins des feuilles de papier à cigarette, de petits sacs en plastique et des traces de poudre blanche sur la moquette. C'est cela... Enfin, le principal, c'était qu'Eric ait enlevé tout ce qui aurait pu empêcher Bill de s'allonger confortablement.

J'ai respiré un bon coup et j'ai refait le tour de la Lincoln, la couverture plaquée contre la poitrine. Caché à l'intérieur se trouvait le pieu qui m'avait blessée. C'était la seule arme que j'avais pu me procurer. Le pieu était encore taché de sang. Il y avait même des bouts de peau desséchée accrochés au bois. Mais je n'avais pas hésité à le récupérer dans la corbeille à papier. Après tout, je savais quels dommages il pouvait causer.

Le ciel s'était un peu éclairci, mais, en sentant des gouttes sur mon visage, j'ai compris que l'obscurité allait se prolonger encore un peu.

J'ai furtivement regagné le garage. Évidemment, en rasant les murs, je risquais d'éveiller les soupçons. Mais j'étais tout bonnement incapable d'avancer d'un pas décidé jusqu'à la porte. Pas assez de courage. Pas le cran. Le gravier interdisait toute approche silencieuse. Je marchais pourtant sur la pointe des pieds.

J'ai collé l'oreille à la porte, mettant à profit mon ouïe améliorée. Aucun bruit. En tout cas, je savais qu'il n'y avait pas d'humain à l'intérieur. J'ai lentement tourné la poignée et l'ai ramenée avec précaution à sa position initiale, avant d'entrer dans la pièce.

Le parquet qui recouvrait le sol était criblé de taches. L'odeur était épouvantable. J'ai su instantanément que cet endroit servait de chambre de torture depuis longtemps. Bill se trouvait au milieu de la pièce, assis sur une chaise à laquelle il était attaché par des chaînes d'argent.

Bizarrement, après tous ces jours de doute, toutes ces émotions, toutes ces péripéties, cette succession d'événements dans des lieux inconnus, j'ai eu l'impression de retrouver soudain mes repères, comme si la terre se remettait à tourner à l'endroit et que tout rentrait dans l'ordre.

Tout était clair, maintenant. Bill était devant moi et j'allais le délivrer.

Après l'avoir bien regardé, à la lumière de l'unique ampoule qui pendait du plafond, j'ai su que je ferais n'importe quoi pour le sauver. N'importe quoi.

Il était dans un état lamentable, pire encore que tout ce que j'aurais pu imaginer. Il était couvert de brûlures. Je savais qu'au contact de l'argent les vampires souffraient le martyre. Or, mon Bill était ligoté par des chaînes d'argent du cou jusqu'aux chevilles. Et il endurait ce calvaire sans relâche. On l'avait aussi brûlé avec des mégots de cigarette et d'autres instruments probablement chauffés à blanc. Et on l'avait lardé de trop de coups de couteau pour que les plaies aient eu le temps de guérir. Il était aussi évident qu'on l'avait privé de sang et de repos depuis des jours : il était affamé, épuisé. Affalé sur son siège, il essayait de profiter du peu de répit que lui laissaient ses tortionnaires pour dormir. Sa crinière brune était toute poisseuse de sang.

Deux autres portes donnaient sur la pièce sans fenêtre. L'une d'entre elles, sur ma droite, était entrebâillée. Elle s'ouvrait sur une sorte de dortoir. J'apercevais des lits et, sur le plus proche, un type endormi. Couché sur le dos, tout habillé, il ronflait et avait la bouche barbouillée de sang. C'était manifestement un loup-garou, tout juste revenu de sa partie de chasse mensuelle. Je ne pouvais voir que la moitié de la chambre : impossible de savoir s'il était seul ou s'il y en avait d'autres. Il me semblait intelligent d'envisager la deuxième solution.

L'autre porte était fermée. Derrière se trouvait sans doute l'escalier qui menait à l'étage. Je n'avais pas le temps d'aller m'en assurer. Un sentiment d'urgence me tenaillait. Il fallait que je fasse sortir Bill d'ici au plus vite. J'étais si tendue que j'en tremblais. Jusqu'alors, j'avais eu une chance incroyable. Ça n'allait pas forcément durer.

J'ai fait deux pas en direction de Bill.

Il a flairé mon odeur, me reconnaissant immédiatement, et relevé brusquement la tête, le regard brûlant de fièvre. J'ai aussitôt porté un doigt à mes lèvres et je suis retournée vers la porte du dortoir, que j'ai tirée le plus possible à moi, sans la fermer, de peur de faire du bruit. Je me suis ensuite faufilée derrière Bill pour examiner les chaînes qui l'entravaient. Il y avait deux petits cadenas, comme ceux qu'on utilise sur les casiers scolaires. Je me suis penchée pour lui souffler à l'oreille :

— Les clés ?

L'un de ses doigts n'avait pas été brisé. Il a réussi à le lever pour m'indiquer le dortoir du menton. Deux clés étaient pendues à un clou à côté de la porte, très en hauteur, juste en face de Bill, bien en vue (une torture supplémentaire). J'ai posé la couverture et le pieu par terre, près de la chaise, et je suis retournée vers le dortoir. J'ai eu beau m'étirer, impossible d'atteindre ces fichues clés. Un vampire aurait pu léviter pour les attraper, pas moi. Puis je me suis raisonnée : j'étais forte, maintenant ; j'avais le sang d'Eric dans les veines.

Il y avait une étagère à droite de la porte, avec un tas de choses intéressantes dessus : des tisonniers, des tenailles... Des tenailles ! En me hissant sur la pointe des pieds et en tendant le bras au maximum, j'ai réussi à les attraper. Nom d'un chien, ce qu'elles étaient lourdes ! J'ai réprimé un haut-le-cœur en voyant la croûte de sang séché qui les recouvrait. J'ai réussi à les lever, à les refermer sur l'anneau qui retenait les clés et à le décrocher sans les faire cliqueter. J'ai poussé mentalement un gigantesque soupir de soulagement. Ça n'avait pas été trop compliqué.

La suite n'allait pas être aussi simple. Il fallait déjà libérer Bill de ses chaînes, et sans les remuer, pour ne pas faire de bruit. L'opération s'annonçait délicate. Pour commencer, Bill a tressailli dès que j'ai touché le premier maillon. Puis j'ai senti comme une résistance en tirant dessus. Et, tout à coup, j'ai compris : le métal adhérait à la peau. Voilà pourquoi Bill s'était raidi. Il essayait de ne pas crier, chaque fois que je mettais à vif sa chair brûlée. Ça m'a retourné l'estomac, à tel point que j'ai été obligée d'arrêter pour me ressaisir, ce qui m'a fait perdre un temps précieux. S'il m'était pénible de le voir endurer ce supplice, pour lui, ce devait être infiniment pire.

J'ai pris mon courage à deux mains et j'ai continué. Ma grand-mère disait toujours que les femmes sont capables de faire tout ce qu'elles savent devoir faire, quoi qu'il leur en coûte. Une fois de plus, l'expérience lui donnait raison.

Il y avait littéralement des mètres de chaînes, et l'opération a duré beaucoup plus longtemps que je ne l'aurais voulu. Je sentais le danger rôder, juste derrière moi. À chaque bouffée d'air que j'aspirais, j'avais l'impression qu'il se rapprochait, qu'il allait me tomber dessus sans crier gare. Bill était très faible, et maintenant que le soleil était levé, il devait lutter pour rester éveillé. La journée s'annonçait très sombre mais, malgré tout, il n'allait pas pouvoir bouger facilement quand le soleil aurait pris de la hauteur.

Le dernier maillon a glissé sur le plancher.

— Il faut que tu te lèves, Bill, lui ai-je murmuré. Il le faut. Je sais que c'est douloureux, mais je ne peux pas te porter.

Du moins, je ne pensais pas en être capable.

— Il y a une voiture garée devant la porte. Le coffre est ouvert. Je vais te cacher dedans, t'envelopper dans la couverture, et on fichera le camp d'ici. Tu m'entends, bébé?

Il a hoché la tête d'un millimètre.

C'est à ce moment-là que notre chance a tourné.

— Hé! Mais qu'est-ce que vous foutez là? a rugi une voix à l'accent très prononcé.

Une vampire venait de franchir la porte du fond.

J'ai senti Bill frémir sous mes doigts. J'ai fait volte-face et, sans interrompre mon élan, j'ai plongé sur le pieu que j'avais posé à terre. Déjà, elle se ruait sur moi.

J'avais fini par me persuader que les vampires avaient tous rejoint leurs cercueils. Pourtant, celle-ci était bel et bien en train d'essayer de me tuer.

Je serais morte en un clin d'œil si elle n'avait pas été aussi interloquée que moi. Je suis parvenue à m'arracher à son emprise et j'ai bondi de l'autre côté de la chaise. Les lèvres retroussées sur des crocs longs comme le pouce, elle grognait par-dessus la tête de Bill, tel un molosse enragé. C'était pourtant un petit format. Elle était aussi blonde que moi, mais elle avait les yeux marron et elle était plus menue. Il y avait du sang séché sur ses mains. Je savais que c'était celui de Bill. La fureur est montée en moi comme un torrent de lave. Je la sentais brûler jusque dans mes yeux.

— Tu dois être la salope qui couchait avec lui, sa petite pute humaine, hein? a-t-elle craché. On baisait ensemble, tu comprends? Pendant que tu l'attendais, pendant que tu pleurais, on baisait. Tout le temps. Depuis le début. À la seconde où il a posé les yeux sur moi, il t'a rayée de sa mémoire. Il n'a plus rien éprouvé pour toi que de la pitié.

Eh bien, Lorena n'était peut-être pas très distinguée, mais elle savait appuyer là où ça faisait mal. Consciente qu'elle essayait de me déstabiliser, je me suis refusée à laisser ses mots me distraire et j'ai assuré ma prise sur mon pieu. C'est alors qu'elle a bondi par-dessus la chaise pour se jeter sur moi.

Je ne sais pas pourquoi j'ai fait ça, mais, d'instinct, j'ai brusquement redressé le pieu, l'empoignant à deux mains, et je l'ai incliné de biais. Au moment où elle s'abattait sur moi, la pointe acérée lui a transpercé la poitrine, ressortant dans son dos. Nous nous sommes retrouvées par terre ; moi, agrippant toujours fermement mon arme ; elle, se retenant à bout de bras au-dessus de moi. Elle a considéré le morceau de bois fiché dans sa poitrine, stupéfaite. Puis ses yeux ont plongé dans les miens. Sa bouche était restée ouverte sur un cri muet. Déjà, ses crocs se rétractaient.

— Non, a-t-elle soufflé.

Puis son regard est devenu vitreux. C'était fini.

J'ai poussé de toutes mes forces sur le pieu pour la rejeter sur le côté et je me suis relevée tant bien que mal. Je haletais et mes mains tremblaient. La vampire ne bougeait plus. Tout s'était passé si vite, dans un tel silence, que la scène me semblait presque irréelle.

Bill a posé les yeux sur la forme inerte qui gisait sur le plancher. Pas la moindre expression dans ses prunelles : impossible de savoir ce qu'il ressentait.

— Eh bien, c'est moi qui l'ai eue, la garce ! ai-je observé, avant de tomber à genoux au pied du cadavre, la main sur la bouche pour refouler mes nausées.

J'ai encore perdu de précieuses secondes, le temps de me reprendre. «Tu as un objectif à atteindre, me suis-je raisonnée. Sa mort ne te servira pas à grand-chose, si tu ne parviens pas à sortir Bill de là avant que quelqu'un d'autre nous tombe dessus. Tu as commis un crime horrible et maintenant que c'est fait, autant que ce ne soit pas pour rien. »

Il aurait été plus prudent de cacher le corps, qui commençait à se ratatiner sur le plancher, mais il y avait plus urgent. Sortir Bill de là. Je lui ai jeté la couverture sur les épaules. Avachi sur sa chaise maculée de sang, il n'a pas bronché.

— C'était Lorena ? ai-je murmuré à son oreille, soudain prise d'un doute atroce. C'est elle qui t'a massacré comme ça ?

De nouveau, cet imperceptible hochement de tête.

Ding dong ! La vilaine sorcière était morte.

Pendant un moment, je suis restée figée, vide, attendant d'avoir une réaction quelconque, d'éprouver quelque chose, n'importe quoi. Mais la seule idée qui me venait à l'esprit, c'était de demander à Bill pourquoi elle avait un accent étranger à couper au couteau. C'était une question idiote, alors j'ai laissé tomber.

— Il faut que tu te réveilles, Bill. Il faut que tu restes éveillé jusqu'à ce qu'on arrive à la voiture.

En même temps, je gardais (mentalement) les loups-garous de la pièce voisine à l'œil. Celui que j'avais vu ronflait toujours derrière la porte. J'ai soudain perçu la vibration d'un autre loup-garou que je n'avais pas repéré. Ça m'a clouée sur place pendant quinze secondes, jusqu'à ce que je détecte le signal faiblissant d'un esprit qui replonge dans le sommeil. J'ai inspiré un grand coup et j'ai rabattu le coin de la couverture sur la tête de Bill. Ensuite, j'ai glissé son bras gauche par-dessus mes épaules et j'ai tiré. Il a réussi à se lever, sans toutefois pouvoir retenir un gémissement de douleur, et est parvenu à atteindre la porte en se traînant. Je le portais à moitié et j'ai été bien contente de m'arrêter pour tourner la poignée. C'est alors que j'ai failli le lâcher : il dormait pratiquement debout. Seuls le danger et la crainte d'être repris le poussaient en avant.

La porte s'est ouverte, et j'ai vérifié que la couverture, jaune et moelleuse, le recouvrait entièrement. Quand il a senti la lumière du jour, pourtant faible et grise, Bill a laissé échapper une plainte. Il s'est effondré contre moi, comme un pantin désarticulé. J'ai commencé à le houspiller à voix basse, à le provoquer, à le menacer pour qu'il se reprenne. Je lui disais que si cette garce de Lorena avait su le garder éveillé, je serais bien capable d'en faire autant ; que je le frapperais, s'il n'arrivait pas à cette fichue bagnole, quitte à ramper !

Finalement, au prix d'un effort surhumain qui m'a laissée toute pantelante, j'ai traîné et poussé Bill jusqu'au coffre de la voiture.

— Bill, il faut que tu t'assoies sur le bord, là, juste derrière toi, lui ai-je dit, en le faisant maladroitement pivoter pour qu'il se retrouve face à moi.

Mais, à ce moment-là, sa vie s'est interrompue : il est tombé à la renverse en se recroquevillant à l'intérieur, avec un râle déchirant qui m'a brisé le cœur. Puis il est devenu parfaitement immobile, inerte, silencieux. Ça me faisait toujours très peur de le voir mourir comme ça. J'ai été prise d'une brusque envie de le secouer, de lui crier dessus, de lui marteler la poitrine. Mais ça n'aurait servi à rien.

Je me suis obligée à repousser les bouts qui dépassaient (un bras, une jambe) et j'ai refermé le coffre en laissant échapper un profond soupir de soulagement.

Tandis que je m'accordais le luxe d'une petite pause pour me remettre de mes émotions, debout dans la cour déserte, je me suis interrogée : fallait-il ou non cacher le corps de Lorena ? J'allais perdre du temps et de l'énergie. Est-ce que ça en valait vraiment la peine ?

J'ai bien dû changer six fois d'avis en trente secondes et j'ai finalement décidé que oui, le jeu en valait la chandelle. S'ils ne trouvaient pas son cadavre, les loups-garous pourraient penser que Lorena avait emmené Bill quelque part pour une petite séance de torture supplémentaire. Et, Russell et Betty Joe n'étant pas de ce monde à cette heure matinale, ils n'auraient personne pour leur donner des instructions. Je ne me faisais aucune illusion : la reconnaissance qu'éprouvait Betty Joe à mon égard n'irait pas jusqu'à m'épargner, si je me faisais prendre. Une mort légèrement plus rapide que la normale, c'était tout ce que je pourrais espérer.

Une fois ma décision arrêtée, je suis retournée dans cette ignoble chambre de torture ensanglantée. Les murs étaient imprégnés du désespoir et de la souffrance de tous ceux qui y avaient été emprisonnés. Combien d'humains, de métamorphes, de vampires avaient été enfermés dans ce cachot ? J'ai ramassé les chaînes en faisant le moins de bruit possible, et je les ai fourrées dans le chemisier de Lorena. De cette façon, on pourrait supposer qu'elles ligotaient toujours le prisonnier. J'ai jeté un coup d'œil autour de moi pour vérifier que je ne laissais pas d'autres traces. Il y avait déjà tant de sang sur le plancher que celui de Lorena ne ferait aucune différence.

Il était temps de vider les lieux.

J'ai dû porter Lorena, pour empêcher ses talons de traîner par terre et de faire du bruit. Et comme je voulais garder les mains libres, j'ai dû la prendre sur mes épaules. Je n'avais jamais pratiqué cet exercice et j'avais l'impression que ce ne serait pas une partie de plaisir. Par chance, c'était un petit gabarit. Et par chance, je m'entraînais à contrôler et protéger mon esprit depuis des années : la façon dont le corps de Lorena se désagrégeait et se balançait, complètement inerte, m'aurait autrement plongée dans une crise de panique pure. Je serrais les dents pour refouler la crise d'hystérie que je sentais monter en moi.

Il pleuvait à verse quand j'ai transporté le cadavre jusqu'à la piscine. Dans mon état normal, je n'aurais jamais pu soulever le bord lesté de la bâche. Mais, grâce au sang d'Eric, j'y suis parvenue d'une seule main et j'ai poussé ce qui restait de Lorena dans le bassin d'un simple coup de pied. Je me rendais bien compte qu'à tout moment quelqu'un pouvait m'apercevoir d'une des fenêtres de la maison. Mais si un des domestiques m'a effectivement repérée, il a décidé de garder ça pour lui.

Une fatigue intense menaçait de me submerger. Je me suis traînée le long du chemin dallé et j'ai franchi la haie comme un zombie. Arrivée à la Lincoln, j'ai dû m'adosser une minute à la portière pour reprendre mon souffle et retrouver mon calme. Puis je me suis assise dans la voiture et j'ai mis le contact. Je n'avais jamais pris le volant d'une aussi grosse cylindrée. Je n'étais même jamais monté à bord d'une voiture aussi luxueuse. Pourtant, je dois avouer que, sur le moment, ça ne m'a pas vraiment fascinée. J'ai bouclé ma ceinture, réglé mon siège, le rétroviseur et examiné le tableau de bord avec attention. Voyons, les essuie-glaces… C'était un modèle récent, et les feux s'allumaient automatiquement : déjà un souci de moins.

J'ai pris une profonde inspiration. J'entamais la dernière phase de l'opération évasion. Au moins la troisième. C'était effrayant de penser à la part que le hasard et la chance avaient prise, dans toute cette aventure. Mais même les meilleurs plans doivent laisser la place à l'improvisation, alors les miens…

J'ai effectué un demi-tour et j'ai traversé la cour. L'allée décrivait un large virage et passait devant le perron de la demeure royale. Elle était aussi belle que je l'avais imaginée, avec sa façade immaculée et ses immenses colonnes cannelées. Russell avait dû dépenser une fortune pour la faire restaurer.

L'allée serpentait ensuite à travers de vastes jardins parfaitement entretenus même en cette saison hivernale. Elle m'a paru trop courte. Je voyais déjà le mur d'enceinte se profiler. Un poste de garde se dressait à l'entrée. Et il était occupé… Je me suis mise à transpirer malgré le froid.

Je me suis arrêtée juste devant la grille. Le poste de garde, une petite guérite blanche, était vitré à partir d'un mètre du sol et jusqu'en haut. Il s'étendait de part et d'autre de la grille et les gardes pouvaient contrôler tant les véhicules qui entraient que ceux qui sortaient. J'espérais pour les deux loups-garous de service qu'ils avaient du chauffage. Ils portaient tous deux un blouson en cuir, et ils avaient l'air drôlement renfrognés. Pas de doute, ils avaient passé une nuit éreintante. J'ai résisté à la tentation, quasi irrépressible, d'appuyer sur l'accélérateur et de défoncer la grille. Un des loups-garous est sorti de la guérite. Il tenait un fusil. Heureusement que je n'avais pas cédé à ma première impulsion.

J'ai baissé ma vitre.

— Je suppose que Bernard vous a prévenus que je partais ce matin ?

J'ai tenté de sourire.

— Vous êtes celle qui s'est fait planter hier soir ?

Mon interlocuteur était bourru, mal rasé, et il sentait le chien mouillé.

— Ouais.

— Comment ça va ?

— Mieux, merci.

— Vous revenez pour la crucifixion, ce soir ?

J'avais sûrement dû mal comprendre.

— Pardon ?

L'autre garde, qui était venu se poster dans l'encadrement de la porte, a aboyé :

— La ferme, Doug !

Doug l'a fusillé du regard. Mais, comme cela semblait laisser l'autre parfaitement froid, il s'est contenté de hausser les épaules.

— OK, vous pouvez y aller.

Les grilles se sont ouvertes – bien trop lentement, à mon goût. Dès que les loups-garous ont reculé pour me laisser passer, j'ai enclenché la première et j'ai franchi le seuil à un train de sénateur. C'est seulement à ce moment-là que je me suis rendu compte que je n'avais pas la moindre idée de la route à suivre. Il m'a cependant paru logique de tourner à gauche, puisque je voulais retourner à Jackson. Mon instinct me disait que nous avions tourné à droite en arrivant.

Mon instinct était un embobineur de première.

Moins de cinq minutes après mon départ, j'étais déjà certaine d'avoir fait fausse route. Et pendant ce temps-là, nuages ou pas, le soleil continuait à monter. J'espérais que Bill était bien protégé sous sa couverture. Je ne m'étais jamais enfermée dans un coffre pour vérifier s'il laissait filtrer la lumière du jour. Après tout, le transport sécurisé de vampires n'arrivait probablement pas en tête dans le cahier des charges des constructeurs automobiles.

Par ailleurs, je me disais qu'une voiture n'était pas censée prendre la pluie non plus (ça, c'était à coup sûr dans le cahier des charges) et qu'entre imperméable à l'eau et imperméable à la lumière, il ne devait pas y avoir des kilomètres. Il n'en restait pas moins que je devais trouver un endroit sombre où garer la Lincoln pour le reste de la journée.

Tout m'incitait à m'éloigner au plus vite du château : si jamais quelqu'un était allé jeter un œil au cachot et avait constaté la disparition du prisonnier, il ne faudrait pas longtemps aux loups-garous pour faire le rapprochement avec mon départ plutôt précipité. Malgré tout, je me suis arrêtée sur le bas-côté et j'ai ouvert la boîte à gants. Dieu soit loué ! Il y avait une carte du Mississippi à l'intérieur, avec un plan de Jackson.

Très utile… à condition de savoir où on est.

Quand on s'évade, on n'est pas censé se perdre.

J'ai pris quelques bonnes inspirations, puis j'ai remis le contact et roulé jusqu'à ce que je trouve une station-service ouverte. Le réservoir de la Lincoln était plein (merci, Eric), ce qui ne m'a pas empêchée de me garer à côté d'une des pompes. Il y avait une Mercedes noire de l'autre côté. La conductrice – la trentaine, tenue élégante mais confortable – m'a eu l'air d'une femme intelligente. J'ai sorti la raclette de son bac pour nettoyer mon pare-brise et je lui ai lancé :

— Vous ne sauriez pas comment rejoindre l'autoroute, par hasard ?

— Oh, mais si ! s'est-elle exclamée avec un grand sourire.

Elle faisait partie de ces gens serviables qui adorent aider leur prochain. J'ai remercié ma bonne étoile.

— Ici, vous êtes à Madison. Jackson se trouve au sud. L'I-55 est à environ quinze cents mètres par là, a-t-elle précisé en indiquant l'ouest. Prenez-la vers le sud et vous tomberez sur l'I-20. Ou, si vous préférez, vous pouvez prendre...

J'ai préféré l'interrompre avant d'être noyée sous un flot d'informations.

— Oh! Ça me paraît parfait. Je vais me contenter de faire ça, sinon je risque de me perdre. Merci beaucoup pour votre aide.

— De rien. Ravie d'avoir pu vous être utile.

Nous nous sommes adressé un même sourire Colgate, comme deux jeunes femmes bien élevées. J'ai dû me retenir pour ne pas lui dire que j'avais un vampire ensanglanté dans mon coffre, rien que pour voir sa tête.

J'avais sauvé Bill, j'étais encore en vie, et le soir même, nous serions tous les deux de retour à Bon Temps : l'avenir s'annonçait radieux. À ceci près que je devrais d'abord régler mes comptes avec un mec qui m'avait trompée et m'assurer qu'on n'avait trouvé ni le corps du loup-garou que Bubba avait trucidé au *Merlotte*, ni le cadavre de celui qu'on avait découvert dans le placard, chez Alcide. Et qu'il nous fallait attendre la réaction de la reine de Louisiane au sujet de l'aventure de Bill avec Lorena. Au sujet de ce qu'il avait pu lui révéler tout du moins – elle n'accordait certainement aucune importance à ses aventures sexuelles.

En dehors de ça, tout baignait dans l'huile.

« À chaque jour suffit sa peine », comme disait ma grand-mère. Quelles que soient les circonstances, Gran avait toujours une citation en réserve.

Je devais avoir neuf ans quand je lui avais demandé de m'expliquer ce que ça voulait dire. Elle m'avait répondu : « Ne cherche pas les ennuis, ils te cherchent déjà. »

Suivant ce sage conseil, j'ai mis un peu d'ordre dans mes idées. Prochain objectif : rentrer à Jackson et garer la voiture dans le parking souterrain. Ça et rien d'autre. J'ai suivi à la lettre les instructions que la gentille dame de la station-service m'avait données. Une demi-heure après, je voyais avec soulagement se profiler les lumières de la ville.

Il me suffisait de trouver le capitole. À partir de là, je n'aurais aucun mal à localiser l'immeuble d'Alcide. J'avais juste oublié un petit détail : ces maudites rues à sens unique. Et je n'avais pas dû être très attentive, quand Alcide m'avait fait visiter le centre de Jackson. Mais les bâtiments de quatre étages ne courent pas les rues, dans le Mississippi, pas même dans la capitale de l'État. Après avoir tourné en rond un bon moment, la peur au ventre, j'ai fini par repérer l'immeuble en question.

Ouf ! La fin de mes ennuis ! Maintenant, tout va s'arranger.

Totalement ridicule et stupide de ma part.

J'ai emprunté la rampe d'accès et j'ai ralenti à hauteur de la petite guérite. J'allais devoir attendre d'être identifiée par le type qui appuyait sur le bouton, actionnait la manette ou je ne sais quoi pour lever la barrière. J'étais morte d'angoisse à l'idée qu'il puisse me refuser l'accès au parking parce que je n'avais pas le sésame plastifié qu'Alcide avait montré pour entrer.

Le gardien n'était pas là. La guérite était vide. Il devait se passer quelque chose. Ce n'était pas normal.

J'ai froncé les sourcils en me demandant ce que je devais faire quand le gardien est arrivé, gravissant la rampe d'accès à pas lourds dans son uniforme marron. Quand il m'a aperçue, son visage s'est crispé et il s'est précipité vers la voiture. Zut! J'allais devoir parlementer, finalement. J'ai baissé ma vitre.

— Je suis désolé... euh... d'avoir quitté mon poste, a-t-il aussitôt bafouillé. J'ai eu... euh... des... des besoins personnels.

Ah ah! J'avais visiblement l'avantage, là.

— J'ai dû emprunter une voiture. Pourrais-je avoir un passe provisoire? lui ai-je demandé, en lui lançant un regard qui en disait long sur ce que j'avais en tête – « Ne me cherche pas de poux, et je n'irai pas crier sur les toits que tu as quitté ton poste ».

— Oui, m'dame. Appartement 504, c'est ça?

— Quelle mémoire!

À ce compliment, son visage buriné a pris des couleurs.

— C'est le métier qui veut ça, a-t-il répondu avec nonchalance, en me tendant un morceau de carton plastifié numéroté que j'ai placé bien en vue sur le tableau de bord. Je vous demanderai de me le rendre quand vous partirez, s'il vous plaît. Ou, si vous comptez rester, vous remplirez un formulaire et on vous donnera un badge. En fait... euh... a-t-il ajouté, d'un air un peu gêné, c'est M. Herveaux qui devra le remplir, en tant que propriétaire.

— Bien sûr. Aucun problème.

Je l'ai salué d'un petit signe guilleret de la main. Il s'est retranché dans sa guérite pour m'ouvrir. Je me suis engouffrée dans le parking, profondément soulagée d'avoir franchi cet obstacle.

Contrecoup du stress, je tremblais comme une feuille en enlevant la clé de contact. J'avais cru apercevoir le pick-up d'Alcide deux allées plus tôt, mais j'avais préféré me garer le plus loin possible, dans le coin le plus sombre du parking, à l'écart des autres véhicules.

Voilà. J'avais atteint mon but. Quand j'avais mis mon plan au point avec Eric, les choses s'arrêtaient là. Je n'avais rien prévu au-delà. Et je n'avais aucune idée de ce que je devais faire. À vrai dire, je n'aurais jamais cru arriver jusque-là. Je me suis laissée aller contre le dossier rembourré, le temps de me détendre un peu, de faire cesser les tremblements qui me secouaient des pieds à la tête, avant de descendre. J'avais mis le chauffage à fond pendant le trajet, et une chaleur douillette régnait dans la voiture.

Quand je me suis réveillée, il faisait froid et, même dans ma parka volée, je grelottais. J'avais dû dormir des heures. Je me suis extirpée du siège du conducteur et je me suis étirée pour chasser les courbatures.

Je me suis demandé comment Bill avait supporté le voyage. Il avait sans doute été ballotté dans le coffre, et je devais m'assurer qu'il ne s'était pas découvert.

Bon, pour être honnête, j'avais tout simplement envie de le voir. À cette seule idée, mon cœur s'emballait. Mais quelle idiote !

J'ai jeté un coup d'œil vers l'entrée du parking pour mesurer la distance qui me séparait de la lumière du jour. J'étais assez loin. En outre, je m'étais garée de façon que l'arrière de la Lincoln soit face au mur.

Cédant à la tentation, j'ai fait le tour de la voiture et ouvert le coffre. J'avais du mal à distinguer la forme recroquevillée dans le noir, aussi me suis-je penchée. Bill semblait bien protégé. Je me suis penchée encore un peu pour remonter la couverture sur sa tête. J'ai juste eu le temps d'entendre le frottement des semelles sur le ciment. La seconde suivante, j'étais propulsée dans le coffre.

Je suis tombée sur Bill. Aussitôt, on a poussé sur mes jambes pour les fourrer à l'intérieur et le coffre s'est fermé avec un claquement sec.

Bill et moi étions enfermés tous les deux dans le coffre de la Lincoln.

12

Debbie. Ça, c'était signé Debbie. Après mon premier moment de panique (qui avait duré beaucoup plus longtemps que je ne voulais bien l'admettre), j'ai essayé de revivre les quelques instants qui avaient précédé mon plongeon. J'avais réussi à saisir au vol un semblant de signature mentale, assez en tout cas pour me renseigner sur la nature de mon agresseur : une métamorphe, sans aucun doute possible, et très probablement l'ex-petite amie d'Alcide – pas si ex que ça, d'ailleurs, si elle se baladait dans le parking de son immeuble.

Était-elle restée embusquée ici toute la nuit, à attendre que je rentre chez lui ? Ou l'avait-elle retrouvé à un moment ou à un autre de cette délirante nuit de pleine lune ? Apparemment, me voir au bras d'Alcide l'avait vraiment rendue folle de rage. De deux choses l'une : soit elle l'aimait, soit elle était terriblement possessive.

Je n'ai pas poussé plus loin mes réflexions. J'avais d'autres priorités. L'air, notamment. Pour une fois, j'étais bien contente que Bill ne respire pas.

Quant à moi, j'avais intérêt à rester calme pour limiter ma consommation : pas de respiration paniquée, pas de mouvements inutiles. Je me suis concentrée sur la situation. J'avais dû tomber dans le coffre vers... disons 13 heures. Bill allait se réveiller vers 17 heures, à la tombée de la nuit. Peut-être qu'il dormirait un peu plus longtemps, après le traitement qu'il avait subi, mais pas après 18 heures, 18 h 30. Une fois qu'il aurait repris ses esprits, il nous tirerait de là. Quoique... Il serait très affaibli. Il avait été affreusement torturé et, vampire ou pas, ses plaies mettraient longtemps à se refermer. Il allait avoir besoin de repos et de sang avant de pouvoir être sur pied. Or, il n'avait pas eu une goutte de sang à se mettre sous la dent depuis des jours et des... J'ai senti un froid intense m'envahir.

J'étais glacée. Glacée d'horreur.

Bill aurait faim. Il aurait même une faim dévorante. Il serait pris de frénésie.

Et j'étais enfermée avec lui : cinq litres de sang frais. Un vrai festin !

Est-ce qu'il saurait que c'était moi, à côté de lui ? Est-ce qu'il me reconnaîtrait à temps ?

Et s'il s'en fichait ? Peut-être qu'il ne m'aimait plus assez, maintenant, pour arrêter avant qu'il ne soit trop tard. Peut-être allait-il me sucer le sang et me vider complètement. Il était fou de Lorena. Et il m'avait vue la tuer. D'accord, elle l'avait trahi et torturé, ce qui aurait dû refroidir ses ardeurs. Mais en amour, tout se passe toujours en dépit du bon sens, non ?

Dans une telle situation, même ma grand-mère aurait juré.

« OK, OK, me suis-je dit. Reste calme. Respire doucement, lentement, par petites bouffées. Surtout, économise ton air. »

Bon. Il fallait aussi que je me trouve une position plus confortable. Heureusement que j'étais dans le plus grand coffre que j'aie jamais vu, ça me laissait un peu de marge de manœuvre. Bien entendu, Bill était complètement inerte – il était mort. Je pouvais donc le pousser sans courir de risque. Il faisait un froid de canard, aussi ai-je tiré sur la couverture pour me réchauffer un peu. Et le tout, à tâtons : je ne voyais même pas ma propre main. J'enverrais peut-être une lettre au concepteur de la voiture pour lui faire savoir qu'à toutes fins utiles je me portais garante de l'imperméabilité du coffre à la lumière. Si j'en sortais vivante, du moins. En calant ma tête contre la paroi, j'ai senti les deux bouteilles de sang qu'Eric avait placées à l'intérieur. Peut-être suffiraient-elles à rassasier Bill ?

Je me suis soudain souvenue d'un article que j'avais lu dans un magazine pendant que je patientais dans la salle d'attente, chez le dentiste. C'était au sujet d'une femme qui avait été prise en otage et que ses ravisseurs avaient enfermée dans le coffre de sa propre voiture. Depuis, elle n'avait cessé de faire campagne pour l'installation de loquets à l'intérieur des coffres, afin que tout captif puisse se libérer sans aide extérieure. Je me suis demandé si elle avait réussi à influencer le constructeur de la Lincoln. J'ai tâté la paroi et j'ai effectivement trouvé un loquet. Enfin, ce qui pouvait y ressembler… Puis j'ai senti des bouts de câbles. Mais, s'il y avait eu une poignée qui les reliait, elle avait été enlevée à coups de pince coupante.

J'ai essayé de tirer sur les câbles, dans tous les sens, sans résultat. Bon sang, c'était tellement injuste ! Ça a failli me faire perdre la raison. La clé de ma prison était là, à portée de main, mais rien ne fonctionnait. J'avais beau triturer les câbles, ça ne m'avançait à rien.

Le mécanisme avait été saboté.

Je n'y comprenais rien. Que s'était-il donc passé? À ma grande honte, je me suis même demandé si Eric n'avait pas tout prévu pour que je me retrouve enfermée dans ce coffre... ce qui aurait été sa façon de me dire: « Ça t'apprendra à préférer Bill. » Mais non, c'était impossible. Question moralité, Eric était certes loin d'être irréprochable, mais je ne le voyais pas me faire un coup pareil. Ne serait-ce que parce qu'il n'était toujours pas parvenu à ses fins avec moi...

Puisque je n'avais rien de mieux à faire que réfléchir (ce qui n'exigeait pas une surconsommation d'oxygène, pour autant que je le sache), je me suis penchée sur le profil du propriétaire de la voiture. L'ami d'Eric avait dû repérer un véhicule facile à voler, un véhicule appartenant à quelqu'un qu'on était sûr de croiser tard dans la nuit, quelqu'un qui pouvait se payer une belle voiture et dont le coffre était susceptible de contenir des feuilles de papier à cigarette, de petits sacs en plastique, de la poudre blanche...

Donc, Eric avait récupéré la Lincoln d'un dealer. Et ce dealer avait désactivé le système d'ouverture intérieur du coffre. Je préférais ne pas savoir pourquoi...

Trêve de suppositions. Il fallait à tout prix que je sorte de ce coffre, sinon, tout ça n'aurait servi à rien.

On était dimanche et à quelques jours de Noël: le garage était désert. Nombre de locataires et de copropriétaires de l'immeuble avaient dû partir en vacances dans leur famille. Quant aux autres, ils devaient être occupés à préparer Noël ou à profiter de leur dimanche. Je n'avais entendu qu'une voiture démarrer depuis que j'étais là-dedans. Puis, soudain, j'ai perçu des voix. Deux hommes sortaient de l'ascenseur. J'ai hurlé, tambouriné contre le coffre. Mais mes cris se sont perdus dans le rugissement d'un puissant moteur. Je me suis calmée brusquement, terrifiée à l'idée d'avoir gaspillé mon air.

Je vais vous dire : rester enfermé dans le noir, dans un espace confiné, à attendre que quelque chose se produise, c'est vraiment un sale moment à passer. Je n'avais pas de montre – de toute façon, il m'en aurait fallu une qui soit lumineuse – et je n'avais aucune idée du temps qui s'était écoulé depuis que j'avais basculé dans le coffre. Longtemps, sans doute. J'ai fini par sombrer dans une sorte de léthargie. C'était probablement dû au froid. Même avec la couverture et la parka, j'étais frigorifiée. Immobile, transie, respirant à peine, dans le noir et le silence, j'ai laissé mes pensées dériver…

Et, tout à coup, l'effroi m'a envahie.

Bill avait bougé. Il s'est étiré avec un grognement de douleur. Puis il s'est figé, le corps bandé comme un arc. Il avait perçu mon odeur.

— Bill ?

J'avais la voix éraillée d'avoir tant crié et les lèvres gelées.

— Bill, c'est moi, Sookie. Bill ? Ça va ? Il y a deux bouteilles de sang juste à côté de moi. Il faut que tu les boives mainten…

À cet instant, le vampire a frappé.

Affamé comme il l'était, il n'a pas cherché à me ménager. La douleur était abominable, monstrueuse.

— Bill, c'est moi, ai-je hoqueté en fondant en larmes. Bill, c'est moi. Ne fais pas ça, mon amour, je t'en prie. Bill, c'est Sookie. J'ai du TrueBlood pour toi.

Mais ça ne l'a pas arrêté. J'ai continué à le supplier et il a continué à me sucer le sang. J'avais de plus en plus froid et je sentais peu à peu mes forces m'abandonner. Je n'ai même pas essayé de me débattre, ça n'aurait servi à rien : il me coinçait contre lui, ses bras refermés autour de moi comme des tenailles. Et ça n'aurait fait que l'exciter davantage.

— Bill, ai-je supplié dans un souffle à peine audible.

Mais à quoi bon ? Sans doute était-il déjà trop tard. Alors, avec l'énergie du désespoir, je lui ai attrapé l'oreille et je l'ai pincée.

— Bill, écoute-moi, je t'en prie !

— Hé ! a-t-il protesté d'une voix rauque.

Il avait fini de se nourrir. Mais, maintenant, un autre besoin se faisait sentir, un besoin étroitement lié à l'ingestion de sang... Il a brusquement descendu mon jogging et, après quelques contorsions, il m'a pénétrée directement, si violemment que j'ai hurlé. Il a aussitôt plaqué sa main sur ma bouche, sans cesser pour autant ses assauts. Mes sanglots ont redoublé. Je me noyais dans mes larmes. Mais, surtout, j'avais le nez bouché et, la bouche bâillonnée par la main de Bill, j'étais en train de m'asphyxier. Perdant tout contrôle, j'ai commencé à me débattre comme un vrai chat sauvage, sans plus me préoccuper ni de la réserve d'oxygène ni de la rage que je risquais de provoquer. Il me fallait de l'air à tout prix.

Moins de trente secondes après, il a retiré sa main et s'est immobilisé. J'ai inspiré de toutes mes forces, une grande goulée frémissante, sans cesser de sangloter.

— Sookie ? a-t-il murmuré d'un ton incertain. Sookie ?

J'étais incapable de prononcer un mot.

— C'est bien toi, a-t-il énoncé d'une voix enrouée. C'est bien toi. Tu étais vraiment là, dans cette pièce ?

Je me suis efforcée de reprendre mes esprits, mais j'avais des vertiges et je me sentais au bord de l'évanouissement.

— Bill, ai-je finalement réussi à articuler.

— Alors, c'est bien toi. Ça va ?

— Non.

J'avais presque honte de me plaindre. Après tout, c'était lui qu'on avait torturé durant des jours.

— Est-ce que je…

Il s'est interrompu, comme s'il avait besoin de s'armer de courage avant de continuer.

— Est-ce que je t'ai pris plus de sang que je n'aurais dû ?

Mais je ne pouvais pas répondre. Je me suis contentée de poser ma tête au creux de son épaule.

— J'ai l'impression que je t'ai… que nous venons de faire l'amour dans un placard à balais. Est-ce que tu… tu étais consentante ? m'a-t-il demandé sur un ton hésitant.

J'ai secoué mollement la tête de gauche à droite, avant de la laisser retomber sur son bras.

— Oh, non ! a-t-il soufflé. Oh, non !

Il s'est dégagé et a recommencé à gesticuler pour remettre de l'ordre dans ma tenue et se rajuster. Puis il s'est mis à explorer l'habitacle à l'aveuglette.

— Un coffre de voiture, a-t-il conclu.

— De… de l'air !

Je n'avais plus qu'un filet de voix.

— Pourquoi ne l'as-tu pas dit plus tôt ?

Il a donné un coup de poing dans la paroi. Sa main est passée à travers la tôle : il avait vraiment repris des forces. Grand bien lui fasse !

L'air froid s'est engouffré par l'ouverture, et j'ai inspiré à pleins poumons, goulûment. Enfin de l'oxygène ! Fabuleux, merveilleux oxygène !

— Où sommes-nous ? s'est-il finalement inquiété après un long moment de silence.

— Parking d'immeuble, ai-je ânonné. Jackson.

Je me sentais si faible... J'avais envie de lâcher prise pour me laisser aller au fil de l'eau.

— Pourquoi ?

Une fois de plus, j'ai essayé de trouver en moi assez d'énergie pour lui répondre.

— C'est le... l'immeuble d'Alcide, ai-je marmonné avec peine.

— Alcide qui ? Et qu'est-ce qu'on est censés faire, maintenant ?

— Eric arrive... Bois tes bouteilles de sang.

— Sookie ? Sookie, ça va ?

J'avais épuisé mes dernières forces. Mais, même si je l'avais pu, que lui aurais-je répondu ? « Qu'est-ce que tu en as à faire ? Tu allais me quitter, de toute façon » ? Ou peut-être : « Je te pardonne » ? Mmm... peu probable. Je lui aurais peut-être dit qu'il m'avait manqué et que j'avais gardé son secret. Sookie Stackhouse, fidèle et loyale jusqu'à la mort.

Je l'ai entendu ouvrir une des bouteilles de sang.

Et, tandis que je me sentais partir, emportée par un courant qui paraissait de plus en plus fort, j'ai subitement eu conscience que Bill n'avait jamais révélé mon nom à ses tortionnaires. Je savais qu'ils avaient essayé de le lui soutirer pour pouvoir m'enlever et me torturer devant lui, afin de le faire craquer. Mais il n'avait rien dit.

Le coffre s'est brusquement ouvert avec un crissement de tôle froissée.

La silhouette d'Eric s'est dessinée dans la lumière blême du parking.

— Mais qu'est-ce que vous faites enfermés là-dedans, tous les deux ? s'est-il exclamé.

J'ai été happée par les rapides avant de pouvoir lui répondre.

— On dirait qu'elle revient à elle, chuchotait Eric. Peut-être que le peu de sang qu'on lui a donné a suffi ?

Le bourdonnement qui emplissait mon crâne a fini par se taire.

— Mais oui, elle revient à elle, a-t-il répété, un soulagement perceptible dans la voix.

J'ai ouvert les yeux, avec peine. Entre deux battements de cils, j'ai vu trois visages masculins penchés au-dessus de moi : Eric, Alcide et Bill. Ça m'a paru plutôt amusant. Tant d'hommes, à Bon Temps, avaient peur de moi, du monstre d'anormalité que j'étais, et voilà que j'avais à mon chevet les trois seuls hommes au monde qui voulaient coucher avec moi – ou, du moins, qui y avaient sérieusement songé. J'ai pouffé. Oui, j'ai vraiment ri, pour la première fois depuis... une éternité !

— Les Trois Mousquetaires ! ai-je marmonné.

— Vous croyez qu'elle délire ? s'est alarmé Eric.

— Je crois plutôt qu'elle se fiche de nous, a répondu Alcide.

Il n'avait pas l'air furieux pour autant. Il a posé une bouteille de TrueBlood vide sur la coiffeuse, derrière lui, à côté d'une grosse carafe et d'un verre.

Bill a noué ses doigts frais aux miens.

— Sookie, a-t-il murmuré de cette voix douce qui me donne toujours des frissons partout.

J'ai essayé de me concentrer sur son visage. Il était assis sur le lit, à ma droite. Il avait l'air d'aller beaucoup mieux, lui, en tout cas. Sur sa peau, les entailles les plus profondes avaient laissé place à des cicatrices, et les ecchymoses s'estompaient.

— Ils m'ont demandé si je revenais pour la crucifixion, ce soir, ai-je subitement lâché.

— Qui t'a dit ça?

Il s'est penché encore plus près de moi, les yeux écarquillés, le regard fixe.

— Les gardes, à la grille.

— Les gardes de la propriété d'Edgington t'ont demandé si tu revenais pour la crucifixion, ce soir? a-t-il répété.

— Oui.

— Mais la crucifixion de qui?

— Je ne sais pas.

— Je m'attendais plutôt à t'entendre dire: « Où suis-je? Que m'est-il arrivé? » m'a fait remarquer Eric. Quant à cette crucifixion, elle se déroule peut-être en ce moment même, a-t-il repris en jetant un coup d'œil au réveil sur la table de chevet.

— Ils parlaient peut-être de la mienne, a dit Bill, manifestement secoué à cette idée. Ils avaient peut-être décidé de me tuer cette nuit.

— À moins qu'ils n'aient capturé le complice du fanatique qui voulait supprimer Betty Joe, a suggéré Eric. Il ferait un candidat idéal à la crucifixion.

J'ai réfléchi à la question, malgré la fatigue qui menaçait de me submerger de nouveau.

— Ce n'est pas l'impression que j'ai eue, ai-je objecté dans un murmure.

Mon cou me faisait horriblement mal.

— Tu as réussi à lire dans les pensées des loups-garous? s'est étonné Eric, apparemment impressionné.

J'ai hoché la tête.

— Je pense qu'ils parlaient de Bubba.

— L'imbécile ! a pesté Eric après un instant de stupeur. Il s'est fait coincer ?

— On dirait.

C'était la vision que j'avais cru entrevoir, en tout cas.

— On va être obligés d'aller le récupérer, a soupiré Bill. S'il est encore en vie…

J'ai levé vers lui des yeux incrédules. Était-il vraiment prêt à retourner sur les lieux mêmes de son supplice ? Prêt à prendre le risque de se retrouver face à ses tortionnaires ? À sa place, jamais je n'aurais pu faire preuve d'un tel courage.

Dans la pièce, le silence se faisait de plus en plus pesant.

— Eric ?

Bill haussait un sourcil interrogateur. Il était manifestement surpris par le manque de réaction de son chef de zone.

En fait, Eric ruminait une colère monumentale.

— Je n'arrive pas à le croire ! s'est-il exclamé, ulcéré. Crucifié dans le Mississippi ! Sa propre communauté d'origine veut l'exécuter ! Mais où est donc passée leur loyauté ? Je crois que tu as raison, Bill. Nous avons une certaine responsabilité envers lui et nous allons l'assumer, contrairement à certains.

— Et vous ?

Bill s'était tourné vers Alcide. Le ton de sa voix s'était fait nettement plus froid, tout à coup.

En revanche, la chaleur d'Alcide était presque palpable. Elle envahissait la pièce. Comme ce trouble qui l'habitait, le tourbillon de ses pensées embrouillées : il avait bel et bien passé la nuit avec Debbie.

— Je ne vois pas comment je pourrais vous aider, a-t-il répondu d'un ton malheureux. J'ai besoin de venir ici régulièrement, pour mes affaires, celles de mon père. Si mes relations avec Russell et sa bande se détériorent, je pourrai faire une croix sur le Mississippi. Ce sera déjà bien assez compliqué comme ça, quand ils s'apercevront que c'est Sookie qui a fait évader leur prisonnier.

— Et tué Lorena, ai-je ajouté.

Il y a eu un nouveau silence, plus pesant encore.

J'ai cru voir un petit sourire goguenard se dessiner sur les lèvres d'Eric.

— Tu as liquidé Lorena ?

Belle maîtrise de l'argot pour un vampire de cet âge !

J'ai jeté un coup d'œil à Bill. Son expression était indéchiffrable.

— Sookie lui a planté un pieu dans le cœur, a-t-il posément déclaré. C'était un combat régulier.

— Elle a tué Lorena en combat régulier ?

Le sourire d'Eric s'est élargi. Il semblait aussi fier qu'un père dont le premier-né vient de réciter du Shakespeare.

— Très bref, le combat, ai-je précisé, ne voulant pas recevoir des lauriers que je n'avais pas mérités.

— Sookie a tué une vampire ! s'est exclamé Alcide, comme si l'exploit ne faisait qu'accroître l'estime qu'il me portait déjà.

Les deux vampires se sont brusquement renfrognés.

Alcide m'a servi un grand verre d'eau. Je l'ai bu lentement, avec difficulté – c'était douloureux. Quelques minutes après, je me sentais déjà mieux.

— Revenons-en au fait, a grommelé Eric, m'adressant un regard appuyé pour montrer qu'il avait encore des choses à dire sur la mise à mort de

Lorena. S'ils n'ont pas fait le rapprochement entre la disparition de Bill et le départ de Sookie, a-t-il poursuivi, elle demeure le meilleur émissaire que nous ayons pour retourner sur place sans éveiller les soupçons. Ils seront certes surpris par son retour, mais ils ne l'éconduiront pas, j'en suis persuadé. À plus forte raison si elle prétend avoir un message pour Russell de la part de la reine de Louisiane, ou si elle raconte qu'elle est venue lui rendre quelque chose, par exemple.

Il a haussé les épaules, comme pour dire : « On trouvera bien une excuse plausible. »

Je n'avais aucune envie de retourner là-bas. Puis j'ai pensé au pauvre Bubba, à ce qui risquait de lui arriver (ce qui lui était peut-être déjà arrivé). J'ai essayé de me faire du souci pour lui, de me préoccuper de son sort. Mais l'effort, à lui seul, m'épuisait.

— Le drapeau blanc ? ai-je suggéré.

Je me suis éclairci la gorge.

— Ça existe chez les vampires ?

— Oui, bien sûr, m'a répondu Eric, l'air songeur. Mais je serais obligé de révéler ma véritable identité et mes fonctions…

De son côté, Alcide, que la force de ses émotions rendait beaucoup plus facile à capter, était en train de se demander quand il pourrait appeler Debbie.

Ah. J'ai ouvert la bouche. Mais, après réflexion, je l'ai refermée. Puis je l'ai rouverte. Il le fallait.

— Tu sais qui m'a poussée et enfermée dans le coffre ? lui ai-je demandé.

Ses yeux verts se sont rivés aux miens. Il s'est brusquement raidi, le visage fermé, comme s'il avait peur qu'on ne puisse lire sur ses traits ce qu'il éprouvait. Puis il a tourné les talons et il a quitté la pièce en refermant la porte derrière lui.

J'ai soudain pris conscience, pour la première fois depuis mon réveil, que j'étais de retour dans la petite chambre d'amis de son appartement.

— Alors ? Qui a fait le coup ? m'a demandé Eric.

— Son ex. Enfin, plus si ex que ça, depuis cette nuit.

— Mais pour quelles raisons ? s'est enquis Bill.

Nouveau silence pesant.

— Pour que Sookie puisse entrer dans le club de Russell, nous l'avons fait passer pour la nouvelle amie d'Alcide, a répondu Eric, non sans un certain tact.

— Oh ! a soufflé Bill. Et qu'est-ce que tu allais faire dans ce club avec Alcide, Sookie ?

— Tu as dû prendre quelques sérieux coups sur la tête, Bill, a lancé Eric d'une voix glaciale. Elle est allée là-bas pour essayer de découvrir où on t'avait emmené.

La conversation commençait à toucher d'un peu trop près à certaines choses dont Bill et moi avions à parler en privé.

— C'est stupide de retourner chez Edgington, ai-je soudain décrété. Pourquoi ne pas passer un coup de fil, plutôt ?

Ils m'ont regardée comme si je venais de me changer en crapaud. Eric a été le premier à reprendre ses esprits.

— Eh bien, mais… quelle bonne idée ! a-t-il commenté.

Le numéro du domaine royal se trouvait tout simplement dans l'annuaire, au nom de Russell Edgington (pas du « Château Maudit » ni de « Vampires'R'Us »). Je réfléchissais à l'histoire que je devais mettre au point pour affronter Edgington et sa suite, tout en avalant le contenu d'une grosse tasse en plastique opaque. Comme je détestais le sang de synthèse qu'il tenait absolument à me faire ingurgiter, Bill l'avait mélangé avec du jus de pomme, et j'évitais soigneusement de regarder la mixture.

Ils m'avaient fait boire du sang pur après m'avoir ramenée dans l'appartement d'Alcide. Je ne leur avais pas demandé comment ils s'y étaient pris... En tout cas, je savais pourquoi les vêtements que j'avais empruntés à Bernard étaient en si piteux état. On aurait pu croire que j'avais eu la gorge tranchée – alors qu'elle avait « seulement » été déchiquetée par les dents de Bill. J'avais encore mal, même si la douleur était maintenant supportable.

Évidemment, c'était moi qu'on avait choisie pour passer ce fameux coup de fil. Je n'ai encore jamais rencontré d'homme de plus de seize ans qui aime parler au téléphone.

— Betty Joe Pickard, s'il vous plaît.

— On ne peut pas la déranger, m'a répondu une voix masculine.

— Je dois lui parler. C'est urgent.

— Elle est occupée. Je peux prendre un message ?

— Je suis la femme qui lui a sauvé la vie hier soir.

Inutile de tourner autour du pot plus longtemps.

— Et j'ai besoin de lui parler, immédiatement. Maintenant !

— Je vais voir.

J'ai patienté. J'entendais des bruits de pas en fond sonore. Il y avait des gens alentour. Des gens qui poussaient des cris de joie au loin. Je préférais ne pas imaginer ce que ça pouvait signifier... Eric, Bill et Alcide (qui était finalement revenu à de meilleures dispositions quand Bill était allé lui demander si nous pouvions utiliser son téléphone) me faisaient tout un tas de grimaces. Je me suis contentée de hausser les épaules en signe d'impuissance.

Au bout d'un long moment, j'ai perçu un claquement de talons sur du carrelage.

— Écoutez, je vous suis très reconnaissante. Mais ne comptez pas me faire payer cette dette indéfiniment, a dit Betty Joe sans préambule. Nous avons fait le nécessaire pour vous soigner et vous loger, le temps que vous vous remettiez de vos blessures… Et votre mémoire est toujours intacte, visiblement, a-t-elle ajouté, comme si c'était un petit détail qui lui avait échappé jusqu'à présent. Que voulez-vous ?

— Avez-vous chez vous un vampire qui est le sosie d'Elvis ?

— Nous avons effectivement surpris un intrus en train de franchir nos murs, la nuit dernière. Et alors ? a-t-elle répliqué, manifestement sur ses gardes.

— Ce matin, après avoir quitté la propriété de M. Edgington, j'ai été enlevée.

Nous avions pensé qu'avec ma voix faible et éraillée et ma respiration un peu saccadée, cette histoire serait crédible.

Il y a eu un silence – le temps qu'elle réfléchisse aux implications de cette nouvelle, vraisemblablement.

— Vous avez l'art de vous trouver au mauvais endroit au mauvais moment, semble-t-il, a-t-elle commenté, comme si elle éprouvait tout de même un minimum de compassion à mon égard.

— Les vampires qui me retiennent m'ont demandé de vous appeler, ai-je dit en choisissant mes mots avec soin. Je suis censée vous dire que le vampire que vous détenez est le vrai.

Elle a d'abord éclaté de rire. Puis, brusquement, elle s'est calmée.

— Vous vous foutez de moi, là, hein?

Ah! La ressemblance était donc strictement vestimentaire: j'étais prête à parier que personne n'avait jamais entendu Mamie Eisenhower dire une chose pareille.

— Absolument pas. C'était un vampire qui travaillait à la morgue, le soir où on a amené son corps.

À l'autre bout du fil, il y a eu un hoquet de stupeur.

— Ne l'appelez surtout pas par son vrai nom, me suis-je empressée d'ajouter. Appelez-le Bubba. Et, pour l'amour du Ciel, ne lui faites pas de mal.

— Mais on l'a déjà... Ne quittez pas!

Cliquetis précipité sur le carrelage.

J'ai soupiré et patienté de nouveau. Au bout de dix secondes, le spectacle des trois grands mecs qui me fixaient, plantés au pied de mon lit, m'a porté sur les nerfs. J'ai essayé de me redresser. Bill m'a gentiment aidée à m'asseoir, pendant qu'Eric calait des oreillers derrière mon dos. J'ai été rassurée de voir qu'ils avaient pensé à étaler la couverture jaune d'Edgington pour protéger le couvre-lit. Pendant tout ce temps, j'avais gardé le téléphone collé à mon oreille, et quand Betty Joe s'est remise à parler, j'ai sursauté.

— Nous l'avons décroché, m'a-elle annoncé, joviale.

J'ai immédiatement transmis l'information:

— On a appelé à temps. Ils l'ont enlevé de la croix.

Eric a fermé les yeux et a semblé se recueillir, comme s'il faisait une prière. Tout en me demandant qui il pouvait bien prier, j'ai attendu ses instructions.

— Qu'ils le laissent partir, a-t-il finalement déclaré. Il rentrera par ses propres moyens. Dis-leur que nous regrettons cet incident et que nous leur présentons nos excuses.

J'ai transmis le message de mes « ravisseurs » à Betty Joe, qui n'a pas semblé y prêter la moindre attention.

— Pouvez-vous leur demander s'il serait possible qu'il reste un peu et qu'il chante pour nous ? Il est parfaitement opérationnel, vous savez, m'a-t-elle assuré.

J'ai fait passer la requête à qui de droit. Eric a levé les yeux au ciel.

— Ils peuvent toujours le lui demander, a-t-il répondu. Mais s'il refuse, ils devront s'incliner. Leur insistance risquerait de le perturber, s'il n'est pas d'humeur. Sans compter que, parfois, quand il chante, certains souvenirs remontent à la surface, et il devient un peu... euh... agité.

— D'accord, a répondu Betty Joe, après avoir entendu ces mises en garde. Nous ferons de notre mieux pour le convaincre, mais s'il ne veut pas chanter, nous le laisserons partir immédiatement.

À la différence de ton, j'ai compris qu'elle s'adressait à quelqu'un d'autre :

— Elle dit qu'il peut chanter, s'il est d'accord.

La personne à côté d'elle a laissé échapper un cri d'enthousiasme. Et deux nuits de fête d'affilée, pour Sa Majesté et sa suite, deux !

— Vous voilà sortie d'affaire, j'espère, a repris Betty Joe, à mon intention, cette fois. J'ignore comment ceux qui vous retiennent ont eu la chance de se retrouver en charge de la plus grande star du monde, mais... pensez-vous qu'ils seraient prêts à négocier ?

Elle ne savait pas dans quelle galère elle allait s'embarquer. Non seulement Bubba montrait une fâcheuse prédilection pour le sang de chat, mais il se mélangeait facilement les pinceaux et ne pouvait suivre que les instructions les plus rudimentaires – quoique, de temps à autre, il fasse preuve d'une certaine sagacité. Le problème, c'est qu'il faisait ce qu'on lui disait de faire. Littéralement.

— Elle voudrait le garder, ai-je résumé.

J'en avais assez de jouer les intermédiaires. Mais Betty Joe ne pouvait pas rencontrer Eric, sinon elle risquait de découvrir qu'il était le soi-disant ami d'Alcide qui m'avait amenée chez Edgington la veille.

Tout ceci commençait à devenir trop compliqué.

— Oui ? a dit Eric, qui s'était emparé du téléphone.

Il avait soudain un impeccable accent anglais. Monsieur le Maître ès Camouflage et Imposture. On aurait cru entendre un lord tandis qu'il parlait de « devoir de mémoire » et de « charge sacrée ».

— Vous ignorez ce à quoi vous vous exposez, a-t-il finalement conclu.

Après quelques échanges dans la même veine, il a raccroché, l'air satisfait.

J'étais étonnée que Betty Joe n'ait pas évoqué d'autres incidents survenus au domaine royal. Elle n'avait pas accusé Bubba d'avoir enlevé leur prisonnier, par exemple. Elle n'avait pas non plus parlé de la découverte du cadavre de Lorena. Certes, elle n'était pas censée évoquer ce genre de choses au téléphone avec une étrangère, humaine de surcroît. Et il n'y avait sans doute pas grand-chose à découvrir – le corps des vampires se désintègre assez rapidement. Mais les chaînes d'argent étaient toujours dans la piscine, et il y avait peut-être suffisamment de vase au fond de celle-ci pour que les vampires puissent identifier les restes d'un congénère. Pourquoi cependant serait-on allé regarder sous la bâche qui protégeait la piscine en plein mois de décembre ? Mais, tout de même, quelqu'un avait bien dû remarquer que le précieux prisonnier s'était échappé.

Peut-être avaient-ils supposé que Bubba avait délivré Bill alors qu'il rôdait dans l'enceinte. Eric avait ordonné à Bubba de se taire et, tel que je le connaissais, il avait suivi la directive au pied de la lettre.

Sans doute étais-je tirée d'affaire, tout compte fait. Avec un peu de chance, il ne resterait plus rien de Lorena quand les domestiques d'Edgington entreprendraient le nettoyage de la piscine, au printemps.

À propos de cadavre, qu'était donc devenu celui que nous avions retrouvé dans le placard d'Alcide ? Quelqu'un savait, à coup sûr, où nous trouver ; quelqu'un qui ne nous portait pas dans son cœur, apparemment. Abandonner le corps de Jerry Falcon chez Alcide était un excellent moyen de nous coller un meurtre sur le dos – j'étais bien devenue une meurtrière, en définitive, mais je n'étais pas coupable de ce meurtre-là. Je me demandais si le cadavre de Falcon avait été découvert. Ça me semblait peu probable. J'ai ouvert la bouche pour interroger Alcide. Puis, une fois de plus, je l'ai refermée. Je me sentais trop fatiguée pour parler.

Ma vie déraillait. En l'espace de quarante-huit heures, je m'étais débarrassée de deux cadavres dont un qui m'était directement imputable. Et tout ça parce que j'étais tombée amoureuse d'un vampire. J'ai lancé à Bill un regard noir. J'étais tellement plongée dans mes pensées que j'ai à peine entendu le téléphone. Alcide, qui s'était éclipsé dans la cuisine, a dû répondre à la première sonnerie.

284

Il est tout à coup apparu sur le seuil de la chambre.

— Dégagez, dégagez! Vite, vite! s'est-il écrié. Dans l'appartement d'à côté. Vite!

Bill m'a soulevée comme un bébé, couverture comprise. En un clin d'œil, nous étions dans le couloir et Eric forçait la serrure de la porte voisine. Bill n'avait pas encore refermé la porte qu'un grincement assourdi annonçait déjà l'arrivée de l'ascenseur.

Nous nous sommes figés tous les trois comme des statues dans le salon désert et glacial de l'appartement inoccupé. Les deux vampires tendaient l'oreille. J'ai commencé à frissonner dans les bras de Bill.

Pour ne rien vous cacher, malgré les excellentes raisons que j'avais de lui en vouloir, malgré tous les problèmes que nous avions à régler, c'était bon, d'être blottie contre Bill. Mon pauvre corps avait beau être dans un état lamentable (et ce, en grande partie par sa faute), il brûlait de se coller au sien, nu comme un ver. Oui, même après ce qui s'était passé dans le coffre de la Lincoln. J'ai poussé un profond soupir. Je me décevais terriblement. J'allais devoir faire appel à toutes mes réserves de bon sens, car mon corps était bel et bien prêt à me trahir. Il semblait avoir déjà effacé de sa mémoire toute trace de l'agression bestiale que Bill m'avait fait subir.

Bill m'a déposée sur le sol, dans la petite chambre d'amis vide, avec autant de précautions que si je lui avais coûté un million de dollars. Il m'a soigneusement enveloppée dans la couverture pour que je ne prenne pas froid. Puis il est allé rejoindre Eric qui, déjà, écoutait ce qui se passait dans l'appartement voisin, l'oreille collée au mur qui donnait sur la chambre d'Alcide.

— Quelle garce! a murmuré Eric.

Oh oh! Debbie était de retour.

J'ai fermé les yeux... et les ai rouverts en entendant Eric étouffer une exclamation de surprise. Il me regardait. Il y avait dans ses yeux cette étincelle ironique et déroutante.

— Hier soir, Debbie est passée chez la sœur d'Alcide pour l'interroger à ton sujet, a chuchoté Eric. La sœur d'Alcide t'aime vraiment beaucoup. Ceci déplaît à la métamorphe. Elle l'insulte devant son propre frère.

À voir son expression, il était clair que Bill ne partageait pas l'amusement d'Eric.

Il s'est subitement raidi, comme s'il venait de mettre les doigts dans une prise. Eric m'a dévisagée avec une expression que j'avais du mal à déchiffrer, la bouche entrouverte.

Le claquement caractéristique d'une gifle a alors retenti dans l'appartement mitoyen, une gifle tellement sonore que, même moi, je l'ai entendue.

Bill s'est tourné vers Eric.

— Tu veux bien nous laisser un instant, s'il te plaît?

Je n'ai pas vraiment aimé le ton qu'il prenait.

J'ai de nouveau fermé les yeux. Je ne me sentais pas tout à fait en état d'affronter l'orage que je voyais poindre à l'horizon. Je n'avais pas le courage de me disputer avec Bill, ni de lui reprocher son infidélité. Je n'avais aucune envie d'écouter ses explications et ses excuses.

J'ai perçu un léger déplacement d'air: Bill venait de s'agenouiller sur la moquette. Il s'est allongé près de moi, s'est couché sur le flanc et m'a enlacée.

— Il vient juste de dire à cette femme que tu... faisais l'amour comme une reine, a-t-il chuchoté.

Je me suis redressée si brusquement que de violents élancements m'ont traversé le cou et la hanche.

J'ai aussitôt plaqué la main sur ma morsure et j'ai serré les dents pour ne pas gémir de douleur.

— Quoi ! Il a dit quoi ?

J'étais folle de rage. Bill m'a lancé un coup d'œil perçant sous ses paupières plissées. Puis il a posé l'index sur ses lèvres pour me rappeler à plus de discrétion.

— Mais je n'ai jamais fait ça ! ai-je protesté dans un murmure furieux. D'ailleurs, même si c'était le cas, ce serait bien fait pour toi, espèce de salaud !

J'ai soutenu son regard sans ciller.

Bon, d'accord. On n'allait pas y couper.

— Sookie, tu as raison, m'a-t-il répondu, en me repoussant doucement. Rallonge-toi. Tu te fais du mal.

— Bien sûr que j'ai mal ! ai-je marmonné en éclatant en sanglots silencieux. Et apprendre ça par d'autres ! Apprendre que tu allais juste me filer une pension avant d'aller vivre avec elle, sans même avoir eu le courage de venir me le dire en face ! Comment as-tu pu me faire une chose pareille, Bill ? Et moi qui croyais que tu m'aimais ! Mais quelle idiote j'ai été ! Quelle idiote !

Et, avec une sauvagerie dont je ne me serais jamais crue capable, j'ai repoussé la couverture et je me suis jetée sur lui, les mains en avant, cherchant sa gorge. Et tant pis si je me faisais mal !

Mes mains ne pouvaient pas faire le tour de sa gorge, mais j'ai serré son cou de toutes mes forces, enfonçant mes doigts dans sa chair avec une fureur aveugle. Je voyais rouge. J'avais perdu tout contrôle. Je voulais le tuer.

Si Bill s'était défendu, j'aurais sans doute continué. Mais plus je serrais, moins il réagissait. Et moins il réagissait, plus la rage qui m'avait submergée refluait, me laissant vide et glacée. Bill était couché sur le dos, les bras le long du corps, totalement inerte, et je le chevauchais, lui enserrant le cou. Mes mains ont fini par retomber d'elles-mêmes. Je les ai portées à mon visage pour me voiler la face.

— J'espère que ça t'a fait atrocement mal, ai-je dit d'une voix étranglée.

— Oui. Ça fait atrocement mal.

Il m'a recouchée près de lui en douceur, puis il a tiré la couverture sur nous deux. Il a alors tendrement calé ma tête dans le creux de son épaule.

Nous sommes restés allongés là, sans rien dire. J'avais perdu toute notion du temps qui passait. Mon corps s'est instinctivement niché dans le sien, par habitude sans doute, et parce que le désir infini que je ressentais pour lui ne m'avait pas quittée. J'ignorais si c'était vraiment lui que je désirais ou l'intimité que j'avais partagée avec lui. Je le haïssais. Je l'aimais.

— Sookie, a-t-il chuchoté dans mes cheveux. Je…

— Chut !

Je me suis blottie encore plus étroitement contre lui et je me suis laissée aller. J'éprouvais un soulagement immense, comme quand on enlève un plâtre ou un bandage trop serré.

Au bout de quelques minutes de silence, il a dit dans un souffle :

— Tu portes des vêtements d'homme…

— Oui, ceux de Bernard, un vampire de la bande d'Edgington. Il me les a donnés parce que ma robe avait été déchirée au club.

— Au *Josephine's* ?

— Oui.

— Comment a-t-elle été déchirée ?

— J'ai pris un coup de pieu.

J'ai senti tous ses muscles se crisper.

— Où ça ? a-t-il demandé en repoussant la couverture. Montre-moi. Tu as dû souffrir.

— Bien sûr que j'ai souffert ! Un vrai calvaire, ai-je renchéri en soulevant mon sweat-shirt avec précaution.

Il a effleuré ma blessure du bout du doigt. Je n'allais pas guérir aussi vite, ni aussi bien que lui. Il lui faudrait peut-être encore une nuit ou deux pour récupérer un corps lisse et parfait, mais il redeviendrait exactement comme avant, même après une semaine de sévices en tout genre. Quant à moi, sang de vampire ou pas, je garderais une belle cicatrice jusqu'à la fin de mes jours. La plaie s'était refermée à une vitesse phénoménale, je devais bien l'admettre, mais la cicatrice hideuse était toujours violacée – et toute la zone était endolorie.

— Qui t'a fait ça ?

— Un fanatique. C'est une longue histoire.

— Il est mort ?

— Oui. Le bras droit d'Edgington, Betty Joe Pickard, l'a tué. En deux coups de poing. Elle lui a fracassé le crâne

— L'essentiel, c'est qu'il soit mort, maintenant.

— Beaucoup de gens sont morts, maintenant. Et tout ça à cause de ton fichu programme informatique.

Bill a tourné vivement la tête vers la porte, qu'Eric avait eu le tact de refermer en sortant mais derrière laquelle il écoutait probablement tout ce qui se passait, grâce à l'ouïe si fine qu'ont tous les vampires.

Les lèvres de Bill m'ont chatouillé la peau quand il a chuchoté dans le creux de mon oreille :

— Il est en sécurité ?

— Oui.

— Ils ont fouillé ma maison ?

— Je ne sais pas. Peut-être que les vampires du Mississippi ont pénétré chez toi. Je n'ai pas eu le temps d'aller vérifier, après la petite visite qu'Eric, Pam et Chow m'ont rendue pour m'annoncer que tu avais disparu.

— Et ils t'ont dit que…

— Que tu avais l'intention de me quitter, oui.

— C'était une décision insensée, je le reconnais. Je l'ai payée assez cher.

— Tu l'as peut-être payée assez cher dans ta façon de compter, ai-je rétorqué. Mais je ne sais pas si tu l'as payée assez cher dans la mienne.

Le silence est retombé dans la petite chambre vide. Aucun bruit ne nous parvenait du salon. J'espérais qu'Eric mettait ce temps à profit pour réfléchir à ce que nous allions faire ensuite et que son programme incluait un retour à Bon Temps. J'avais hâte de rentrer chez moi. Quoi qu'il ait pu se passer entre Bill et moi, j'avais besoin de retrouver Bon Temps, mon boulot, mes amis. Et Jason – on faisait sans doute mieux, comme frère, mais il était la seule famille qu'il me restait.

— Quand la reine m'a convoqué et m'a annoncé qu'elle avait entendu dire que je travaillais sur une base de données à laquelle personne n'avait encore jamais pensé, j'ai été flatté, m'a subitement confié Bill. La somme d'argent qu'elle m'a proposée était très intéressante. D'autant plus qu'elle aurait très bien pu ne rien m'offrir du tout : en tant que sujet, je suis tenu de la servir, contre rémunération ou non.

J'ai réprimé une grimace en entendant Bill me rappeler à quel point son monde était différent du mien.

— Comment a-t-elle appris que tu élaborais cette base de données, d'après toi ?

Ça me titillait.

— Je ne sais pas. Je préfère ne pas le savoir.

Il avait dit ça d'un ton détaché, mais je ne suis pas tombée de la dernière pluie. Quand il a compris que je n'insisterais pas, il a repris :

— Comme tu le sais, je travaillais dessus depuis longtemps déjà.

— Pourquoi ça ?

— Pourquoi ? s'est-il étonné. Eh bien, parce que l'idée m'avait semblé bonne. Dresser la liste de tous les vampires d'Amérique et d'une partie du reste du monde... c'est un projet d'une indéniable utilité. Et puis, c'était passionnant à réaliser. À partir du moment où j'ai commencé mes recherches, je me suis dit que ce serait bien d'ajouter des photos. Ensuite, j'ai pensé aux surnoms, puis aux biographies. Ça a pris de l'ampleur.

— Donc, tu as... euh... créé une sorte d'annuaire ? Un annuaire des vampires ?

— Exactement.

Son visage s'est illuminé.

— Une nuit, a-t-il poursuivi, j'étais en train de penser à tous les vampires qui avaient croisé ma route, au cours du siècle passé, et j'ai commencé à faire une liste. Ensuite, j'y ai joint de petits portraits que j'avais dessinés ou une photo que j'avais prise...

— Alors, on peut vraiment prendre un vampire en photo ? ai-je coupé.

— Bien entendu. Nous n'avons jamais aimé le principe même de la photographie. Et ce, dès ses débuts. Quand le procédé s'est démocratisé en Amérique, il nous est cependant devenu difficile de l'ignorer. Le problème, c'est qu'une photo prouve que vous étiez là à tel endroit et à telle date. Or, si vous n'avez pas changé entre deux clichés pris à vingt ans d'intervalle, eh bien... la démonstration est faite. Mais, depuis que notre existence a été officiellement reconnue, nous n'avons plus de raison de redouter la photographie.

— Ce n'est pas l'avis de tous les vampires, j'imagine.

— Non. Il y a toujours ceux qui veulent rester dans l'ombre et dormir dans une crypte toutes les nuits.

Venant d'un type qui ne dédaignait pas un petit séjour dans la terre du cimetière d'à côté, de temps à autre, il y avait de quoi rigoler doucement.

— Et d'autres vampires ont participé à ce projet?

— Bien sûr. Certains ont même adoré se replonger dans le passé, réveiller les souvenirs enfouis. Ils en ont profité pour essayer de renouer contact avec d'anciennes connaissances ou pour reprendre la route sur des chemins oubliés. Évidemment, je n'ai pas une liste exhaustive de tous les vampires qui résident en Amérique. Il me manque, notamment, les références des immigrés de fraîche date. Mais je pense avoir recensé au moins quatre-vingts pour cent de la population.

— Je vois. Mais pourquoi la reine de Louisiane tient-elle tellement à obtenir cette fameuse base de données? Et pourquoi Edgington s'est-il donné tout ce mal pour s'en emparer, dès qu'il a été au courant de son existence? Il peut bien demander à ses propres investigateurs d'en faire autant, non?

— Oui. Mais ce serait quand même beaucoup plus facile pour lui de récupérer le travail tout fait. Quant à l'intérêt de posséder une telle base de données... Que dirais-tu d'avoir à ta disposition un annuaire de tous les télépathes des États-Unis?

— Ce serait génial ! Je pourrais essayer de communiquer avec eux. Je pourrais leur demander des tuyaux pour résoudre mes problèmes et, même, pour mieux utiliser mes pouvoirs.

— Donc, d'après toi, ne serait-il pas intéressant d'avoir une liste de tous les vampires des États-Unis, avec leurs références, leurs talents particuliers, leurs connaissances spécifiques ?

— Mais il existe sûrement des vampires qui ne tiennent pas y être, dans ta liste. Tu viens de me dire toi-même que certains préfèrent rester dans l'ombre.

— Absolument.

— Et ces vampires-là apparaissent dans ta base de données ?

Il a hoché la tête.

— Tu es suicidaire ou quoi ?

— Je ne me suis pas rendu compte du danger que pouvait représenter une telle liste, au début. Je n'ai pas pris conscience du pouvoir qu'une telle masse d'informations pouvait procurer à celui qui la détenait. Jusqu'à ce qu'on essaie de me dérober mon travail…

Sa bouche a pris un pli amer.

Soudain, des cris en provenance de l'appartement voisin ont attiré notre attention.

Alcide et Debbie remettaient ça. Ils se faisaient vraiment du mal, ces deux-là. Pourtant, une irrésistible force d'attraction les poussait à se cogner constamment l'un à l'autre. Qui sait ? Peut-être que, séparée d'Alcide, Debbie était une fille bien… Non, je n'arrivais pas à le croire. Mais peut-être qu'elle était supportable si les sentiments d'Alcide n'étaient pas en jeu. Évidemment, ils auraient dû se séparer. Ils n'auraient même jamais dû se retrouver ensemble dans la même pièce.

Et j'aurais dû en prendre de la graine : on m'avait déchiquetée, saignée, transpercée, brutalisée. Et j'étais là, couchée dans la chambre vide d'un appartement glacial, au beau milieu d'une ville inconnue, avec un vampire qui m'avait trahie.

Une grande décision se dressait devant moi. Elle me crevait les yeux, n'attendant plus qu'une chose : que je la prenne et que j'agisse en conséquence.

J'ai repoussé Bill sans ménagement et je me suis levée sur mes jambes flageolantes. J'ai enfilé ma parka volée et j'ai ouvert la porte du salon. Derrière moi, Bill n'a rien dit. Un petit sourire aux lèvres, Eric écoutait la dispute qui se prolongeait dans l'appartement voisin.

— Ramène-moi chez moi, lui ai-je posément demandé.

— Pas de problème. Maintenant ?

— Oui. Alcide pourra déposer mes affaires en passant, quand il ira à Baton Rouge.

— La Lincoln est-elle encore utilisable ?

— Oh oui. Tiens.

J'ai sorti les clés de ma poche pour les lui donner.

J'ai quitté l'appartement inoccupé et je me suis dirigée vers l'ascenseur.

Bill n'a pas cherché à m'en empêcher.

13

Eric m'a rattrapée au moment où je montais dans la Lincoln.

— J'avais des instructions à donner à Bill, m'a-t-il dit. C'est lui qui a mis la pagaille, à lui de faire le ménage.

Il s'était sans doute senti obligé de me donner une explication, mais je ne lui avais rien demandé.

Habitué à la conduite des voitures de sport, Eric semblait avoir quelques petits problèmes avec la Lincoln.

— As-tu jamais remarqué que tu as une certaine tendance à prendre la fuite, dès que les choses entre Bill et toi s'enveniment? m'a-t-il soudain demandé d'une voix très posée, comme nous quittions le centre-ville. Non que cela me dérange – je serais même ravi que vous mettiez un terme à votre relation –, mais si c'est ton mode de fonctionnement en matière de relations amoureuses, j'aimerais autant le savoir maintenant.

Plusieurs réponses me sont venues à l'esprit. J'ai écarté les deux ou trois premières (si grossières que ma grand-mère se serait retournée dans sa tombe) et j'ai respiré un grand coup.

— Premièrement Eric, ce qui se passe entre Bill et moi ne te regarde absolument pas.

J'ai marqué une pause, pour laisser à l'information le temps de s'ancrer dans son cerveau.

— Deuxièmement, c'est la première relation sérieuse que j'aie avec qui que ce soit. Je n'ai donc jamais suivi de ligne de conduite en la matière.

Je me suis de nouveau interrompue. Il s'agissait de bien réfléchir à ce que j'allais dire ensuite.

— Et troisièmement, c'est terminé. J'en ai fini avec vous tous. J'en ai marre de tous vos trucs de détraqués, marre de devoir jouer les braves petits soldats, de devoir faire un tas de trucs qui me fichent une trouille bleue et de devoir nager dans le glauque et le surnaturel. Je suis juste quelqu'un de normal, et je veux fréquenter des gens normaux. Ou, du moins, des gens qui respirent !

Eric n'a pas répondu tout de suite, comme s'il n'était pas très sûr que j'aie fini. Je l'ai regardé à la dérobée. Les lampadaires éclairaient son profil en lame de couteau. Il n'y avait pas l'ombre d'un sourire sur ses lèvres décolorées : il ne se moquait pas de moi. C'était déjà ça.

Il m'a jeté un bref coup d'œil, avant de reporter son attention sur la route.

— J'ai bien entendu ce que tu m'as dit. Et je ne doute pas une seconde de ta sincérité. J'ai bu de ton sang, je sais ce que tu ressens.

Deux kilomètres d'obscurité ont défilé en silence. J'étais contente qu'Eric me prenne au sérieux. Il lui arrivait souvent de ne pas me croire, ou même de ne pas écouter un traître mot de ce que je lui disais.

— Tu es perdue, pour les humains, a-t-il brusquement lâché, son accent étranger, imperceptible d'habitude, soudain étonnamment prononcé.

— C'est bien possible. Mais ce n'est pas vraiment une grosse perte pour moi. Je n'ai jamais eu beaucoup de chance avec les hommes, de toute façon.

Difficile de sortir avec un homme, quand vous savez exactement ce qu'il a en tête. La plupart du temps, le fait de connaître ses moindres pensées suffit à étouffer tout désir, tout pouvoir d'attraction.

— Mais, quoi qu'il arrive, je serai plus heureuse toute seule que je ne le suis maintenant, ai-je conclu d'un ton déterminé.

Je repensais au fameux dicton : « Mieux vaut être seule que mal accompagnée. » Serais-je mieux sans lui qu'avec lui ? Avec Gran et Jason, nous avions pris l'habitude de lire le courrier d'Ann Landers tous les jours, quand nous avions commencé à comprendre un peu mieux les choses de la vie, Jason et moi. Nous discutions des réponses qu'elle donnait aux lectrices. Une grande majorité s'adressaient à des femmes qui avaient du mal à gérer leurs relations avec des types comme Jason, justement. Le point de vue de mon frère permettait assurément de remettre les choses en perspective...

Pour l'heure, pas de doute : je serais beaucoup mieux sans Bill. Il s'était servi de moi, il m'avait trompée, trahie, saignée, violée...

Il m'avait aussi défendue, vengée, vénérée, m'avait offert son approbation et des heures d'une présence attentive – une nouveauté pour moi, et une vraie bénédiction.

Comment faire la part des choses ? Le problème, c'est que je n'avais pas de balance sous la main. Ce que j'avais bel et bien, en revanche, c'étaient un cœur en miettes et une voiture qui me reconduisait chez moi.

Nous filions dans la nuit, chacun plongé dans ses propres réflexions. Il n'y avait pas beaucoup de monde sur l'autoroute, et la Lincoln avalait tranquillement les kilomètres. Je n'avais aucune idée de ce qu'Eric pensait, ce qui était merveilleusement reposant. Il pouvait être en train de se dire qu'il se garerait bien sur la bande d'arrêt d'urgence pour me planter ses crocs dans le cou, tout comme il pouvait se demander à combien se monterait la recette de la nuit au *Fangtasia*. J'aurais bien aimé qu'il me parle. J'aurais voulu qu'il me raconte la vie qu'il avait menée avant de devenir un vampire. Mais c'est un sujet délicat pour la plupart des vampires et je n'avais certainement pas l'intention de l'aborder ce soir.

Nous étions à environ une heure de Bon Temps quand nous nous sommes arrêtés dans une station-service. Il nous fallait de l'essence, et je devais passer aux toilettes. Eric avait déjà commencé à remplir le réservoir lorsque j'ai extrait mon corps endolori de la voiture. Je lui avais bien proposé de faire le plein, mais il avait poliment refusé avec un « non, merci » de galant homme. Un autre véhicule était arrêté à la pompe. La conductrice, une fausse blonde qui devait avoir à peu près mon âge, a remis le pistolet en place au moment où je sortais de la Lincoln.

À 1 heure du matin, la station-service était déserte, mis à part la blonde trop maquillée, emmitouflée dans sa doudoune. En me dirigeant vers la boutique, j'ai remarqué un vieux pick-up Toyota garé sur le côté, dans le seul coin que n'éclairaient pas les lumières du parking. À l'intérieur, deux hommes semblaient avoir une conversation houleuse.

— Il fait trop froid pour rester assis dans sa voiture, m'a dit la blonde aux racines noires, au moment où nous franchissions ensemble les portes vitrées de la boutique.

Elle a ponctué sa remarque d'un gros frisson exagéré.

— C'est sûr, ai-je vaguement commenté, en passant devant elle.

J'avais déjà remonté la moitié de l'allée du fond quand le caissier, juché sur sa petite estrade derrière le long comptoir, s'est détourné de son écran de télévision pour prendre l'argent que la blonde lui tendait.

J'ai eu du mal à fermer la porte des toilettes (le bois avait gonflé : conséquence d'une inondation antérieure, sans doute). Je n'ai d'ailleurs pas vérifié si elle fermait complètement, car j'étais un peu pressée. L'important, c'était que celle de la cabine ferme bien et que le verrou fonctionne. Effectivement, c'était le cas, et l'endroit semblait relativement propre. Lorsque j'en suis sortie, comme je n'étais pas vraiment impatiente de retrouver Eric et son silence, j'ai pris le temps de m'examiner sous toutes les coutures dans la glace, au-dessus des lavabos. Je m'attendais à voir un monstre... et je n'ai pas été déçue.

La morsure dans mon cou avait un aspect écœurant. On aurait dit qu'un chien m'avait sauté à la gorge et s'y était obstinément accroché pendant que je me débattais. Tout en nettoyant ma plaie avec des serviettes en papier mouillées et un peu de savon, je me suis demandé combien de temps durerait l'effet du sang de vampire que j'avais avalé, cette fois-ci. Après avoir reçu du sang de Bill, j'avais été dans une forme olympique pendant plusieurs mois.

Je n'avais ni peigne ni brosse sur moi, et j'avais vraiment une sale tête. J'ai essayé de me coiffer avec les doigts, mais ça n'a fait qu'aggraver les choses. Finalement, je me suis lavé le visage et les mains et je suis retournée dans le magasin. Une fois de plus, la porte est venue se loger sans bruit dans l'encadrement gondolé. J'ai émergé dans la lumière crue des néons, entre des rayons entiers de produits locaux. J'ai distraitement passé en revue les paquets de grains de maïs grillés CornNuts, de Lays Chips, de cookies Moon Pies fourrés à la guimauve, les boîtes de tabac Scotch Snuff et Prince Albert, les...

... deux braqueurs, plantés devant le caissier, l'arme au poing, près de l'entrée.

Seigneur! Pourquoi on ne leur file pas carrément des tee-shirts avec des cibles imprimées dessus, à ces pauvres types des stations-service?

Voilà ce que je me suis dit, aussi détachée que si je regardais une scène de braquage dans un polar, à la télé. Puis je me suis ressaisie, brutalement ramenée sur terre par l'extrême tension qui se lisait sur le visage du caissier. Il était très jeune, à peine sorti de l'adolescence. Et il était tout seul devant deux grosses brutes armées de revolvers. Il avait les mains en l'air et... il était fou de rage. Je m'attendais à le voir supplier ses agresseurs de l'épargner ou bredouiller des paroles incohérentes. Mais non. Ce gamin n'était pas terrorisé. Il était furieux.

D'après ses pensées, c'était la quatrième fois qu'on lui faisait le coup et la troisième fois avec des armes à feu. Il aurait bien voulu pouvoir aller chercher le fusil qu'il avait planqué sous le siège de son pick-up, garé derrière le magasin, et « leur faire sauter le caisson, à ces enfoirés ».

Et, pendant ce temps, personne ne faisait attention à moi. Ni les braqueurs ni le caissier ne semblaient s'être rendu compte de ma présence. Je n'allais pas m'en plaindre.

J'ai jeté un coup d'œil derrière moi pour m'assurer que la porte des toilettes était bien coincée, qu'elle ne claquerait pas au mauvais moment. La meilleure chose à faire était encore de me faufiler dehors par la porte de service – si je la trouvais – et d'aller avertir Eric pour appeler la police avec son portable.

Justement, en parlant d'Eric... comment se faisait-il qu'il ne soit pas encore venu payer l'essence à la caisse ?

J'ai soudain eu un très mauvais pressentiment. Si Eric n'était pas encore venu, c'était qu'il n'allait pas venir. Pourquoi ? Peut-être parce qu'il avait décidé de vider les lieux. Et de me laisser.

Ici.

Toute seule.

« Exactement comme Bill l'a fait », m'a suggéré mon esprit. Merci mon Esprit.

Ou peut-être que les braqueurs lui avaient tiré dessus. S'il avait pris une balle en pleine tête... Ou une balle de gros calibre dans le cœur. Ça ne pardonne pas. Même quand on est un vampire.

Bon. Cela ne servait à rien que je reste plantée là, à me ronger les sangs. Il était temps d'agir.

J'étais dans la boutique de station-service type. Quand on entrait, le caissier se trouvait à droite, derrière un long comptoir, perché sur une petite estrade. Les vitrines réfrigérées pour les boissons fraîches occupaient tout le mur de gauche. Il y avait trois allées qui faisaient toute la largeur du magasin, plus les présentoirs spécifiques : tourniquets de cartes postales, de gadgets souvenirs, de cochonneries diverses, sans compter les piles de Thermos, les sacs de charbon de bois et de graines pour les oiseaux.

Je me trouvais tout à fait au fond du magasin et je pouvais voir le caissier (sans problème) et les deux voleurs (à peine) par-dessus les rayonnages. Il fallait que je m'échappe d'ici et, de préférence, sans me faire remarquer. J'ai jeté un petit coup d'œil circulaire et j'ai repéré une porte sur laquelle était indiqué : «Réservé au personnel.» Elle se trouvait derrière le comptoir, du même côté que le jeune caissier, mais à l'autre extrémité du magasin. Il y avait un petit passage entre le comptoir et le mur qui permettait de l'atteindre. Mais, entre le bout de mon allée et le début du comptoir, j'allais être à découvert.

Inutile d'attendre plus longtemps. La situation n'allait pas s'arranger toute seule.

Je me suis mise à quatre pattes et j'ai commencé à ramper en direction de la porte en question. J'avançais lentement, pour pouvoir écouter ce qui se passait en même temps.

— ... aux cheveux blonds entrer ici, à peu près de cette taille-là ? disait un des deux braqueurs.

Mon cœur a manqué un battement.

Le temps de me planquer derrière les étagères, j'avais raté le début de la conversation. De qui parlait-il ? D'Eric ou de moi ? Ou de la fausse blonde ? La taille indiquée m'aurait bien aidée, mais je ne pouvais pas la deviner, évidemment. Qui ces deux types recherchaient-ils ? Un vampire ou une télépathe ? Après tout, je n'étais pas forcément la seule personne au monde à pouvoir s'attirer des ennuis.

— Si. Une blonde est venue acheter des clopes, y a pas cinq minutes, a grommelé le caissier.

Bien joué, gamin !

— Nan, on l'a vue partir, celle-là. C'est l'autre qu'on veut. Celle qu'était avec le vampire.

Bon, d'accord, peut-être que je ressemblais vaguement à cette description.

— Je n'en ai pas vu d'autre.

J'ai levé légèrement les yeux, je ne sais pas bien pourquoi (l'instinct?), et j'ai remarqué le miroir bombé suspendu dans le coin du magasin. C'était un système de sécurité qui permettait au caissier de surveiller les clients pour éviter le vol à l'étalage. Et, subitement, je me suis dit: *Il doit me voir ramper entre les rayons. Il sait que je suis là.*

Intérieurement, je l'ai béni. Il essayait de me protéger. J'allais donc tout faire pour le sortir de là. Je lui devais bien ça. Et sans qu'on nous tire dessus, ce serait encore mieux. Mais où était donc passé Eric? Qu'est-ce qu'il fichait, bon sang?

J'ai eu aussi une petite pensée pour Bernard, qui avait eu la bonne idée de me prêter un pantalon de survêtement et des chaussons à semelles de crêpe, tenue idéale pour évoluer facilement et en silence. J'ai repris ma lente progression vers la porte, en priant pour qu'elle ne grince pas. Les deux voleurs s'entretenaient toujours avec le jeune caissier, mais je n'écoutais plus que d'une oreille: j'étais trop concentrée sur l'objectif à atteindre.

Il m'était déjà arrivé d'avoir peur, auparavant. De nombreuses fois. Mais celle-ci ferait, à coup sûr, partie des pires de toute mon existence.

Mon père était chasseur; Jason et ses copains chassaient, à leurs heures perdues; et j'avais assisté à une fusillade à Dallas (un véritable massacre): je savais ce qu'une balle pouvait faire. J'étais parvenue au bout de l'allée et j'allais bientôt quitter le rempart du dernier rayon.

J'ai risqué un bref coup d'œil de l'autre côté de la tête de gondole. J'allais devoir parcourir environ deux mètres à découvert, avant d'atteindre le refuge tout relatif du comptoir. Je serais alors à l'abri des regards.

— Voilà une bagnole, a soudain annoncé le caissier.

Les deux types ont immédiatement tourné la tête vers les pompes. Sans mes pouvoirs télépathiques, jamais je n'aurais su ce que le caissier essayait de faire, et j'aurais peut-être hésité trop longtemps. Mais là, j'ai foncé tête baissée.

— Je ne vois pas de bagnole, a grogné le moins costaud des deux braqueurs.

— J'avais cru entendre la sonnerie, a dit le jeune caissier. Celle qui se déclenche quand une voiture passe dessus.

J'ai tendu la main vers la poignée. La porte s'est ouverte en silence.

— Ça lui arrive de sonner sans qu'il y ait personne, a-t-il renchéri.

J'ai compris qu'il faisait exprès de parler pour me couvrir. Il cherchait à monopoliser l'attention des deux types. Fantastique, ce gamin.

J'ai poussé la porte et je me suis faufilée à quatre pattes de l'autre côté. Je me suis retrouvée dans un petit couloir fermé par une autre porte qui devait donner sur l'arrière du bâtiment. Il y avait une clé dans la serrure – judicieux, de verrouiller la porte de service. À une des patères fixées dans le bois de la porte était pendue une grosse parka style commando. J'ai glissé la main dans la poche de droite. Oui ! Les clés de mon caissier préféré ! Sacré coup de chance (il faut croire que ça peut m'arriver, à moi aussi). J'ai serré les clés dans mon poing pour les empêcher de cliqueter et j'ai ouvert la porte qui donnait sur l'extérieur.

C'était le désert, dehors. Hormis un vieux pick-up cabossé et un container à ordures qui empestait à cent mètres à la ronde, il n'y avait rien à voir. L'éclairage était faible, mais il avait le mérite d'exister. Le bitume se lézardait, et les rares mauvaises herbes qui avaient réussi à se faufiler au travers étaient rabougries et décolorées. Pas de doute, c'était l'hiver. Un petit bruit sur ma gauche m'a fait sursauter. J'ai bondi sur le côté, le souffle coupé. Ce n'était qu'un vieux raton laveur – énorme. Il ne m'a même pas jeté un coup d'œil avant de traverser paisiblement le parking en direction d'un maigre bosquet.

J'ai pris une fébrile inspiration et je me suis efforcée de me concentrer sur le trousseau de clés que j'avais dans la main. Malheureusement, il devait bien y en avoir une vingtaine. Ce môme avait plus de clés que de poils au menton ! Mais qu'est-ce qu'il pouvait bien en faire ? Personne sur cette fichue planète ne pouvait en utiliser autant ! Je les ai fébrilement examinées, une à une. Ah ! Celle-là était gainée d'un capuchon en plastique noir estampillé GM – General Motors, avec un peu de chance. Je l'ai introduite dans la serrure de la portière. Bingo ! À l'intérieur, ça empestait le tabac froid et le chien mouillé. Le fusil était bien sous la banquette. J'ai vérifié qu'il était chargé – fervent partisan de l'autodéfense, mon cher frère m'avait appris à me servir de son nouveau Benelli.

J'avais beau être armée, j'avais tellement peur que je n'étais plus très sûre de vouloir faire le tour du bâtiment. Il fallait pourtant que j'inspecte les environs pour voir ce qu'était devenu Eric. J'ai longé à pas de loup le mur latéral, du côté où le vieux pick-up Toyota était garé. J'ai jeté un petit coup d'œil sur le plateau du camion. Il était vide, mais un reflet a attiré mon attention. J'ai passé le doigt dessus.

Du sang frais. J'ai cru que mon cœur s'arrêtait. Je suis restée pétrifiée un instant, la tête penchée au-dessus de la tache scintillante. Puis je me suis ressaisie.

Par la vitre du conducteur, j'ai vu que le bouton de verrouillage intérieur était soulevé : la cabine n'était pas fermée. Eh bien, c'était mon jour de chance ! J'ai ouvert la portière et examiné l'intérieur. Il y avait une boîte ouverte sur le siège avant, côté passager. Quand j'ai découvert ce qu'elle contenait, mon sang s'est figé dans mes veines. Les mots : « Nombre d'articles : deux » apparaissaient en gros sur un des côtés de la boîte. Il ne restait pourtant qu'un seul filet à mailles d'argent à l'intérieur, le genre de ceux dont on trouvait la publicité dans les magazines spécialisés, avec la mention : « Résiste aux vampires. » Autant dire d'une cage à requins que c'était une excellente protection contre les morsures de requin !

Où était Eric ? J'ai exploré les alentours. Sans résultat. J'entendais la circulation sur l'autoroute toute proche, mais le parking et la station-service étaient plongés dans un silence de mort.

J'ai soudain repéré un cran d'arrêt sur le tableau de bord. Intéressant... J'ai posé le fusil sur le siège du conducteur et je me suis emparée du couteau. J'ai libéré la lame, prête à la planter dans les pneus. Puis j'ai réfléchi. Des pneus réduits en charpie prouveraient que quelqu'un était sur le parking pendant que les braqueurs menaçaient le caissier à l'intérieur de la boutique. Ce n'était peut-être pas une bonne idée. Je me suis donc contentée d'entailler le pneu avant gauche, juste un petit trou, du genre de ceux qu'on se fait en roulant sur n'importe quoi, un bout de verre, un truc tranchant, allez savoir... En tout cas, s'ils pouvaient repartir, ils seraient obligés de s'arrêter en cours de route, à un moment ou à un autre.

J'ai empoché le couteau – ça commençait à devenir une habitude – et j'ai regagné la pénombre du bâtiment. Le tout n'avait pas duré plus de quelques minutes.

La Lincoln était toujours garée devant la pompe à essence. Le clapet du réservoir était fermé. Donc, Eric avait eu le temps de faire le plein avant d'être attaqué par les deux types. J'ai trouvé un bon poste d'observation près de l'entrée : le casier à bouteilles de gaz qui faisait un angle droit avec la façade. J'ai jeté un coup d'œil à l'intérieur.

Les braqueurs étaient passés de l'autre côté du comptoir, là où le caissier était assis.

Hé ! Il fallait arrêter ça tout de suite ! À mon avis, ils étaient en train de le tabasser pour l'obliger à leur dire où j'étais. Je ne pouvais tout de même pas laisser quelqu'un trinquer pour moi.

— Sookie.

La voix s'était élevée juste derrière moi. Une demi-seconde plus tard, une main est venue se plaquer sur ma bouche, étouffant mon cri.

— Désolé. J'aurais dû trouver une autre façon de me manifester.

— Bon sang, Eric ! ai-je murmuré dès qu'il a bien voulu me laisser parler. Il faut le sortir de là !

— Pourquoi ?

Les vampires me stupéfient, parfois. Enfin, les gens, en général. Mais là, il se trouvait que c'était un vampire.

— Parce qu'il est en train de se faire massacrer pour nous protéger et que, si ça continue, ils vont le tuer ! Et ce sera notre faute !

— Ce sont des braqueurs, Sookie. Ils veulent juste braquer la caisse, m'a-t-il expliqué patiemment, comme si j'étais attardée. Ils avaient un filet anti-vampires tout neuf, alors ils l'ont essayé sur moi, mais ce sont juste deux petites crapules sans envergure.

— Ils en ont après nous, ai-je insisté, furieuse.

— Explique-moi.

C'est ce que j'ai fait.

— Bon. Donne-moi ce fusil, a-t-il dit au terme de mon exposé.

Il a attrapé le Benelli. Mais je ne l'ai pas lâché.

— Sais-tu seulement t'en servir ?

— Probablement aussi bien que toi, a-t-il répondu, incertain.

— C'est bien là ton erreur.

Au lieu d'entamer un débat prolongé sur le sujet – il y avait urgence, mon nouveau champion était en train de prendre coup sur coup –, j'ai fait le tour des bouteilles de gaz et j'ai franchi le seuil en trombe. La petite cloche de la porte d'entrée a carillonné à la volée, mais les braqueurs n'ont pas semblé l'entendre. Avec les cris et le bruit des coups qui se succédaient, c'était compréhensible. Ils n'ont réagi que quand j'ai tiré en l'air, juste au-dessus d'eux. Une averse de poussière et de plâtre a dégringolé du plafond.

Le recul de l'arme avait failli me projeter à terre, mais je n'ai pas perdu mon aplomb et j'ai braqué le canon de mon fusil droit sur eux. Ils se sont figés. C'était comme jouer à « un, deux, trois, soleil ». En beaucoup moins drôle. Le malheureux caissier avait le visage en sang. J'étais pratiquement sûre qu'il avait le nez cassé et qu'il lui manquait des dents.

J'ai senti une rage brûlante m'envahir.

— Laissez-le partir, ai-je distinctement articulé, les mâchoires crispées.

— Vous comptez nous descendre, ma p'tite dame ?

— Je vais me gêner !

— Et si elle vous rate, je vous promets de recti-
fier le tir, a annoncé la voix glaciale d'Eric derrière
moi.

Un vampire de cette trempe-là, ça vous fait des
renforts pas franchement négligeables. En tout cas,
à en juger par leur expression, mes adversaires
semblaient tout à fait de cet avis.

— Le vampire s'est détaché, Sonny.

Le braqueur qui venait de faire cette révélation
fracassante était un type maigrichon aux mains
sales et aux bottes noires de cambouis.

— Je vois ça, lui a répondu Sonny, le plus musclé
des deux.

Quant au jeune caissier, il n'a pas perdu le nord.
Il avait beau trembler de douleur, il a escaladé
le comptoir aussi vite que son piteux état le lui
permettait. Il avait une vraie tête de monstre, à
présent, la poussière blanche tombée du plafond
s'étant collée au sang qui lui recouvrait la figure.

— Vous avez trouvé mon fusil, m'a-t-il lancé, avec
une satisfaction manifeste, en me contournant prudemment pour ne pas se retrouver pris entre deux
feux.

Il a sorti un portable de sa poche et a composé
un numéro. D'une voix éraillée et avec un débit de
mitraillette, il s'est empressé de tout raconter à la
police.

— Avant que les forces de l'ordre n'arrivent,
Sookie, a posément déclaré Eric, il nous faut faire
avouer à ces deux minables l'identité de ceux qui
les ont envoyés.

J'aurais été terrifiée s'il s'était adressé à moi sur
ce ton-là. Quant aux deux minables en question, ils
semblaient parfaitement conscients de ce qu'un
vampire en colère pouvait leur faire subir.

Eric est passé devant moi pour faire face aux braqueurs. Dans la lumière crue des néons, j'ai alors pu voir son visage. Des zébrures violacées s'entrecroisaient sur sa peau blême. Je me suis dit qu'il avait eu de la chance de n'avoir été touché qu'à la figure – bien que je doute qu'il se soit estimé très chanceux, dans l'histoire.

— Au pied, a-t-il ordonné en rivant son regard hypnotique aux yeux soudain vitreux de Sonny.

Sonny est immédiatement descendu de l'estrade placée derrière le comptoir. Son compagnon l'a regardé faire, bouche bée.

— Stop.

Sonny a bien essayé de fermer les paupières, mais il les a entrouvertes en entendant Eric approcher d'un pas, et ça lui a été fatal. Si vous ne possédez pas de pouvoirs surnaturels quelconques, ne regardez jamais un vampire dans les yeux.

— Qui vous a envoyés ? lui a demandé Eric, avec une douceur assez effrayante.

— Les Chiens de l'Enfer, a répondu Sonny d'une voix monocorde.

— Le nom du gang des motards, ai-je cru bon d'expliquer à Eric, qui semblait surpris.

Pour ma part, j'obtenais des réponses beaucoup plus détaillées en fouillant dans l'esprit des deux complices.

— Que vous ont-ils ordonné exactement ?

— Ils nous ont dit de nous poster le long de l'autoroute pour vous intercepter. Il y en a encore qui attendent aux autres stations-service.

Ils avaient engagé plus de quarante petites frappes du même genre que Sonny. Et ils y avaient mis le prix.

— Quel signalement vous a-t-on donné ?

— Un grand brun et un grand blond avec une jolie blonde, une petite jeunette avec une belle paire de miches.

La main d'Eric a bougé trop vite pour qu'un œil humain puisse la suivre. Je n'ai su qu'il avait giflé Sonny qu'en voyant le sang couler sur sa joue.

— Tu parles de ma future amante : mesure tes paroles. J'exige un minimum de respect. Pourquoi étiez-vous censés nous intercepter ?

— Pour vous ramener à Jackson.

— Pourquoi ?

— Les gars de la bande vous soupçonnent d'avoir quelque chose à voir avec la disparition de Jerry Falcon. Ils ont des questions à vous poser là-dessus. Ils avaient placé des gars pour surveiller un immeuble du centre de Jackson. Quand ils vous ont vus sortir dans une Lincoln blanche, ils vous ont pris en filature. Le type brun n'était pas avec vous. Mais la fille correspondait. Ils ont transmis l'info, et on vous a suivis.

— Les vampires de Jackson sont-ils impliqués dans cette affaire ?

— Non. Ceux de la bande ont pensé que c'était à eux de régler le problème. Mais comme ils ont plein de problèmes, un prisonnier échappé, des gars malades, etc., ils nous ont recrutés pour leur donner un coup de main.

— Qui sont ces hommes, Sookie ? m'a demandé Eric sans se retourner.

J'ai fermé les yeux pour me concentrer.

— Des types tout ce qu'il y a d'ordinaire.

Ce n'étaient ni des métamorphes ni des loups-garous. Ce n'étaient même pas des humains dignes de ce nom, à mon sens, mais bon, je ne m'appelais pas Dieu : ce n'était pas moi qui les avais créés.

— Bien. Maintenant, il s'agirait de ne pas nous attarder ici.

J'approuvais très nettement. Il n'aurait plus manqué que je passe la nuit au poste ! Quant à Eric, il ne fallait même pas y penser. Il n'y avait pas une seule cellule conçue pour incarcérer un vampire, dans les environs. Il aurait fallu l'envoyer à Shreveport.

Eric tenait toujours Sonny en son pouvoir.

— Tu ne nous as pas vus, lui a-t-il ordonné. Ni cette dame ni moi.

— Juste le même, a acquiescé Sonny.

L'autre braqueur a tenté de garder les yeux fermés, mais Eric lui a soufflé au visage, et, tout comme un chien l'aurait fait, le type a ouvert les yeux et s'est débattu pour essayer de lui échapper. En un quart de seconde, Eric le tenait à sa merci. Il a répété le même processus.

Puis il s'est tourné vers le caissier et lui a tendu son fusil avec un « C'est à vous, je crois » très distingué.

— Oui, merci, a répondu le gamin, les yeux prudemment rivés à la crosse de son arme, qu'il a aussitôt braquée sur les deux types. Je sais : je ne vous ai pas vus, a-t-il ajouté en évitant toujours de regarder Eric. Et je ne dirai rien aux flics.

Eric a posé quarante dollars sur le comptoir.

— Pour l'essence, a-t-il expliqué. Allons-y, Sookie.

— Une Lincoln blanche avec un trou dans le coffre, ça ne passe pas inaperçu, nous a lancé le môme.

— Il a raison, ai-je marmonné en bouclant ma ceinture.

Des sirènes de police retentissaient, toutes proches, et Eric a accéléré.

— J'aurais dû prendre le pick-up de ces deux crétins, a-t-il marmonné.

Il ne paraissait pourtant pas mécontent de notre petite mésaventure, maintenant qu'elle était terminée.

— Et tes brûlures ? lui ai-je demandé. Ça va ?

— Beaucoup mieux.

Les zébrures se voyaient à peine, à présent.

— Qu'est-ce qui s'est passé ? ai-je demandé en espérant qu'il ne serait pas vexé.

Il m'a jeté un coup d'œil en coin. Il roulait tranquillement, sans dépasser la limite de vitesse. Si les policiers qui convergeaient vers la station-service nous avaient vus rouler à tombeau ouvert, ils auraient pu nous prendre pour des voleurs en cavale...

— Pendant que tu vaquais à tes occupations de simple mortelle, j'ai fini de remplir le réservoir, puis je suis allé payer. J'étais pratiquement arrivé à la porte de la boutique quand ces deux hommes sont descendus de leur pick-up et m'ont jeté leur filet à la tête. Il est humiliant de constater que ces ânes ont réussi à me prendre au piège, avec leur ridicule nasse en argent.

— Tu devais avoir l'esprit ailleurs.

— Oui. Tout à fait ailleurs...

— Et alors ? Que s'est-il passé ensuite ? ai-je insisté, comme il gardait le silence.

— Le plus costaud des deux m'a donné un coup de crosse derrière la tête. Il m'a fallu un petit moment pour m'en remettre.

— Oui, j'ai vu le sang.

Il s'est frotté la nuque.

— J'ai saigné, en effet. Une fois la douleur apprivoisée, j'ai accroché un coin du filet au pare-chocs de leur camion et je suis parvenu à m'en dépêtrer. Ces deux imbéciles sont aussi peu doués pour la chasse aux vampires que pour les braquages.

S'ils avaient refermé leur... épuisette avec des chaînes d'argent, le résultat aurait pu s'avérer différent.

— Donc, tu as réussi à te libérer ?

— Oui, mais le coup qu'ils m'avaient porté à la tête s'est révélé plus problématique que je ne l'avais présumé, a-t-il convenu avec raideur. J'ai dû rapidement trouver un robinet pour m'asperger. Après avoir recouvré mes esprits, je t'ai cherchée. C'est à l'oreille que je t'ai repérée.

Au bout d'un long silence, il a fini par me demander ce qui s'était passé dans la boutique de la station-service.

— Ils m'ont confondue avec la femme qui est entrée en même temps que moi, quand je suis allée aux toilettes, lui ai-je expliqué. Ils ne semblaient pas bien savoir si j'étais encore à l'intérieur. Et le caissier leur a dit qu'il n'avait vu qu'une seule femme blonde et qu'elle était déjà repartie. Je savais qu'il avait un fusil dans son pick-up – je l'avais lu dans ses pensées. Alors, je suis allée le récupérer. J'en ai profité pour leur crever un pneu. Et puis, moi aussi, je t'ai cherché. J'avais peur qu'il ne te soit arrivé quelque chose.

— Tu avais l'intention de nous sauver tous les deux ? Le caissier et moi ?

— Eh bien... euh... oui.

Pourquoi prenait-il ce ton bizarre pour me demander ça ?

— Je ne voyais pas comment j'aurais pu faire autrement. Je n'avais pas vraiment le choix.

Les marques sur son visage n'étaient plus maintenant que de fines lignes roses.

Le silence est retombé, toujours aussi tendu. Nous étions à moins d'une demi-heure de Bon Temps. Je me suis dit que ce n'était pas la peine, qu'il valait mieux laisser tomber. Mais, évidemment, ce n'est pas du tout ce que j'ai fait.

— On dirait qu'il y a quelque chose qui te tracasse, ai-je repris, d'une voix où perçait une pointe d'agacement.

L'ambiance, à l'intérieur de la voiture, commençait sérieusement à me porter sur les nerfs. Je sais, je sais : je prenais des risques, je dirigeais la conversation sur la mauvaise pente. J'aurais mieux fait de laisser le silence s'installer, même s'il me pesait.

Eric a pris la sortie de Bon Temps.

— Qu'y a-t-il ? Ça aurait posé un problème si je vous avais sauvés tous les deux ?

De pire en pire. Je m'enfonçais.

Nous sommes passés devant le *Merlotte*, toujours ouvert, et nous avons tourné vers le sud. Bientôt, nous cahotions sur mon allée défoncée.

Eric s'est garé et a coupé le moteur.

— Oui, a-t-il enfin répondu, ça aurait posé un problème. Et quand vas-tu enfin te décider à faire refaire cette satanée route, bon sang ?

Cette fois, j'ai perdu mon sang-froid. En un éclair, j'étais sortie de la voiture. Lui aussi. Nous nous sommes fusillés du regard par-dessus le toit de la Lincoln. Pour moi, c'était un peu plus difficile puisque ma tête dépassait à peine. Puis j'ai fait le tour de la voiture au pas de charge et je suis venue me planter devant lui, les poings sur les hanches.

— Quand j'en aurai les moyens, voilà quand ! Je n'ai pas un rond, bon Dieu ! Et vous passez tous votre temps à me demander de prendre des jours sur mon boulot pour vous aider dans vos petites magouilles, tous autant que vous êtes ! Je ne peux plus faire ça ! Je ne peux plus ! ai-je hurlé. C'est terminé, compris ? Ter-mi-né ! Je rends mon tablier !

Eric m'a longtemps dévisagée sans rien dire. Je sentais ma poitrine se soulever précipitamment sous ma parka. J'avais du mal à respirer tant la rage m'aveuglait. Il y avait bien quelque chose qui me dérangeait, quelque chose de bizarre dans la maison, mais j'étais trop énervée pour m'y attarder.

— Et Bill… a commencé Eric prudemment.

Il n'aurait pas pu choisir pire début. Je me suis enflammée comme une torche.

— Bill dépense tout son argent pour ces fichus Bellefleur!

J'avais baissé la voix, mais mon ton s'était fait grave, haineux – mais non moins sincère.

— Ça ne lui traverserait même pas l'esprit de m'en donner. Et puis, comment pourrais-je l'accepter, de toute façon? Ça ferait de moi une femme entretenue. Je ne suis pas sa pute. Je suis sa… j'étais sa petite amie.

J'ai senti les larmes me monter aux yeux. Ah, non! Je n'allais tout de même pas pleurer! Je préférais encore me remettre en colère. J'ai avalé une grosse goulée d'air, et c'est ce que j'ai fait.

— Qu'est-ce qui t'a pris, d'abord, d'aller raconter que j'allais devenir ton… ton amante? D'où ça sort, ça encore?

— Où est passé l'argent que tu as gagné à Dallas? m'a soudain demandé Eric, me prenant complètement au dépourvu.

— J'ai payé ma taxe d'habitation avec.

— Il ne t'est donc jamais venu à l'esprit que si tu me disais où l'ordinateur de Bill était caché, je te donnerais tout ce que tu voudrais? Tu n'as pas pensé une seule seconde que Russell te paierait une fortune pour obtenir cette base de données?

Ma respiration s'est bloquée dans ma gorge. J'étais si vexée, si blessée, que j'en suis restée sans voix.

— Je vois que tu n'y as même pas songé, a-t-il constaté.

— Mais oui, c'est ça! Je suis un ange, l'intégrité incarnée!

À vrai dire, il avait raison: ça ne m'avait pas effleuré l'esprit. Et j'en étais plutôt fière. Je tremblais d'indignation et de fureur. Je sentais bien la présence de vibrations étrangères, mais l'idée que quelqu'un s'était introduit chez moi n'a fait qu'attiser ma colère. J'étais hors de moi, et la rage qui me consumait réduisait en cendres raison, logique, et même simple instinct de conservation.

— Il y a quelqu'un dans la maison, Eric, ai-je lancé, avant de tourner les talons et de monter les marches de la véranda d'un pas martial.

J'ai trouvé les clés sous le rocking-chair que ma grand-mère aimait tant. Alors, ignorant tous les signaux d'alerte que mon cerveau m'envoyait, ignorant le cri alarmé d'Eric qui, déjà, accourait, j'ai ouvert la porte.

Et le ciel m'est tombé sur la tête.

14

—On la tient! a dit une voix que je n'ai pas reconnue.

On m'a relevée sans ménagement. Je chancelais sur mes jambes entre deux hommes qui me tenaient chacun par un bras.

—Et le vampire?

—Il s'est pris deux balles avant de filer dans les bois. Il s'en est tiré.

—Pas bon, ça. Allez! Finissons-en.

Je sentais des présences masculines autour de moi. J'ai ouvert les yeux. Ils étaient chez moi. Ils étaient dans ma maison! Ça m'a fait presque aussi mal que le coup que je venais de prendre. J'avais pensé trouver Sam, Arlene ou Jason.

Cinq. Il y avait cinq hommes dans mon salon – si j'avais encore assez de neurones en état de marche pour pouvoir compter correctement. Mais, m'empêchant de pousser l'analyse plus loin, le type qui se trouvait devant moi (et qui portait un gilet en cuir à l'effigie familière) m'a donné un coup de poing dans l'estomac.

Je n'avais même plus assez de souffle pour crier.

Les deux hommes qui me tenaient m'ont forcée à me redresser.

— Où est-il? m'a demandé l'homme au gilet.

— Qui?

J'étais sincère. Je ne voyais pas de qui il voulait parler. Il m'a frappée de plus belle. À un moment donné, j'ai été prise de nausées, mais je n'avais plus assez d'air pour vomir. Je suffoquais, je m'étouffais toute seule.

J'ai finalement réussi à prendre une profonde inspiration, douloureuse, sifflante, mais salutaire.

Le loup-garou qui m'interrogeait m'a giflée à la volée, du plat de la main, de toutes ses forces. Il faisait partie de la bande des loups-garous de Jackson, comme son blouson l'indiquait. C'était un type blond au crâne presque rasé, avec un affreux petit bouc bien dessiné.

Sous la violence du coup, j'ai cru que ma tête allait faire un tour complet.

— Où est-il, ce foutu vampire, salope? a-t-il craché en reculant le poing pour prendre son élan.

Je n'allais plus pouvoir supporter ça très longtemps. Il était temps d'accélérer les choses. Prenant appui sur les deux types qui me maintenaient fermement, j'ai balancé les jambes en avant pour projeter le loup-garou en arrière. Si je n'avais pas porté des chaussons, la technique se serait sans doute révélée plus efficace (c'est marrant, ça, c'est toujours quand on en a besoin qu'on n'a pas ses rangers aux pieds). Néanmoins, Affreux Petit Bouc a reculé. Puis il est revenu vers moi. J'ai alors vu ma mort se refléter dans ses prunelles.

Mais, déjà, mes jambes revenaient sur le sol. Au lieu de les reposer par terre, j'ai amplifié le mouvement vers l'arrière pour déstabiliser les types qui me tenaient. Ils ont vacillé, essayant vainement de garder l'équilibre sans me lâcher. Mais ils ont eu beau gesticuler, ils ont basculé vers l'avant, m'entraînant avec eux. Percuté de plein fouet, le loup-garou est tombé avec nous.

Ça n'améliorait peut-être pas ma situation, mais c'était tout de même mieux que d'attendre passivement de me faire tabasser.

Les bras toujours immobilisés par mes deux gardes du corps, je n'ai pas pu freiner ma chute, et je me suis écrasée face contre terre. L'un des deux types qui me tenaient a quand même lâché prise en tombant et, une fois ma main droite glissée sous moi pour faire levier, j'ai réussi à m'arracher à l'emprise de l'autre.

J'étais déjà en train de me relever quand le loup-garou, plus rapide que les humains, m'a attrapée par les cheveux. Il m'a giflée d'une main, tout en enroulant ma queue de cheval autour de son poing pour assurer sa prise. Les autres humains se sont alors approchés – pour aider leurs comparses restés à terre à se remettre d'aplomb ou peut-être simplement pour assister au spectacle.

La journée avait été rude et je commençais à trouver que la chance n'était décidément pas de mon côté. J'étais à deux doigts de jeter l'éponge. Mais j'avais un restant de fierté… et du sang de vampire dans les veines. Alors, je me suis jetée sur l'humain le plus proche de moi, un gros type aux cheveux gras, et je lui ai planté les doigts dans le visage, toutes griffes dehors, avec la ferme intention de faire le plus de dégâts possible pendant que j'en avais encore la force.

C'est le moment qu'a choisi le loup-garou pour me flanquer un grand coup de genou dans le ventre. J'ai hurlé. Au même instant, la porte a volé en éclats, et Eric s'est encadré dans l'entrée, le torse et la jambe droite ensanglantés. Bill se tenait juste derrière lui.

320

En découvrant la scène, ils ont perdu tout contrôle.

J'ai alors pu constater *de visu* de quoi un vampire est capable.

De toute évidence, ma présence n'était plus nécessaire. J'ai décidé que j'allais fermer les yeux.

En moins de deux minutes, le combat était terminé. De mes agresseurs, il ne restait que des cadavres.

— Sookie? Sookie?

La voix d'Eric était enrouée.

— Crois-tu qu'il faille l'emmener à l'hôpital? a-t-il demandé à Bill.

J'ai senti des doigts glacés me palper le poignet, le cou. Je leur aurais bien expliqué que, cette fois, je n'étais pas tombée dans les pommes, mais c'était trop dur. Et puis, je me trouvais très bien par terre.

— Le pouls est bon, a constaté Bill. Je vais essayer de la retourner.

— Elle est vivante?

— Oui.

La voix d'Eric s'est rapprochée.

— C'est son sang?

— Oui, en partie.

J'ai distinctement entendu Eric prendre une inspiration profonde et frémissante.

— Le sien... c'est différent.

— Oui, lui a froidement répondu Bill. Je sais. Mais j'imagine que tu es rassasié, maintenant.

— Ah, oui! Cela faisait longtemps que je n'avais pas bu de vrai sang à satiété, a répondu Eric avec un soupir satisfait, du même ton que Jason aurait pu dire à un de ses voisins de comptoir que ça faisait longtemps qu'il ne s'était pas payé un petit punch coco.

Bill a glissé ses mains sous ma cuisse et sous mon épaule.

— Bon, a-t-il repris. Il va falloir sortir tout ceci dans le jardin et faire le ménage dans la maison.

— Bien sûr.

Bill m'a fait rouler sur le flanc. C'est à ce moment-là que je me suis mise à pleurer. Je ne pouvais pas m'en empêcher. J'avais beau essayer de jouer les dures à cuire, tout mon corps souffrait. Si vous avez déjà été vraiment roué de coups, vous devez savoir de quoi je parle. Quand on a été battu, on prend brusquement conscience de ce qu'on est, en réalité : une simple enveloppe de peau, une enveloppe fragile qui retient tout un tas de liquides, d'amas mous et de structures rigides susceptibles d'être brisées. Je croyais avoir atteint le summum en matière de souffrance physique, à Dallas, quelques semaines plus tôt. Mais là, c'était pire. Ce qui ne voulait pas nécessairement dire que c'était plus grave. Je souffrais surtout de bleus et de bosses. À Dallas, j'avais eu la pommette fracturée et une entorse du genou. Je me suis dit que mon genou avait dû pâtir de nouveau et qu'avec la violence des gifles que j'avais reçues, il n'était pas impossible que ma fracture se soit rouverte. J'ai soulevé les paupières, cligné des yeux et attendu que les choses reprennent leur place normale. J'ai bientôt recouvré une vision à peu près claire de ce qui m'entourait.

— Peux-tu parler ? m'a demandé Eric, après m'avoir longuement dévisagée.

J'ai voulu lui répondre, mais j'avais la bouche si sèche que rien n'en est sorti.

— Il faut qu'elle boive, a constaté Bill, avant de se lever pour aller me chercher un verre d'eau dans la cuisine.

322

Je l'ai regardé s'éloigner du coin de l'œil. Il semblait avoir de nombreux obstacles à enjamber.

Eric m'a caressé les cheveux. Je me suis alors souvenue qu'il s'était fait tirer dessus. J'aurais aimé lui demander comment il allait, mais je n'ai pas pu. Il était assis par terre, adossé au canapé. Tout le bas de son visage était couvert de sang. Je ne lui avais jamais vu un teint pareil, le teint frais et rose d'un beau bébé joufflu : il rayonnait de santé. Quand Bill est revenu avec mon verre d'eau (il avait même pensé à la paille), je l'ai dévisagé à son tour. On aurait presque pu croire qu'il avait pris un coup de soleil.

Il m'a redressée avec précaution et a glissé la paille entre mes lèvres desséchées. J'ai bu à petites gorgées. Je n'avais jamais rien goûté d'aussi bon.

— Tous morts ? leur ai-je demandé d'une voix rauque.

Eric a hoché la tête en silence.

J'ai repensé aux faces patibulaires qui m'entouraient encore quelques minutes plus tôt, au loup-garou me giflant à toute volée...

— Bien fait !

Ça a eu l'air d'amuser Eric. Bill n'a pas réagi.

— Combien ?

Eric a jeté un regard autour de lui, pendant que Bill pointait chaque victime du doigt en comptant mentalement.

— Sept ? a-t-il répondu d'un ton incertain. Deux dehors et cinq à l'intérieur ?

— Je pencherais plutôt pour huit, a dit Eric, sans plus de conviction.

— Pourquoi s'en sont-ils pris à toi comme ça ? m'a demandé Bill.

— Jerry Falcon.

— Jerry Falcon ? Ah, oui ! Je l'ai déjà rencontré. Dans la salle de torture. Il est en première ligne sur ma liste noire.

— En bien, tu peux le rayer tout de suite, lui a annoncé Eric. Alcide et Sookie se sont débarrassés de son cadavre hier.

— Vous l'avez tué ? s'est étonné Bill, avant d'abaisser vers moi un regard incrédule.

— Ils prétendent que non. Ils ont retrouvé le corps dans un placard, chez Alcide, et ils ont mis sur pied tout un stratagème pour aller le cacher je ne sais où.

À l'entendre, il semblait estimer que c'était plutôt mignon de notre part.

— Ma Sookie a fait disparaître un cadavre ! s'est exclamé Bill.

— Je crains que l'emploi de cet adjectif possessif ne soit un peu abusif, en l'occurrence, a aussitôt corrigé Eric.

— Où as-tu appris la grammaire, Northman ?

— J'ai pris anglais deuxième langue à l'université, dans les années 1970.

— Elle est à moi, a précisé Bill.

J'ai essayé de bouger la main. Je n'étais pas sûre d'y arriver, mais elle a docilement obéi. Alors, je l'ai péniblement levée et j'ai abaissé tous les doigts, sauf celui du milieu.

Cette fois, Eric a éclaté de rire, et Bill m'a adressé un « Sookie ! » de mère horrifiée par les excès de langage de sa progéniture.

— Je crois que Sookie entend par là nous faire comprendre qu'elle n'appartient à personne qu'à elle-même, a placidement commenté Eric. Mais, pour répondre à ta question, Bill, le meurtrier de Jerry Falcon est probablement celui qui a fourré le cadavre dans le placard en espérant faire porter le chapeau à Alcide, puisque Falcon avait publiquement dragué Sookie au *Club Dead*, la nuit précédente, et qu'Alcide en avait pris ombrage.

— Donc, toute cette affaire pourrait n'avoir aucun rapport avec nous ? Elle n'aurait été mise sur pied que pour piéger Alcide ?

— Difficile à dire. D'après ce que les braqueurs de la station-service nous ont rapporté, le reste de la bande de Falcon aurait engagé tout ce que Jackson compte de crapules et les aurait placées en faction sur l'autoroute pour nous intercepter.

— Mais comment ces types sont-ils arrivés là ? Comment savaient-ils où habitait Sookie et qui elle était en réalité ?

— Elle s'est présentée sous sa véritable identité au *Club Dead*. C'était risqué, mais les vampires de Jackson ignoraient le nom de la compagne de Bill Compton, puisqu'ils n'avaient pas réussi à te l'arracher.

— Je l'avais déjà assez trahie comme ça, a répondu Bill d'une voix éteinte. C'était bien le minimum que je pouvais faire pour elle.

Et dire que c'était le type que je venais d'envoyer paître !

Mais c'était aussi le type qui parlait de moi comme si je n'étais pas là, le type qui était parti en retrouver une autre, le type qui avait décidé de me quitter sans un mot d'explication.

— Donc, les loups-garous ne sont pas censés savoir qu'elle était ta petite amie. Ils savent seulement qu'elle était chez Alcide quand Jerry a disparu et que Jerry a fort bien pu passer à l'appartement d'Alcide. Quant à Alcide, il prétend que le chef de meute de Jackson, sans pour autant le croire responsable de la disparition de Jerry, lui aurait demandé de quitter la ville et de se faire oublier quelque temps...

— Cet Alcide... Il semble avoir une relation plutôt houleuse avec sa petite amie, non ?

— Elle est déjà fiancée à un autre, mais elle le croit amoureux de Sookie.

— Et c'est vrai ? Il a eu le front de dire à cette virago que Sookie faisait l'amour comme une reine.

— Il voulait la rendre jalouse. Il n'a pas couché avec Sookie.

— Mais il l'aime bien.

À l'entendre, on aurait pu croire que c'était un crime.

— Qui ne l'aime pas ?

Il m'a fallu faire un gros effort pour objecter :

— Vous venez juste... de massacrer... un paquet de types... qui ne m'aimaient pas du tout.

J'en avais assez de les voir discuter au-dessus de ma tête comme si je faisais partie des meubles – même si la discussion se révélait très instructive. Et puis, je souffrais terriblement et j'avais des cadavres dans tous les coins de mon salon. Je ne supportais plus ni la première ni la seconde de ces situations. Il était temps d'y remédier.

— Comment es-tu venu ici, Bill ?

Ma voix n'était plus qu'un faible murmure.

— Avec ma voiture. J'ai conclu un marché avec Russell. Je ne tenais pas à passer le reste de ma vie à regarder derrière moi. Quand je l'ai appelé, Russell était dans une colère noire. Non seulement Lorena et son prisonnier avaient disparu, mais les loups-garous dont il louait les services lui avaient désobéi, mettant en péril les accords commerciaux qu'il avait passés avec Alcide et son père.

— Et à qui en voulait-il le plus ? s'est enquis Eric avec un petit sourire en coin.

— À Lorena, pour m'avoir laissé m'échapper.

Ça les a bien fait rire. Ah, ces vampires. Quels boute-en-train, tout de même.

— Russell a accepté de me rendre ma voiture et de me laisser tranquille si je lui révélais comment j'avais réussi à m'échapper – pour qu'il puisse « réparer » le filet entre les mailles duquel j'avais réussi à me faufiler, en quelque sorte – et si je transmettais, de sa part, une offre à la reine de Louisiane pour étudier l'éventualité d'un usage commun de mon annuaire des vampires.

Si Edgington avait pris cette décision dès le début, ça aurait épargné pas mal de souffrances à tout le monde. D'un autre côté, Lorena serait toujours de ce monde... De même que les ordures qui m'avaient battue, et peut-être aussi Jerry Falcon, dont la mort demeurait un mystère.

— J'ai donc filé sur l'autoroute, pied au plancher, pour vous avertir que les loups-garous de Jackson et leurs hommes de main vous poursuivaient et que certains étaient partis directement à Bon Temps pour vous tendre un piège, a enchaîné Bill. Ils avaient découvert sur Internet que la petite amie d'Alcide, Sookie Stackhouse, habitait Bon Temps.

— Ces ordinateurs sont vraiment dangereux, a soupiré Eric.

Sa voix m'a semblé lasse. Je me suis alors souvenue qu'il avait pris deux balles dans le corps. Et tout ça parce qu'il était avec moi.

— Le visage de Sookie enfle à vue d'œil, a commenté Bill d'un ton à la fois attendri et furieux.

— Eric, ça va ? ai-je réussi à articuler, ivre de fatigue.

— Je vais guérir, m'a-t-il répondu, d'une voix soudain lointaine. Surtout avec tout ce bon s...

C'est à ce moment-là que je me suis endormie. Ou évanouie. Ou les deux.

Du soleil. Il y avait longtemps que je n'avais pas vu un rayon de soleil. J'avais presque oublié le bien que ça faisait.

Je portais ma chemise de nuit bleue toute douce et j'étais dans mon lit, enroulée dans mes draps comme une momie. Il fallait vraiment, vraiment que je me lève pour aller aux toilettes. Il m'a suffi de poser le pied par terre pour mesurer à quel point j'allais souffrir. Jamais je ne me serais levée si mon envie n'avait pas été aussi pressante.

Je marchais à tout petits pas, centimètre par centimètre. Jamais la distance à parcourir pour atteindre la salle de bains ne m'avait paru si grande. Il me semblait devoir franchir une interminable étendue de désert. Les ongles de mes orteils étaient toujours recouverts du vernis bronze que Corinne m'avait appliqué pour aller avec ma robe champagne. J'ai eu tout le temps de les admirer pendant la traversée.

Heureusement que j'ai l'eau courante à la maison ! Si j'avais dû sortir dans la cour, comme le faisait ma grand-mère quand elle était petite, j'aurais renoncé.

Après avoir enfilé un peignoir bleu bien chaud, j'ai quitté la salle de bains et, toujours à la même allure, j'ai remonté le couloir jusqu'au seuil du salon. En passant, j'ai pu remarquer qu'il faisait un soleil radieux dans un beau ciel sans nuages. Le thermomètre que Jason m'avait offert pour mon anniversaire indiquait six degrés. Il l'avait directement accroché dans l'encadrement de la fenêtre. C'était pratique : je n'avais qu'à jeter un coup d'œil sur le côté pour voir la température extérieure.

Le salon était impeccable. J'ignorais comment mon équipe de nettoyage s'y était prise pour faire tout ça pendant la nuit, mais il ne restait pas un bout de bras, pas une touffe de cheveux, pas même une tache de sang. Le plancher et les meubles brillaient comme s'ils venaient d'être cirés. Seul le vieux tapis avait disparu. Je m'en moquais. Ma grand-mère l'avait payé trente-cinq dollars au marché aux puces. Tiens! Comment se faisait-il que je me souvienne de ça? C'était sans importance. Et Gran était morte.

J'ai soudain senti les larmes me monter aux yeux. Ah, non! Je n'allais pas recommencer à m'apitoyer sur mon sort.

Bizarrement, repenser à l'infidélité de Bill ne me faisait plus vraiment souffrir. Ça me paraissait déjà loin. J'étais devenue plus froide, maintenant, plus dure. Ou peut-être que ma carapace s'était épaissie. Je ne lui en voulais même plus. J'en étais la première surprise. Il s'était fait torturer par la femme (bon, d'accord, la vampire) dont il se croyait aimé. Et elle l'avait torturé pour de l'argent. C'était ça le pire.

Soudain, j'ai tout revécu: le pieu qui s'enfonçait sous ses côtes, le bois qui se fichait dans sa chair, le bruit, le…

J'ai regagné la salle de bains juste à temps.

OK. J'avais commis un meurtre.

Bon. J'avais déjà frappé quelqu'un qui en voulait à ma vie, et ça ne m'avait jamais perturbée outre mesure. Oh! Un petit cauchemar ou deux: le contrecoup habituel. Mais cette fois, c'était différent. Pourtant, Lorena m'aurait tuée sans la moindre hésitation, et je suis convaincue que ça ne lui aurait posé aucun problème. Ça l'aurait même probablement fait mourir de rire.

Puis je me suis rappelé ce que j'avais ressenti juste après lui avoir planté le pieu dans le cœur. J'étais certaine qu'il y avait eu un moment, une seconde, le temps d'un éclair, pendant lequel je m'étais dit : « Tiens ! Prends ça, sale garce ! » Un instant de jouissance absolue.

Quelques heures plus tard, j'avais acquis la certitude qu'on était lundi, en début d'après-midi. J'ai appelé mon frère sur son portable pour qu'il vienne m'apporter mon courrier. Quand j'ai ouvert la porte, il m'a regardée un long moment sans rien dire.

— Si c'est lui qui t'a fait ça, a-t-il fini par siffler entre ses dents serrées, je prends le premier balai qui me tombe sous la main, je me taille un pieu dans une moitié, je me fais une torche avec l'autre et je file direct chez lui.

— Non, ce n'est pas lui.

— Où sont passés ceux qui t'ont fait ça ?

— Il vaut mieux que tu ne le saches pas, crois-moi.

— Je vois. Au moins une chose qu'il a faite comme il faut.

— C'est fini entre nous.

— J'ai déjà entendu ça.

Il n'avait pas tort.

— Pour un bon moment, en tout cas, ai-je rectifié, sans capituler pour autant.

— Sam m'a dit que tu étais partie avec Alcide Herveaux...

— Sam aurait mieux fait de se taire.

— Merde alors, Sookie ! Je suis ton frère, j'ai bien le droit de savoir avec qui tu traînes.

— C'était... pour affaires.

J'ai essayé de sourire, prudemment. J'avais un peu peur, mais ça m'a fait moins mal que je ne le craignais.

— Tu te lances dans le bâtiment?

— Tu connais Alcide?

— Tout le monde les connaît, au moins de nom: les Herveaux sont connus comme le loup blanc. Carrés, comme mecs. Bourrés de pognon. De bons patrons.

— C'est un type bien.

— Si tu comptes le revoir, pense à me le présenter. Je n'ai pas l'intention de travailler à la voirie toute ma vie.

Première nouvelle.

— La prochaine fois que je le verrai, je te ferai signe. Mais je ne sais pas quand il va revenir dans le coin. En tout cas, tu peux compter sur moi. Je te préviendrai.

— Cool.

En entrant dans le salon, il s'est figé sur le seuil et a jeté un regard circulaire.

— Où est passé le tapis?

Au même moment, j'ai aperçu sur le canapé une tache de sang que je n'avais pas repérée, à l'endroit exact où Eric s'était adossé. Je suis allée m'asseoir juste au-dessus et j'ai serré les jambes pour la cacher. Jason a pris place sur un fauteuil, en face de moi.

— Le tapis? J'ai renversé du ketchup dessus. Je mangeais des spaghettis en regardant la télé.

— Et tu l'as donné à nettoyer?

Que répondre à ça? Peut-être les vampires l'avaient-ils effectivement déposé au pressing, ou peut-être qu'ils avaient dû le brûler.

— Euh… oui. Enfin, ils ne sont pas sûrs de pouvoir le rattraper.

— Au fait, joli, le nouveau gravier.

— Le quoi?

Je l'ai dévisagé, bouche bée. Il m'a regardée comme si j'étais une demeurée.

— Le gravier neuf. Dans l'allée. Ils ont fait du bon boulot. Question nivelage, c'est impeccable : plus un seul trou.

Oubliant complètement la tache de sang, je me suis levée – non sans difficulté – et je suis allée jeter un coup d'œil par la fenêtre.

Non seulement l'allée avait été refaite, mais il y avait aussi un nouvel emplacement de parking devant la maison : un large rectangle entouré, sur trois côtés, d'une petite clôture de rondins. Et j'avais eu droit au gravier de la meilleure qualité, le plus cher, celui qui ne bougeait pas parce que les gravillons étaient censés s'agripper les uns aux autres pour ne pas rouler hors de la surface délimitée. Mentalement, j'ai essayé d'estimer le coût des travaux, et ma main s'est portée machinalement à ma bouche.

— Et c'est comme ça jusqu'à la route ? ai-je soufflé.

— Ouais. J'ai vu les gars de Burgess et Fils bosser dessus, en passant devant chez toi, ce matin. Mais… Ce n'est pas toi qui les as fait venir ? m'a-t-il interrogée.

J'ai secoué la tête.

— Bon Dieu ! Ils se sont trompés de client ?

Jason a tendance à prendre facilement le mors aux dents.

— Je vais appeler ce con de Randy Burgess et je vais lui botter les fesses ! s'est-il immédiatement écrié, rouge de colère. Et ne t'avise pas de payer la facture, hein ! Tiens, la voilà. Elle était scotchée à ta porte, a-t-il poursuivi en tirant de sa poche une feuille de papier jaune. Désolé, j'allais te la donner mais ça m'est sorti de la tête quand j'ai vu ton visage.

Je l'ai dépliée et j'ai lu :

Sookie,

M. Northman nous a dit de ne pas frapper pour ne pas te déranger. Alors, je te colle ça sur ta porte. Comme ça, tu pourras nous appeler, si jamais il y a quelque chose qui ne va pas.

Randy

— C'est déjà payé, ai-je annoncé.

Jason s'est aussitôt calmé.

— Ton jules ? Euh... ton ex ?

Je me suis souvenue de la crise que j'avais piquée avec Eric au sujet de l'allée.

— Non. Quelqu'un d'autre.

Je me suis prise à regretter que ce ne soit pas Bill qui y ait pensé.

— Eh ben dis donc ! Il y en a qui font leur petit bonhomme de chemin, mine de rien ! s'est exclamé Jason, admiratif.

Je m'étais attendue à des reproches, pas à des félicitations. Mais Jason, en tant que don Juan notoire, était plutôt mal placé pour me jeter la pierre, et il le savait.

— Non. Ce n'est pas ce que tu crois.

Il m'a dévisagée un bon moment. J'ai soutenu son regard.

— OK, a-t-il concédé. Alors, quelqu'un a une sacrée dette envers toi.

— C'est plus près de la vérité, ai-je répondu, en me demandant si je n'en étais pas plus loin que lui en disant ça. Merci d'être passé m'apporter le courrier, mais je dois vraiment retourner me coucher.

— Pas de problème. Tu ne veux pas aller voir le médecin ?

J'ai secoué la tête. Je ne me sentais pas le courage d'affronter la salle d'attente.

— Bon. Alors, tu me diras si tu veux que je te fasse des courses.

— Merci, ai-je répété avec plus de chaleur dans la voix. Tu es un super frangin.

À notre mutuelle surprise, je me suis hissée sur la pointe des pieds pour l'embrasser sur la joue, et il a passé son bras autour de mes épaules avec une touchante (et douloureuse) maladresse. J'ai souri de toutes mes dents pour ne pas faire la grimace.

— Retourne te mettre au lit, sœurette, m'a-t-il lancé, avant de refermer la porte derrière lui.

Je l'ai regardé par la fenêtre. Il est bien resté planté une bonne minute sur le perron, à contempler le gravier. Puis il a secoué la tête et il est remonté dans son pick-up, toujours étincelant de propreté, les flammes rose et turquoise toujours aussi saisissantes sur le fond noir de la carrosserie.

J'ai regardé un peu la télévision. J'ai essayé de manger, mais je n'ai rien pu avaler. Ça me faisait trop mal. J'étais bien contente quand j'ai découvert un yaourt en bas du réfrigérateur.

Vers 15 heures, un gros pick-up s'est garé devant la maison. Alcide en est sorti, ma valise à la main. Il a frappé doucement à la porte.

— Nom de Dieu! a-t-il lâché lorsque j'ai ouvert.

— Entre, ai-je murmuré entre des mâchoires que j'avais de plus en plus de mal à desserrer.

J'avais promis à Jason de l'appeler si Alcide passait, mais nous devions parler, Alcide et moi.

Lui aussi est resté un bon moment à me regarder fixement, sans bouger. Puis il a fini par aller mettre ma valise dans ma chambre et m'a servi un grand verre de thé glacé avec une paille avant de le poser sur la petite table à côté du canapé. J'en avais les larmes aux yeux. Ce n'est pas tout le monde qui aurait pensé qu'avec mon visage tuméfié il valait mieux me donner une boisson froide plutôt que chaude.

— Raconte-moi ce qui s'est passé, ma douce, m'a-t-il demandé, en s'asseyant à côté de moi. Tiens ! Mets tes pieds sur mes genoux, tu seras mieux.

Il m'a aidée à m'allonger et m'a pris les jambes pour les poser sur ses cuisses. Le dos calé contre des coussins, j'étais dans une position plutôt confortable – aussi confortable que possible, étant donné les circonstances.

Je lui ai tout raconté.

— Donc, tu crois qu'ils risquent de me tomber dessus à Shreveport ? a-t-il conclu.

Il ne semblait pas m'en vouloir. Je m'attendais à moitié qu'il me tienne pour responsable de tout ce qui lui était arrivé – ce qui n'était pas faux, en un sens.

J'ai secoué la tête, un peu désemparée.

— Je n'en sais rien. Si seulement on pouvait découvrir ce qui s'est réellement passé ! On réussirait peut-être à se débarrasser d'eux.

— Les loups-garous sont d'une indéfectible loyauté.

— Je sais, ai-je murmuré en lui prenant la main.

Ses yeux verts se sont rivés aux miens.

— Debbie m'a demandé de te tuer.

J'ai senti un frisson glacé me parcourir la colonne.

— Et... qu'est-ce que tu lui as répondu ?

— Je lui ai dit d'aller se faire foutre – passe-moi l'expression.

— Et comment te sens-tu, maintenant ?

— Vidé, largué. C'est dingue, non ? Mais je fais tout pour me la sortir de la tête, avec les racines. Je t'ai déjà dit que je le ferais. C'est comme une drogue. Il faut que je me désintoxique. Elle me détruit.

J'ai soudain pensé à Lorena.

— Parfois, c'est la garce qui gagne...

Même à mes propres oreilles, ma voix m'a paru triste.

Lorena était peut-être morte, mais elle se dresserait toujours entre Bill et moi.

En parlant de Debbie, ça me rappelait quelque chose.

— Dis donc, quand vous étiez en train de vous disputer, tous les deux, tu lui as bien dit qu'on avait couché ensemble, non?

Il a eu l'air mal à l'aise, tout à coup.

— Je n'en suis pas très fier, m'a-t-il avoué, le rouge au front. Elle vantait les prouesses de son fiancé. Ça m'a mis hors de moi. Alors, je me suis servi de toi pour la rendre jalouse. J'étais fou de rage. Je ne savais plus ce que je disais. Je suis sincèrement désolé.

Bon. Je pouvais comprendre, même si je n'appréciais pas. Mais ce n'était pas suffisant. J'ai haussé les sourcils pour le lui signifier.

— OK, c'était vraiment nul. Je te présente toutes mes excuses. Pardonne-moi. Je ne le ferai plus, promis, juré.

Là, j'étais d'accord.

— Franchement, j'en étais malade, de vous jeter comme ça à la porte de mon appartement, a-t-il enchaîné. Mais je ne voulais pas qu'elle vous voie. J'avais peur des conclusions qu'elle risquait d'en tirer. Debbie peut vraiment aller loin, quand elle est en colère. Et je me suis dit que si elle vous voyait tous les trois, toi et les deux vampires, et si elle avait entendu un bruit qui courait à propos d'un prisonnier qui s'était échappé de chez Russell, elle pourrait faire le rapprochement et, garce comme elle est, appeler Russell pour vous balancer.

— L'indéfectible loyauté des loups-garous...

Il m'a aussitôt corrigée.

— Debbie est une métamorphe, pas un loup-garou.

Sa réponse instantanée m'a confortée dans mon opinion : Alcide avait beau se prétendre décidé à ne pas transmettre le gène du loup-garou qui sommeillait en lui, il ne serait heureux qu'avec une louve. J'ai soupiré, aussi discrètement que possible. Je me trompais peut-être, après tout.

— Bon, Debbie mise à part, ai-je repris, en agitant la main pour bien lui montrer à quel point Debbie sortait du cadre de notre conversation, quelqu'un a bien tué Jerry Falcon et l'a fourré dans ton placard. Ce qui nous a valu beaucoup plus d'ennuis que la mission pour laquelle on avait été engagés, à savoir retrouver Bill. Qui a bien pu faire ça ? Il faut quand même être vicieux pour monter un coup pareil.

— Ou complètement crétin, m'a fait remarquer Alcide.

Ce n'était pas faux.

— En tout cas, ce n'est pas Bill, puisqu'il était prisonnier. Et je suis prête à jurer qu'Eric ne nous a pas menti. Mais...

J'hésitais un peu à en revenir si vite au nom que je venais justement de classer hors sujet.

— Et Debbie ? C'est quand même une...

J'ai retenu le « sale garce » *in extremis*. Seul Alcide avait le droit de dire ça d'elle.

— Enfin, elle t'en voulait à mort de t'afficher avec une nouvelle conquête. Elle aurait très bien pu flanquer Jerry Falcon dans ton placard pour te causer des ennuis.

— Debbie est une vraie teigne, et elle peut vraiment faire du grabuge quand elle s'y met. Mais elle n'a jamais tué personne. Elle n'a pas le cran, le tempérament qu'il faut pour ça. La volonté de tuer.

C'est cela...

Alcide a dû lire ma consternation sur mon visage.

— Hé ! Je suis un loup-garou, Sookie, m'a-t-il rappelé. Je le ferais, si je devais le faire. Surtout à la pleine lune.

— Alors, c'est peut-être un membre de la meute qui a fait ça. Pour des raisons personnelles. Et il a décidé de te coller le meurtre sur le dos.

Nous n'avions pas encore envisagé ce scénario-là.

— Non, ça ne colle pas. Un autre loup-garou aurait... euh... Le corps n'aurait pas été... pareil.

Alcide cherchait à épargner ma sensibilité. Ce qu'il voulait dire par là, c'est que le corps aurait été en lambeaux.

— Et puis, je l'aurais senti, si un autre loup-garou avait touché le corps.

Nous étions à court d'idées. Pourtant, si j'avais pu me repasser la conversation depuis le début, j'aurais sans doute trouvé un autre suspect sans trop de difficultés.

— Bon. Il faut que j'y aille, m'a subitement annoncé Alcide. Je dois retourner à Shreveport.

J'ai soulevé les jambes pour le libérer. Mais, au lieu de se lever pour partir, il a mis un genou à terre au pied du canapé pour me dire au revoir. En bon produit de l'éducation de Gran, je lui ai débité tout un tas de politesses : comme il avait été aimable de m'héberger chez lui, quel plaisir j'avais eu à faire la connaissance de sa sœur, quelle joie ça avait été de cacher un cadavre en sa compagnie... Non, je ne lui ai pas vraiment dit ça, mais j'avoue que ça m'a traversé l'esprit.

— Je suis heureux de t'avoir rencontrée, m'a-t-il répondu.

Il était plus près de moi que je ne l'aurais pensé, et il n'a pas eu à se pencher beaucoup pour déposer un chaste baiser sur mes lèvres. Mais, après le chaste baiser, il est passé à des adieux plus… prolongés. Ses lèvres, sa langue étaient si chaudes… Puis il a légèrement tourné la tête pour changer d'angle – et reprendre aussitôt. Sa main droite m'effleurait, courant sur tout mon corps à la recherche d'un endroit où se poser sans me faire mal. Finalement, il s'est résigné à prendre ma main gauche dans la sienne. Seigneur, que c'était bon! Malheureusement, seules ma bouche et la boule de feu qui s'était embrasée sous mon nombril étaient capables d'apprécier le moment. Tout le reste de mon corps semblait à vif. Il a fait remonter sa main lentement, comme s'il hésitait, jusqu'à ma poitrine. J'ai laissé échapper une sorte de hoquet.

— Oh non! Je t'ai fait mal! s'est-il écrié.

Il avait les lèvres rouges et gonflées. Ses yeux étincelaient.

— C'est juste que c'est très sensible, ai-je dit d'un ton contrit.

— Mais qu'est-ce qu'ils t'ont fait? Ne me dis pas que ce sont quelques bonnes gifles qui t'ont mise dans un état pareil?

Il avait dû croire que les dégâts se limitaient aux marques violacées et aux boursouflures que j'avais sur le visage.

— Quelques gifles? J'aurais préféré.

J'ai essayé de sourire: un vrai supplice.

Il semblait vraiment horrifié.

— Et moi qui ne trouve rien de mieux à faire que de te draguer!

— Je ne t'ai pas repoussé, lui ai-je fait calmement remarquer (j'en aurais été absolument incapable). Et puis, je ne me suis pas écriée: «Monsieur! Comment osez-vous abuser de ma faiblesse pour me soumettre à vos désirs?»

Alcide m'a lancé un regard perplexe.

— Je reviendrai bientôt, m'a-t-il promis. Et si tu as besoin de quoi que ce soit, appelle-moi, d'accord?

Il a sorti une carte de visite de sa poche.

— Tu trouveras mon numéro professionnel là-dessus. Je te mets ceux de mon portable et de mon domicile au dos. Donne-moi le tien.

Je me suis docilement exécutée. Il a noté mes coordonnées dans un petit calepin.

Après son départ, la maison m'a semblé terriblement vide. Il était si dynamique, si... vivant! Il emplissait l'espace de sa présence, l'habitait de sa personnalité.

La fin de la journée ne s'annonçait pas très gaie.

Arlene, qui avait vu Jason au bar, est arrivée vers 17 h 30. Elle m'a examinée en silence. Elle a contenu toutes les remarques qu'elle avait envie de prononcer, pour aller plutôt me faire chauffer une soupe, que j'ai laissée refroidir un bon moment avant de l'avaler lentement, à la petite cuillère. C'était réconfortant.

Elle a mis mon bol sale dans le lave-vaisselle et m'a demandé si j'avais besoin d'autre chose. J'ai pensé à ses enfants qui l'attendaient et je lui ai dit que je m'en sortirais très bien toute seule. Ça m'avait fait du bien de la voir, et de savoir qu'elle s'était retenue pour ne pas me poser de questions.

Physiquement, en revanche, ça ne s'arrangeait pas. Au contraire. J'avais des courbatures partout, et je sentais mes muscles se raidir de plus en plus.

Je me suis obligée à me lever et à marcher un peu (à boitiller, plutôt). Mais la douleur de mes blessures s'amplifiait et la maison se refroidissait. J'ai commencé à aller vraiment mal. C'est dans ces cas-là qu'on ressent le plus la solitude : quand ça ne va pas très bien, ou quand on est malade et qu'il n'y a personne pour prendre soin de vous.

On aurait aussi tendance à s'apitoyer sur son sort, si on ne faisait pas attention.

À ma grande surprise, le premier vampire à se présenter devant ma porte, après la tombée de la nuit, a été Pam. Elle portait une longue robe noire à traîne, signe qu'elle devait être de corvée de représentation au *Fangtasia* – Pam déteste le noir. Elle préfère les couleurs pastel.

— Eric prétend que tu pourrais avoir besoin d'une… assistance féminine, m'a-t-elle dit, en tirant nerveusement sur ses manches. Quant à savoir pourquoi c'est à moi qu'il revient de jouer le rôle de femme de chambre, je n'en ai pas la moindre idée. As-tu vraiment besoin d'aide ou essaie-t-il seulement de s'attirer tes faveurs ? Je n'ai rien contre toi – tu m'es même plutôt sympathique –, mais, après tout, je suis une vampire et tu n'es qu'une humaine.

Cette Pam ! Quel amour.

— Tu pourrais t'asseoir une minute et me tenir compagnie, lui ai-je proposé, ne sachant trop comment gérer la situation.

En fait, j'aurais bien voulu qu'on m'aide à entrer et à sortir de la baignoire, mais je me voyais mal demander ça à Pam. Elle s'en serait offusquée. C'était une vampire, et je n'étais qu'une humaine…

Elle s'est installée dans le fauteuil placé face au canapé.

— Eric m'a dit que tu savais te servir d'un fusil, a-t-elle repris sur le ton de la conversation. Tu pourrais m'apprendre ?

— J'en serai ravie, quand j'irai un peu mieux.

— Tu as vraiment supprimé Lorena ?

Apparemment, les leçons de tir passaient avant la mort d'une consœur.

— Elle allait me tuer.

— Comment as-tu fait ?

— J'avais apporté le pieu qu'on avait utilisé contre moi.

Ensuite, elle a voulu savoir ce qui m'était exactement arrivé et quel effet ça faisait de se prendre un pieu dans le corps, étant donné que j'étais la seule personne de sa connaissance à en avoir réchappé. Mais quand elle m'a demandé comment je m'y étais prise pour supprimer Lorena, j'ai eu le courage de lui avouer que je ne tenais pas à en parler.

— Pourquoi ? s'est étonnée Pam. Tu m'as bien dit qu'elle essayait de te tuer, non ?

— Oui.

— Et après, elle aurait torturé Bill jusqu'à ce qu'il craque. Et il aurait craqué. Tu serais morte pour rien.

Pam venait de marquer un point. Et même un sacré point. Au lieu de m'en vouloir, j'ai tenté de considérer cet acte comme une des étapes indispensables à la réussite de ma mission : sauver Bill.

— Bill et Eric vont bientôt arriver, m'a annoncé Pam à brûle-pourpoint, en regardant sa montre.

— Oh, non ! Tu ne pouvais pas me dire ça plus tôt ? me suis-je écriée en me relevant aussi vite que j'en étais capable.

— Madame veut se refaire une beauté ? a raillé Pam avec entrain. C'est pour ça qu'Eric a pensé que tu aurais besoin d'aide, d'ailleurs…

342

— Je crois que je pourrai me débrouiller toute seule, si ça ne te dérange pas de réchauffer quelques bouteilles de sang au micro-ondes – dont une pour toi, bien sûr. Je suis désolée, je manque à tous mes devoirs.

Pam a haussé les épaules, puis elle s'est dirigée vers la cuisine, sans faire de commentaires. J'ai tendu l'oreille pour m'assurer qu'elle savait se servir du micro-ondes. Les bips qui ont suivi m'ont rapidement tranquillisée.

J'ai donc entrepris de faire ma toilette. Lentement, péniblement, je me suis débarbouillée, avant de me brosser les dents et les cheveux. Puis j'ai mis mon pyjama en satin rose, avec peignoir et mules assortis. J'aurais bien voulu avoir la force de m'habiller, mais devoir enfiler des sous-vêtements, des chaussettes, des chaussures… ça m'épuisait d'avance.

Inutile de me maquiller. Rien ne pourrait cacher ces bleus. À vrai dire, je me demandais bien pourquoi je m'étais donné tout ce mal. Je me suis regardée dans la glace. Non, mais quelle idiote ! À quoi rimaient tous ces préparatifs ? Je me pomponnais comme une collégienne avant son premier rendez-vous. Vu mon état, physique et mental, c'était franchement ridicule. J'avais honte de moi, et plus encore de savoir que Pam avait été témoin de cet accès de vanité féminine.

Une fois de plus, mon premier visiteur ne devait pas être un de ceux que j'attendais.

Bubba était sur son trente et un. Manifestement, les vampires de Jackson avaient apprécié sa compagnie. Il portait une combinaison pantalon en satin rouge ornée de strass (que l'un des mignons de la demeure royale avait dû lui trouver), avec ceinture et santiags coordonnées. Magnifique.

Il ne semblait pourtant pas très content de lui. Il avait l'air penaud.

— Je suis désolé de vous avoir perdue, hier soir, mam'zelle Sookie, m'a-t-il aussitôt dit, en passant devant Pam sans même la regarder. Je vois bien qu'il vous est arrivé quelque chose et je n'étais pas là pour vous protéger, comme m'sieur Eric l'avait dit. Je m'amusais tellement bien à Jackson. Ces gars-là, ils savent ce que c'est que d'organiser une soirée !

Une idée m'a soudain traversé l'esprit. Une idée d'une simplicité biblique et d'une évidence aveuglante. Si j'avais été dans une bande dessinée, on aurait vu une petite ampoule s'allumer au-dessus de ma tête.

— Tu m'as surveillée toutes les nuits, c'est bien ça ? ai-je demandé, aussi doucement que possible, en prenant bien garde de ne rien lui laisser voir de l'excitation qui me gagnait.

— Oui, mam'zelle. Juste comme m'sieur Eric l'avait dit.

Bubba s'est redressé, pratiquement au garde-à-vous. Il avait fière allure, avec son costume, ses beaux cheveux noirs gominés bien peignés et sa petite mèche rebelle sur le front. Les copains de Russell s'étaient donné du mal, mais le résultat était à la hauteur de leurs efforts.

— Donc, tu étais là, quand on est rentrés du club, le premier soir ? Tu t'en souviens ?

— Je veux, oui !

— Tu n'aurais pas vu quelqu'un rôder du côté de l'appartement d'Alcide ?

— Ah ça oui ! a-t-il répondu, fier comme un paon. Ah.

— Le type en question, il ne portait pas un gilet en cuir comme ceux du gang des loups-garous, par hasard ?

Il a eu l'air stupéfait.

— Ben si. C'était celui qui vous avait attaquée au bar. Je l'ai vu quand le videur l'a jeté dehors. Ses potes sont venus le retrouver, là, derrière, et ils ont parlé de ce qui s'était passé à l'intérieur. C'est comme ça que j'ai su. M'sieur Eric m'avait dit de ne pas vous approcher quand il y avait du monde, alors je n'étais pas entré dans le club. Mais je vous ai suivie jusqu'à l'appartement, dans le pick-up. Je parie que vous ne saviez même pas que j'étais à l'arrière.

— Non, c'est vrai. Je ne me suis pas doutée une seconde que tu étais dans le plateau du pick-up d'Alcide. Drôlement futé de ta part, Bubba! Maintenant, dis-moi, lorsque tu as repéré le loup-garou, après, qu'est-ce qu'il faisait?

— Le temps que j'arrive derrière lui, il avait déjà forcé la serrure de l'appartement. Je l'ai attrapé juste à temps.

— Qu'est-ce que tu as fait, alors?

— Je lui ai tordu le cou et je l'ai fourré dans le placard. Je n'avais pas le temps de le planquer ailleurs, et je me suis dit que m'sieur Eric et vous, vous sauriez bien quoi en faire.

Tout simplement. Il suffisait de poser la bonne question à la bonne personne, et l'énigme sur laquelle nous avions tous calé était résolue.

Comment se faisait-il que nous n'y ayons pas pensé? On ne pouvait pas donner un ordre à Bubba et le laisser se débrouiller tout seul en espérant qu'il l'adapterait aux circonstances. En outre, il était fort possible qu'en tuant Jerry Falcon il m'ait sauvé la vie. Ma chambre était sans doute le premier endroit où le loup-garou se serait caché. Et j'étais si fatiguée, en rentrant me coucher ce soir-là, que je ne me serais probablement aperçue de rien. Je n'aurais jamais pu réagir à temps.

Tel un spectateur assistant à un match de tennis, Pam avait suivi la conversation en nous regardant tour à tour, une question écrite en gros dans les prunelles. Je lui ai fait discrètement signe que je lui expliquerais tout plus tard. Puis j'ai adressé un large sourire à Bubba et je l'ai félicité :

— Eric sera très content quand il saura ça.

Et voir la tête d'Alcide, lorsque je lui apprendrais le fin mot de l'histoire, vaudrait sans doute le déplacement.

Bubba s'est subitement détendu. Il m'a adressé son sourire si célèbre.

— Je suis bien content aussi, mam'zelle Sookie, m'a-t-il répondu. Vous avez du sang ? J'ai vachement soif.

— Bien sûr.

Pam s'est montrée assez aimable pour aller lui chercher une bouteille de TrueBlood. Bubba a bu une grande rasade.

— Ce n'est pas aussi bon que du sang de chat, a-t-il commenté. Mais c'est vachement bon quand même. Merci. Merci bien.

15

Quelle charmante petite soirée : votre serveuse préférée, flanquée de quatre vampires (avec Bill et Eric, venus séparément, mais arrivés pratiquement ensemble, ça faisait le compte) ! Une soirée entre copains, à la maison tout simplement.

Bill a insisté pour me tresser les cheveux, histoire de bien montrer à quel point il était familier des lieux : il est immédiatement allé dans la salle de bains de ma chambre chercher ma brosse et la boîte qui renfermait mes barrettes, et tout mon attirail. Il m'a aidée à m'asseoir confortablement sur l'ottomane devant lui et il a pris place derrière moi pour me coiffer. J'avais toujours aimé ce rituel apaisant. Mais ce soir, il me rappelait aussi une autre soirée qui avait commencé de la même façon et s'était terminée par un... feu d'artifice. C'était une manœuvre délibérée, de la part de Bill.

Eric observait la scène avec un air d'étudiant prenant des notes en vue d'un futur examen. Quant à Pam, elle affichait un petit sourire goguenard. Je ne parvenais pas à comprendre : que cherchaient-ils, à rester ainsi ensemble – et avec moi – dans mon salon ? Pourquoi ne s'en allaient-ils pas ? Moins d'un quart d'heure après leur arrivée, je me sentais déjà envahie. Je n'avais qu'une envie : me retrouver seule chez moi. Dire que, une heure plus tôt, je me plaignais de ma solitude !

Bubba a été le premier à partir. Il avait hâte d'aller « chasser ». J'ai décidé de ne pas trop m'appesantir sur le concept. Après son départ, j'ai enfin pu raconter aux autres ce qui était vraiment arrivé à Jerry Falcon.

En apprenant que les consignes qu'il avait lui-même données à Bubba avaient provoqué la mort de Jerry Falcon, Eric n'a pas semblé plus contrarié que ça. Pour ma part, je m'étais déjà fait une raison. Après tout, s'il s'agissait de choisir entre Jerry Falcon et moi, eh bien… je votais pour moi sans hésitation. Bill était totalement indifférent au sort de Jerry. Quant à Pam, elle trouvait toute l'histoire franchement hilarante.

— Qu'il t'ait suivie jusqu'à Jackson alors que les ordres qu'il avait reçus se limitaient à une nuit de surveillance ici, qu'il ait continué à jouer son rôle de garde du corps coûte que coûte, ce n'est pas très vampirique mais, le moins qu'on puisse dire, c'est que c'est un vaillant petit soldat ! a-t-elle commenté.

— Il aurait quand même mieux valu qu'il dise à Sookie ce qu'il avait fait et pourquoi il l'avait fait, a déclaré Eric.

— Oui, il aurait au moins pu me laisser un petit mot, ai-je dit d'un ton sarcastique. Ça m'aurait moins traumatisée que d'ouvrir ce placard et de me retrouver avec un cadavre sur les bras !

Pam hennissait de rire. J'avais vraiment l'art et la manière de chatouiller son sens de l'humour. Merveilleux.

— J'imagine ta tête, a-t-elle gloussé. Le loup-garou et toi obligés de cacher le corps ! Oh ! C'est à mourir de rire.

— Dommage que je n'aie pas su ça quand Alcide est venu, cet après-midi, ai-je soupiré.

J'avais fermé les yeux sous l'effet relaxant du délicat brossage de Bill, mais le brusque silence qui a suivi a eu sur moi un effet encore plus souverain. Un vrai bonheur! Enfin, j'allais pouvoir m'amuser un peu, moi aussi.

— Alcide Herveaux est venu ici? a grommelé Eric.

— Oui, il m'a rapporté ma valise. Vu l'état lamentable dans lequel il m'a trouvée, il est resté une petite heure pour me tenir compagnie et m'aider à faire quelques trucs.

Quand j'ai soulevé les paupières, parce que Bill avait cessé de me coiffer, le regard de Pam a croisé le mien. Elle m'a fait un clin d'œil. Je lui ai adressé un petit sourire en coin.

— Au fait, j'ai défait tes bagages et rangé tes affaires pour toi, Sookie, m'a annoncé Pam, l'air de rien. Où as-tu trouvé ce superbe châle noir en velours?

J'ai pincé les lèvres pour ne pas rire.

— Eh bien, celui que je portais a été abîmé au *Josephine's*, et Alcide est gentiment allé m'en acheter un autre. Il me l'a offert au moment où je m'habillais pour sortir, le deuxième soir. Il m'a dit qu'il se sentait responsable de ce qui était arrivé au premier. Debbie l'avait brûlé avec une cigarette.

J'étais d'ailleurs ravie d'apprendre que je n'avais pas perdu ma belle étole. La dernière fois que je l'avais vue, c'était sur le siège avant de la Lincoln, juste avant de me retrouver enfermée dans le coffre. Depuis, je l'avais quelque peu oubliée.

— Il a bon goût, pour un loup-garou, a-t-elle concédé. Tu me le prêteras, si je t'emprunte ta robe rouge?

J'ignorais que Pam et moi en étions à nous échanger nos vêtements, mais j'ai compris qu'elle se sentait d'humeur malicieuse et j'ai répondu sans hésiter :

— Bien sûr.

Peu de temps après, elle prenait congé.

— Je crois que je vais rentrer en courant à travers bois, a-t-elle nonchalamment annoncé. La nuit est belle. J'ai envie d'en profiter.

— Tu vas courir jusqu'à Shreveport ?

J'étais sidérée.

— Ce ne sera pas la première fois, m'a-t-elle assuré. Au fait, Bill, la reine a appelé au *Fangtasia* pour savoir pourquoi tu ne lui avais pas remis ton travail en temps et en heure. Elle a dit qu'elle essayait de te joindre en vain depuis plusieurs nuits.

Bill a recommencé à me brosser les cheveux.

— Je la rappellerai plus tard, de chez moi, a-t-il répondu. Elle sera sans doute heureuse d'apprendre que j'ai fini.

— Tu as failli tout perdre, Bill, a soudain grondé Eric.

Après avoir jeté un coup d'œil à Bill et à son patron, Pam s'est éclipsée. Inquiétant.

— Oui, j'en suis parfaitement conscient.

La voix de Bill, toujours fraîche et douce, ne m'avait jamais paru aussi glaciale. Celle d'Eric tenait plus du brasier et semblait annoncer une explosion imminente.

— Comment as-tu pu être assez stupide pour te remettre avec ce démon en jupons ? a craché Eric.

— Hé ho !, les gars ! Je suis là ! leur ai-je rappelé.

Ils m'ont fusillée du regard. Ils paraissaient bel et bien décidés à crever l'abcès. Je me suis dit que, si c'était ce qu'ils voulaient, ce n'était pas moi qui allais les en empêcher, mais ils devraient faire ça ailleurs. J'aurais bien voulu remercier Eric avant qu'il parte, pour le gravier. Cependant, le moment me semblait mal choisi.

— Bon, ai-je repris d'un ton résolu. J'avais espéré ne pas en arriver là, mais puisque c'est comme ça… Bill, je te retire l'autorisation d'entrer chez moi.

Ma brosse toujours à la main, Bill a commencé à reculer vers la porte, une expression d'incrédulité sur le visage. Eric lui a lancé un regard triomphant.

— Eric… ai-je enchaîné.

Son sourire satisfait s'est immédiatement évanoui.

— … je te retire l'autorisation d'entrer chez moi.

À son tour, il a franchi le seuil et descendu les marches de la véranda à reculons. La porte a claqué derrière eux (ou devant ?).

Je suis restée assise sur l'ottomane. J'éprouvais un incroyable soulagement. Enfin, le silence ! Et, tout à coup, je me suis souvenue que le programme informatique que la reine de Louisiane désirait si ardemment, ce programme qui avait causé tant de souffrances et se trouvait à l'origine de ma rupture avec Bill, ce programme qui recensait les coordonnées de tous les vampires répertoriés sur cette terre était enfermé chez moi.

Chez moi où ni Eric, ni Bill, ni même la reine de Louisiane, ne pouvaient mettre les pieds sans mon consentement.

Je n'avais pas ri comme ça depuis des semaines.